Ma cuisine

Des Landes au Carré des Feuillants

Bonne promenade gourmande

Alain Dutournier

Ma cuisine

Des Landes au Carré des Feuillants

Albin Michel

Ouvrage publié sous la direction de Claude Lebey

Les astérisques dans le texte
renvoient au lexique des principaux termes professionnels p. 16.

Selon le souhait d'Alain Dutournier et contrairement au Code des typographes,
qui stipule que le nom d'un vin et son cépage soient écrits en minuscule,
vous les lirez ici avec une majuscule initiale pour mieux les respecter.

22, rue Huyghens - 75014 Paris

www.albin-michel.fr

ISBN : 2-226-11698-2

Table des recettes

Les desserts

Les plats

Préface

Devoir de mémoire

J'ai réfléchi quinze ans avant de me décider à publier ce premier livre. Cette hésitation a une raison : si j'ai pris un grand plaisir à lire Brillat-Savarin, Ali Bab, Edouard Nignon, Escoffier, Grimaud de la Reynière, Alexandre Dumas et quelques autres... je reste beaucoup plus perplexe devant le flot ininterrompu des livres de cuisine contemporains. À l'exception de quelques-uns, que je garde précieusement et qui sont devenus des ouvrages de référence, ces recueils de recettes me paraissent le plus souvent répétitifs, peu pratiques, peu stimulants.

Allais-je ajouter un tome de plus à cette bibliothèque pléthorique ?

Je faisais mienne la devise de Curnonsky, prince des gastronomes et écrivain de métier, qui refusa toujours d'écrire un livre de cuisine en affirmant : « on mange avec ses papilles, pas avec des mots ».

Et puis, récemment, la disparition de ma mère, puis de mon père, m'ont conduit à une évidence : j'étais devenu le dépositaire d'un legs de connaissances, de procédés, de secrets de table liés à l'auberge familiale ; je ne pouvais pas prendre le risque de voir tout cela disparaître avec moi.

J'étais aussi devenu l'un des messagers de mon petit peuple de la graisse d'oie, des pibales, du piment, du Bas-Armagnac, du taureau et du ballon ovale. J'étais face à un devoir de mémoire. C'est pourquoi j'ai finalement décidé d'écrire ce livre, où l'on trouvera les traditions qui ont bercé ma prime jeunesse, les éblouissements et les moments privilégiés de ma vie de cuisinier depuis l'auberge familiale jusqu'au Carré des Feuillants.

Dans la première partie de ce livre, j'ai réuni les recettes dont la source vive est ma mémoire d'enfant.

La seconde partie regroupe ma sélection de recettes issues de la tradition française, « revisitées », adaptées et éventuellement modernisées. On y trouvera par exemple ma version du lièvre à la royale ou le rognon de veau cuit entier dans sa graisse. Des grands classiques à préserver, mis à la portée de ceux qui peuvent ainsi éprouver la nostalgie de la cuisine de nos parents, en évitant les pièges qui les entouraient.

Je propose dans une troisième partie des recettes originales nées de mon goût pour l'innovation. Dans ce chapitre, en évolution permanente, je réunis un certain nombre de créations peut-être un peu plus techniques, mais tout à fait réalisables chez vous avec un peu de soin et de patience. Exemples : le velouté de châtaigne à la truffe blanche, le petit pâté chaud de cèpes au jus de persil, le râble de lapereau « retour des Indes », les langoustines pimentées à la nougatine d'ail, la lisette à la chair d'oursins, la pêche de vigne champenoise, etc.

Ces trois catégories de recettes – issues de mon enfance, puisées dans la tradition et nées de mon imagination – ont en commun d'être l'aboutissement de beaucoup de soins, de tâtonnements et de passion. Chacune est le fruit d'un travail scrupuleux. J'y ai mis, en pensant à ceux ou à celles à qui je les destinais, le meilleur de moi-même. En espérant qu'ils, ou elles, en tireraient un de ces plaisirs, minuscules et considérables, qui donnent sa saveur à la vie. Ces trois catégories illustrent les trois grandes orientations de mon travail, de ma pensée – de ma vision personnelle de l'acte culinaire. Un caractère commun les réunit. Pour moi, le bien-manger ne se conçoit pas sans la générosité, l'amitié, et sans la conscience d'un certain rôle social et humain. Les mets et les vins sont également indissociables d'un environnement où le vin joue sa partition cardinale ou originale. Je me propose de communiquer quelques idées ou suggestions à la fin de chaque recette.

Ainsi apparaîtra, je l'espère, l'esprit de ma cuisine lié à mes racines et fondé sur le souci permanent, instinctif d'oser et d'harmoniser les contrastes. C'est-à-dire valoriser le produit simple, authentique, par un élément plus rare très différent en goût, en texture, en couleurs et aussi rapprocher parfois ce qui, en apparence, paraît inconciliable. Par exemple : homard et amande fraîche, melon chaud et langoustines, sardines et fromage blanc, bœuf et huîtres, lièvre et chocolat, pêches blanches et poivre vert, foie gras, truffe et huître, châtaigne et truffe blanche du Piémont à l'odeur insolite d'hydrocarbure, foie gras et piment vert, coquillages et haricots blancs, gras double et vin de Sauternes, etc. Si la gourmandise et la curiosité m'ont entraîné vers le meilleur des différentes cuisines du monde, je n'ai jamais pu résister au plaisir d'intégrer parfois ces sensations nouvelles dans l'unique but d'offrir plus de plaisir.

Dans ce livre, j'ai mis le fruit de ma recherche, mes découvertes, mes coups de cœur ; j'ai rédigé les recettes avec une sincérité totale sans occulter la moindre astuce, le moindre tour de main. J'essaie de vous faire partager le bonheur de cueillir et de savourer les bonnes choses. Mon vœu est que ce livre trouve sa place non pas sur une étagère de bibliothèque mais qu'il transite fréquemment de votre table de chevet à votre table de cuisine.

N'oubliez jamais que faire de la cuisine pour ceux que l'on aime, quels que soient les choix, les moyens employés, c'est transmettre cette charge d'émotion que nous avons tous besoin d'offrir.

Alain Dutournier

Lexique

des principaux termes professionnels signalés dans le texte par une astérisque

Beurre clarifié
Faire fondre du beurre au bain-marie, sans remuer, afin d'en éliminer le petit-lait qui forme un dépôt blanchâtre. On peut aussi clarifier le beurre au micro-ondes.

Beurre noisette
Chauffer doucement le beurre jusqu'à ce qu'il soit doré et dégage une odeur de noisette.

Beurre en pommade
Travailler le beurre ramolli à la spatule en bois jusqu'à consistance onctueuse.

Blanchir (les légumes, les viandes, une pâte de pâtisserie...)
– *Les légumes* : les plonger dans l'eau bouillante durant quelques minutes puis les rafraîchir dans de l'eau froide et les égoutter.
Attention : pommes de terre et légumes secs sont blanchis en les plongeant d'abord dans une eau froide que l'on amène à ébullition ;
– *les viandes* : mettre les viandes dans de l'eau froide et les faire juste bouillir. Cette opération a pour but d'éliminer des particules diverses (traces de sang, de sel...) ;
– *une pâte de pâtisserie* : mélanger énergiquement des jaunes d'œufs et du sucre jusqu'à ce qu'ils blanchissent.

Botrytisé
Vin botrytisé : vin obtenu avec des raisins en surmaturation qui ont subi l'attaque d'une moisissure du nom de *botrytis cinerea*, appelée aussi pourriture noble et qui confère au vin des complexités aromatiques rares. Exemple : les vins de Sauternes de certaines années favorables au développement du champignon (grands millésimes).

Brunoise
Légumes coupés en petits dés (2 mm).

Cheminée
Petite ouverture pratiquée dans le couvercle de pâte d'un pâté en croûte ou d'une tourte pour faciliter l'évacuation des vapeurs de cuisson. La cheminée est éventuellement garnie d'un tube de bristol (ou d'une petite douille) placé verticalement par lequel on peut verser, après cuisson, de la gelée liquide par exemple, et que l'on retire pour le service.

Chemiser
Tapisser les parois d'un moule avec un ingrédient (beurre et sucre, beurre et farine, gelée, caramel, biscuits à la cuillère, papier sulfurisé...) avant de le remplir d'une autre préparation.

Confire
Préparer des aliments pour leur conservation, soit en les faisant cuire lentement dans leur graisse (confits de porcs, d'oie, de canard), soit en les enrobant de sucre ou en les plongeant dans du sirop de sucre (confiserie) ou en les mettant dans des bocaux remplis d'alcool (cerises, pruneaux à l'eau-de-vie), dans du vinaigre (câpres, cornichons) ou dans une préparation aigre-douce (*chutneys*).

Crapaudine
Manière de préparer une volaille ou un gibier à plumes que l'on fend par le dos et et que l'on aplatit « comme un crapaud », ce qui permet une cuisson grillée.

Cuillère à bouche
Elle correspond à la cuillère à soupe ; la cuillère de table ou de service est du double, la cuillère à entremets ou à dessert est de la moitié, la cuillère à café est du quart et la cuillère à moka du huitième.

Décanter
Laisser reposer un liquide trouble le temps que les impuretés en suspens se déposent, puis le transvaser.
– On décante un beurre clarifié, un bouillon, un fond, un bain de friture après utilisation ;
– on décante une viande cuite dans un fond ou une sauce ; le liquide de cuisson passé au chinois sert alors à réaliser une sauce ;
– on décante parfois un vin en le transvasant dans une carafe pour éliminer le dépôt qui s'est formé dans la bouteille au cours du vieillissement, ou s'il est jeune pour optimiser ses arômes.

Déglacer
Dissoudre les sucs caramélisés au fond d'une casserole en ajoutant de l'eau (déglaçage à l'eau) ou un autre liquide (vin, vinaigre…) pour réaliser une sauce.

Dégorger
– Faire sortir une partie de l'eau d'un légume en le saupoudrant de sel (concombre…) ;
– faire tremper des abats dans un récipient contenant de l'eau (vinaigrée ou non) régulièrement renouvelée pour enlever les impuretés.

Dégraisser
– Enlever la graisse qui surnage à la surface d'un liquide (bouillon de volaille, sauce, potage…) ;
– jeter la graisse de cuisson d'un aliment qui se trouve au fond d'un récipient.

Foncer
Garnir le fond et les parois d'une cocotte, d'une terrine ou d'un moule de lard, de couenne ou de pâte.

Fraiser
Pousser en écrasant délicatement une pâte à foncer sur le plan de travail avec la paume de la main afin de rendre la pâte homogène sans qu'elle devienne élastique et ferme.

Larder
Traverser la chair avec une lardoire garnie d'une lanière de lard et laisser la lanière dans la chair.

Limoner
Éliminer la peau, les parties sanguinolentes, les impuretés de certains aliments en les plongeant dans de l'eau ou en les laissant quelques minutes sous un filet d'eau.

Manchonner
Dégager l'extrémité d'un os pour la présentation ; on peut ensuite le garnir d'une papillote.

Mirepoix
Taille des légumes en gros dés.
La mirepoix au gras associe légumes et jambon cru ou lard maigre coupés en petits dés. La mirepoix au maigre ne comporte que des légumes en brunoise.

Monder
Ôter la peau d'un légume ou d'un fruit si celle-ci n'offre pas d'intérêt. Cette action peut se réaliser avec les doigts ou la pointe d'un couteau. Souvent, il est préférable de laisser tremper préalablement le fruit ou le légume dans l'eau froide (amandes, cerneaux de noix...). Pour certains fruits comme la tomate ou la pêche, effectuez une croix en surface à l'opposé de l'attache avec la pointe d'un couteau. Trempez très rapidement le fruit dans l'eau bouillante et refroidissez-le à l'eau glacée. La peau sera facile à enlever et la chair n'aura pas eu le temps de cuire.

Mouiller
Ajouter un liquide (eau, bouillon, vin...) à un aliment avant de le cuire, ou en cours de cuisson.

Parer
Enlever ce qui ne se mange pas ou ce qui nuit à l'aspect d'un produit (viande, poisson, légume, tarte...). Parer une volaille : couper au couteau pattes, ailes et cou.

Pluches
Sommités des herbes aromatiques fraîches (cerfeuil, estragon, persil).

Pocher
Cuire un aliment dans une quantité de liquide qui le recouvre complètement, en maintenant un très léger frémissement.

Réduire
Diminuer le volume d'un liquide en cuisson, par évaporation, pour augmenter sa saveur et sa consistance. Réduire de moitié : faire cuire pour que le volume réduise de moitié.

Saumurer
Procédé d'assaisonnement ou de conservation à base de sel, de sucre et d'aromates, soit liquide soit à sec.

Turbiner
Mettre le mélange à crème glacée ou à sorbet dans la sorbetière pour le faire prendre au froid et lui conserver, grâce à un mouvement rotatif, une belle onctuosité.

Les recettes de mon enfance

Je suis né et j'ai été élevé dans le Sud-Adour, entre Dax et Bayonne. Mon village s'appelle Cagnotte, aux confins de la Chalosse et du pays d'Orthe, région vallonnée entre Gaves et Adour avec les Pyrénées à l'horizon et l'océan tout proche. Cagnotte signifie « petite chienne » en gascon ; c'est un hommage à la Vierge de la fidélité qui, dans l'abbatiale locale (bâtie sur les ruines de l'abbaye brûlée par les Vikings), est représentée avec un chien à ses pieds. À ma connaissance, ce voisinage se retrouve sur des fresques ou des peintures en Toscane et en Andalousie. Au Moyen Âge, le monastère de Notre-Dame-de-Corheta était le dernier relais de Saint-Jacques de Compostelle avant la traversée des Gaves ; c'était également le lieu de sépulture des vicomtes d'Orthe, ancêtres d'Henri IV. Ce haut lieu tellurique, connu pour sa « vierge noire », permettait aux pèlerins de se régénérer avant de poursuivre leur chemin.

Ma grand-mère et ma mère tenaient l'auberge du village, avec son « quiller », espace consacré au jeu traditionnel de neuf quilles. Leur cuisine était réputée dans la région. En fin de semaine, elle se faisait plus variée pour les notables des bourgs voisins comme Peyrehorade. C'est là que, tout gamin, est née ma vocation de cuisinier. J'étais fasciné par le soin que ma mère et ma grand-mère mettaient à choisir leurs produits, et par leur respect des préparations traditionnelles. Je me berçais de contes et de légendes, où la cuisine jouait souvent le rôle principal. Ainsi, ma grand-mère me parlait du « Panturon de l'ogre de la lande » – qu'elle appelait le « Becut ». Il s'agissait d'accommoder les abats sanglants du jeune agneau abandonnés dans la forêt par l'ogre repu – à moins que ce ne fût le loup – ce qui donnait un plat exquis.

Enfant, j'ai recherché, en vain, ces restes d'un festin légendaire, mais j'ai recueilli bien d'autres produits pour la cuisine familiale ;

j'ai appris à reconnaître les meilleures volailles de ferme, le bœuf gras de carnaval, les vieux jambons, les foies gras, les champignons (du cèpe à l'oronge), l'alose, le saumon des Gaves, la lamproie, le thon, les pibales, la louvine, les chipirons – et le magnifique chocolat de Bayonne. Je n'avais pas le droit, ni les moyens d'aller jusqu'aux Gaves ou à l'Adour, mais je pêchais dans les ruisseaux du voisinage et ramenais anguilles, goujons, etc. Je piégeais, dans les collines, des bécassines, des grives et toutes sortes de gibier à plumes. Plus tard, on me permit de chasser, avec des demi-cartouches, et je ramenai du gibier à poil. Ma région est belle et riche. On y élève encore aujourd'hui, les fameux poneys anglo-arabes du bassin de l'Adour, très prisés par les centres équestres ainsi que quelques taureaux et vaches « braves » qui animent nos arènes. Mon village était célèbre pour ses potiers et ses tuiliers. Monsieur Mathieu y fabriquait encore dans les années 1930 les petites cruches destinées à la fameuse liqueur basque, l'Izarra. Un hameau s'appelle « l'argile », une ferme « la tuilière » ; on trouve encore en décoration des *tarisses*, plats ronds évasés et vernissés, des *toupins* (petites marmites), des *toupies* destinées à la conservation des confits, sans oublier les *pegas*, cruches à eau appréciées dans toute la région.

C'est à l'âge de six ou sept ans que remonte, si ma mémoire est fidèle, mon premier souvenir culinaire. Je devais aider ma grand-mère à saigner des poulets ; mon rôle était de récupérer le sang dans des petits plats blancs émaillés. Au préalable, j'y avais disposé un peu d'ail, du gros sel, et du poivre noir écrasé. L'épreuve consistait à tenir bon au moment où le sang s'échappait du volatile agonisant. Il se coagulait dans les plats ; il m'appartenait, ensuite, de le faire cuire pour obtenir la sanquette. Posée sur du pain, elle constituait un excellent casse-croûte pour le petit-déjeuner. Ma sanquette était en général réussie. Peu après, j'appris à cuire les pibales (jeunes anguilles minuscules appelés aussi civelles) dans quelques gouttes du gras de la ventrèche de porc (poitrine séchée). Je les réussissais sans peine, comme la sanquette. Nul n'en douta plus, et moi moins que les autres : plus tard, je serais cuisinier ! Et je m'appuierais sur les produits que j'avais appris à connaître.

L'homme qui réalise ses rêves d'enfant s'approche du bonheur. C'est mon cas. À quinze ans, abandonnant la physique et la chimie qui m'attiraient, je suis rentré au lycée hôtelier de Toulouse.

Diplômé, j'ai travaillé et voyagé en Europe, en Amérique du Nord et du Sud, aux Indes, en Afrique, en Asie du Sud-Est, en Chine, et partout j'ai essayé de m'imprégner des habitudes alimentaires locales. Mais l'éloignement ne m'avait pas séparé de la cuisine du Sud-Ouest. Je n'avais pas oublié sa richesse, ses exceptionnelles possibilités. Perpétuer les qualités, les vertus et la singularité de cette cuisine me semblait toujours essentiel. Je décidai de me consacrer à cette tâche.

À vingt-quatre ans, en 1973, j'ai ouvert un restaurant à Paris, place Daumesnil, dans le XIIe arrondissement, Au Trou Gascon. J'y ai investi mes économies, vingt mille francs, auxquelles se sont ajoutés les billets de fond du vendeur et la caution hypothécaire de mes parents (l'auberge familiale de Cagnotte, leur seul bien). Je n'avais pas le droit à l'erreur. Je réussis à imposer mes idées et mon style, éliminant le sempiternel steak au poivre, les sauces-crèmes bouillies et le Beaujolais style Bercy. Ce ne fut pas sans mal car je ne pouvais, à l'époque, me permettre les produits dits de luxe.

Je proposais des filets de lisette (petit maquereau) à la purée d'oursin (l'oursin à l'époque n'était pas cher), l'omelette à la friture de petits poissons, le civet de thon aux navets, la fricassée de langoustines au melon chaud avec une pointe de curry, le flan d'anguilles aux pruneaux avec matelote de vin rouge, etc. Bref, une nouvelle façon de manger le poisson. La clientèle habituelle du restaurant, déroutée, disparut. Une autre la remplaça assez lentement. Le vrai démarrage n'eut lieu qu'en 1975, après les grèves désastreuses de 1974.

Deux ans plus tard, j'obtenais une première étoile du guide Michelin, et un 16 sur 20 dans le guide Gault-Millau. En 1982, je décrochais la deuxième étoile et 18 sur 20 au Gault-Millau. Mais je me sentais techniquement à l'étroit. Je partis à la recherche d'un espace à la mesure de mes projets. Je le découvris comme je l'espérais près de la place Vendôme dans un immeuble haussmannien en cours de réhabilitation. En 1986, pour créer le Carré des Feuillants, j'ai hypothéqué le Trou Gascon et j'en ai confié la direction à Nicole, ma femme.
Dès l'ouverture, le guide Michelin a accroché deux étoiles au Carré des Feuillants. Et ma femme en a récupéré une au Trou Gascon l'année suivante.

Ce premier chapitre regroupe les recettes de mon enfance. Je m'y replonge chaque fois que le doute s'empare de moi, ou l'envie de créer. Et, chaque fois, j'y puise la même confiance, le même désir de continuer, de faire partager mon plaisir. On y retrouvera tous les plats splendides des bords des Gaves ou de l'Adour qui ont ensoleillé mes jeunes années et dont j'aime faire partager les secrets : les pâtés d'alouette, la lèche de veau de lait en cocotte (la lèche est un morceau remarquable mais peu utilisé), les pibales comme à Peyrehorade, le tourin (bouillon) à l'ail blanchi et au serpolet, le poulet fricassé aux oignons doux, la tourtière à l'Armagnac, les fameux ortolans engraissés au millet, qui se mangent non vidés et dont on parle beaucoup, la soupe de citrouille avec queue de veau accompagnée par les premiers haricots de maïs, etc.

Ces recettes de mon enfance sont à l'origine de ma vocation, et continuent de l'entretenir.

Soupe de citrouille du vendangeur

Pendant tout l'été la citrouille nous a fascinés, changeant de forme et de couleur comme une sculpture vivante. Elle était la reine du potager. Nous avons rêvé de sa chair jaune. En octobre, à maturité, elle part souvent en ville jouer au potiron. Chez nous, on continue, à tort, à l'appeler citrouille et on commence à la manger à l'époque des vendanges. Dans le Sud-Ouest on n'a jamais envisagé d'éclaircir sa couleur et de diluer son goût avec de la crème ou du lait. Mais, pour la respecter, nous lui offrons la chair du jeune veau et quelques légumes blancs (haricots frais, blancs de poireaux, « perles » d'ail [gousses], céleri-rave, ...). Cette soupe était aussi le prétexte d'un assaisonnement spécial dès l'arrivée de la soupière fumante sur la table. Mon oncle Fernand Lafitte, force de la nature, blessé et rescapé de la Grande Guerre la saupoudrait de piment rouge séché et moulu qu'il conservait jalousement dans une ancienne boîte de médicaments cylindrique. Il prétendait qu'ainsi rehaussée elle faisait réagir bénéfiquement les organismes pour mieux affronter l'hiver. Chez moi, mon père gardait en réserve quelques pieds de piments verts piquants au jardin et s'empressait d'aller en cueillir un avant de passer à table. Rituellement, il fendait le piment en croix et taillait ainsi de la pointe du couteau de minuscules morceaux verts qui tombaient sur la chair jaune de la citrouille. Décidément, le poivre n'était pas de mise...

Pour 6 personnes

Ingrédients :
1,5 kg de potiron à la chair ferme et colorée
250 g de haricots frais plats tarbais ou coco
150 g de céleri-rave
3 blancs de poireaux
3 échalotes grises
3 gousses d'ail
2 oignons verts ou 1 botte de ciboulette
1 bouquet garni
1 râpée de noix muscade
Piment d'Espelette
2 litres de bouillon clair de volaille
1 queue de veau
80 g de ventrèche de porc séchée (poitrine séchée)

• Faire dégorger* la queue de veau sous un filet d'eau fraîche pendant au moins 1 h. La couper en tronçons.
• Éplucher les gousses d'ail et le céleri-rave, le tailler en petits dés.
• Tailler la ventrèche en petits lardons.
• Peler et ciseler les échalotes grises, émincer finement les blancs de poireaux.
• Dans une cocotte, faire suer les échalotes ciselées, l'émincé de poireaux et les dés de ventrèche à couvert, à feu doux.
• Mouiller* avec le bouillon clair, ajouter les tronçons de queue de veau, les gousses d'ail écrasées, le céleri en petits dés, le bouquet garni et la muscade râpée.
• Porter le tout à ébullition de manière à bien écumer la surface. Baisser la température de cuisson « au sourire » (infime bouillon) et laisser cuire 45 min.
• Ajouter les haricots dans la cocotte. Continuer la cuisson, toujours en douceur, pendant 20 min.
• Après avoir pelé et enlevé les graines du quartier de potiron, le tailler en cubes (2,5 cm de côté) et les verser dans la soupe. Maintenir le tout 20 min encore en cuisson, rectifier l'assaisonnement en sel.
• Ciseler la tige des oignons verts.
• Au moment de servir, enlever le bouquet garni, ajouter à votre gré du piment d'Espelette ainsi que la tige des oignons verts ciselée (à défaut utiliser une botte de ciboulette).

Si vous aimez le potiron sous diverses préparations, choisissez-en un de belle présentation et de la taille d'une grande soupière, conservez l'attache de la queue et découpez autour un cercle de la taille d'un couvercle, videz l'intérieur de la chair (que vous utiliserez ultérieurement) sans percer la peau. Vous pouvez servir cette soupe fumante dans son élément originel.

Pour honorer la douceur du potiron et la richesse aromatique de ce potage, un vin de Mâcon bien onctueux avec des reflets dorés et surtout issu de vieilles vignes, fera l'affaire.

Soupe de haricots tarbais aux coquillages

Et dire que ce merveilleux haricot blanc nacré a failli disparaître... nous l'avons sauvé de justesse ! Cette variété, connue aussi sous le nom de haricot de maïs, est issue d'une espèce grimpante utilisant le pied de maïs comme tuteur, trouvant ainsi chaleur et ombre. L'arrivée des herbicides et des pesticides, en détruisant toute végétation au sol, a permis le succès d'un maïs volumineux et soi-disant rentable, entraînant la mort du haricot de notre enfance.

Seuls, quelques grands-pères en cultivaient dans leur jardin à l'aide de bambous. Heureusement l'homme a pensé à faire pousser ce haricot sur des filets, qu'il suffit de ramasser pour récolter les belles gousses. Notre agriculteur est devenu un peu pêcheur, mais le haricot tarbais est sauvé. Il le méritait bien.

Dans une dégustation à l'aveugle pour une revue de jardinage, il a été plébiscité, sous forme de deux cuissons différentes, devant une vingtaine d'autres variétés. Son charme est dans la finesse de sa peau et le fruité de sa chair qui a oublié d'être farineuse. Sa saveur douce et un peu sucrée se marie merveilleusement avec le jus iodé des coquillages.

Pour 4 personnes

Bouillon :
500 g de haricots tarbais frais ou
300 g de haricots secs trempés 24 h
300 g de moules de bouchot
300 g de coques
12 palourdes
100 g de beurre cru
10 cl de vin blanc sec
50 g d'échalotes
1/2 bouquet de persil plat
Basilic
1 bouquet garni
Sel, poivre noir du moulin

Garniture pour la cuisson des haricots :
2 carottes
3 oignons
3 gousses d'ail
1 poireau
1 branche de céleri
1 bouquet garni
Sel, poivre noir du moulin

La veille

• Éplucher tous les légumes de la garniture pour la cuisson des haricots.

• Les mettre dans 2 litres d'eau salée et poivrée, ajouter le bouquet garni et cuire pendant 1 h. Retirer la garniture aromatique à l'écumoire. Ajouter les haricots et cuire à feu doux environ 40 min sans jamais atteindre l'ébullition. Réserver dans le jus de cuisson.

Le jour du repas

• Gratter puis laver à grande eau et avec soin tous les coquillages (particulièrement les coques).

• Éplucher et ciseler les échalotes.

• Dans une sauteuse, faire ouvrir les moules à feu vif avec les échalotes ciselées, le vin blanc et le bouquet garni ; lorsqu'elles sont ouvertes, les retirer à l'aide d'une écumoire.

• Dans la même sauteuse et avec le même fond de cuisson, faire ouvrir tour à tour les coques puis les palourdes.

• Décortiquer l'ensemble des coquillages.

Préparation du bouillon

• Prélever la moitié des haricots, les mixer avec 3/4 de litre de cuisson des haricots et le jus de cuisson des coquillages, une fois filtré.

• Avant le repas, faire chauffer les assiettes à soupe dans un four tiède.

• Laver le persil et le basilic. Équeuter le persil.

• Disposer les coquillages bien chauds ainsi que l'autre moitié des haricots entiers dans le fond des assiettes chaudes.

• Rectifier l'assaisonnement du bouillon en sel et poivre puis le lier avec le beurre et le persil. Verser dans chaque assiette creuse le bouillon fumant et parsemer de feuilles de basilic.

• Servir immédiatement.

Un vin blanc sec de Cassis ou de Palette possèdera la note iodée et minérale qui soulignera avantageusement le mariage salin des coquillages avec la douceur un peu sucrée des haricots frais.

Tourin à l'ail blanchi et au serpolet

Chez nous, les noces duraient plusieurs jours et étaient prétexte à de grandes fêtes sérieusement arrosées. Souhaitant honorer les mariés, le lendemain matin, les cuisinières réalisaient rapidement ce bouillon qui portait aussi le nom de « tourin de la mariée » ou de « soupe de l'ivrogne »... Le but non avoué était tout simplement de servir aux estomacs fatigués et aux foies très sollicités un aliment réparateur afin de continuer la fête...

Pour 4 ou 5 personnes

Ingrédients :

1 litre de bouillon de volaille
3 œufs
8 gousses d'ail
8 brindilles de serpolet frais
2 cl de vinaigre de vin blanc
Sel, poivre noir du moulin

Avec cette soupe, très régénératrice, il est prudent d'éviter de boire du vin. Quoique un petit verre d'un jeune Bourgogne aligoté Bouzeron requinque son homme.

• Chauffer le bouillon. Écraser complètement les gousses d'ail avec la peau à l'aide du plat d'un gros couteau, retirer la peau rapidement et jeter immédiatement la pulpe d'ail déstructurée dans le bouillon (ceci afin d'éviter toute dégradation du goût de l'ail). Laisser cuire 10 à 15 min à feu doux en rectifiant l'assaisonnement (sel et poivre noir du moulin).

• Casser les œufs en séparant les blancs des jaunes, réserver les jaunes et verser le vinaigre de vin blanc sur les blancs.

• En fin de cuisson de l'ail, ajouter les feuilles de serpolet et jeter les blancs d'œufs lentement dans le bouillon en ayant soin de donner simultanément de grands mouvements à l'aide d'une fourchette. Vous obtiendrez de nombreux filaments blancs.

• Servir sans attendre cette soupe brûlante et régénératrice.

Si vous souhaitez un peu plus de liaison, vous pouvez rajouter les jaunes fouettés avec un peu de bouillon. La préparation sera plus riche, plus colorée et très différente. Question de goût !

Omelette aux asperges

Ne pas confondre avec l'omelette habituelle aux pointes d'asperges blanchies à l'eau bouillante : chez nous, traditionnellement l'asperge se cueille violette, se coupe toute fraîche en rondelles et elle est systématiquement poêlée à la graisse d'oie, voire au beurre, avant d'être incorporée aux riches œufs de ferme de belle couleur jaune. Cuite à l'avance, tenue à l'écart du réfrigérateur meurtrier, cette omelette peut aussi être consommée en fines tranches froides, accompagnée de grosses asperges chaudes servies « en serviette » avec une vinaigrette au cerfeuil.

Pour 4 personnes

Ingrédients :
8 œufs fermiers
500 g d'asperges
50 g de beurre
50 g de graisse d'oie
Sel, poivre du moulin

- Éplucher les asperges et les tailler en petites rondelles. Réserver les pointes.
- Faire sauter à cru les rondelles d'asperges avec la graisse d'oie jusqu'à obtention d'une couleur blonde. Égoutter, saler et poivrer les rondelles.
- Faire blanchir* à l'eau salée les pointes et les ajouter aux rondelles fricassées.
- Battre les œufs à la fourchette, saler, poivrer et les verser sur les asperges encore chaudes de façon à faire une omelette rustique.

Je ne vais pas vous parler des mérites si souvent chantés du cépage Viognier qui à mon goût ne s'harmonise pas avec ce genre de nourriture, pas plus que le jeune Gewurtzraminer, mais je pense que le rare Klevner de Heiligenstein sera très intéressant.

Le secret de l'omelette plate aux pommes de terre

Issue probablement de la fameuse *tortilla* espagnole dont le secret réside dans la façon de cuire moelleusement la chair de pomme de terre, notre omelette locale était le point d'orgue du petit déjeuner aux champs.

Dans le Tursan ma vieille cousine Irène la mitonnait à la pointe du jour et j'avais pour mission de l'apporter en bas des vignes dans un grand plat émaillé, emprisonnée dans une serviette nouée aux quatre coins.

Cette recette exige de beaux œufs de ferme bien jaune orangé, battus à la fourchette au dernier moment, donnant un moelleux exceptionnel, des pommes de terre jeunes et goûteuses ainsi que de l'ail nouveau.
Sa réussite repose bien sûr sur l'extrême qualité des ingrédients, mais surtout sur la manière de rompre les pommes de terre à cru sans les tailler avec un couteau.

De nos jours je recommande cette omelette tiède, détaillée en gros cubes en guise d'amuse-bouche, en prélude d'un repas d'été.

Pour 4 personnes

Ingrédients :
8 beaux œufs de ferme
500 g de pommes de terre charlotte
8 petites gousses d'ail rose
12 cl de graisse d'oie ou d'huile d'olive douce
Piment d'Espelette
Sel

- Peler les pommes de terre, les rincer sous un filet d'eau, les essuyer.
- Dans une poêle de taille moyenne à bord assez haut, chauffer la matière grasse.
- À l'aide de la pointe d'un petit couteau ou d'un économe, arracher de beaux éclats de chair de pomme de terre sans les tailler ; il suffit d'enfoncer légèrement la pointe sur le pourtour et de soulever les morceaux qui tombent directement dans la poêle chaude (sans rincer afin de laisser la fécule naturelle qui jouera le rôle de liant avec les œufs de l'omelette). Saler et cuire à couvert pendant 35 à 40 min très lentement sans laisser croustiller.
- Éplucher les gousses d'ail et les couper en deux.
- À mi-cuisson, ajouter les demi-gousses d'ail aux éclats de pommes de terre.
- Au terme de la cuisson, ôter le couvercle ainsi qu'une bonne partie de la matière grasse. Ajouter un peu de piment d'Espelette sur les pommes de terre qui ont légèrement « chapauté » (moelleuses et dorées).
- Casser les œufs dans un bol, saler, saupoudrer de piment d'Espelette et battre mousseux avec deux fourchettes.
- Chauffer une deuxième poêle de même taille.
- Augmenter rapidement la température de la poêle contenant les pommes de terre et verser les œufs battus en donnant un mouvement circulaire avec une spatule en bois afin d'intégrer les éléments pendant la cuisson. Dès que l'omelette bien épaisse est baveuse la couvrir avec l'autre poêle et retourner sur le feu afin d'obtenir un véritable gâteau. Glisser l'omelette sur un beau plat rond.
- La servir chaude c'est bien, tiède c'est délicieux ou froide très agréable. Quel que soit le choix, la texture et le goût sont incomparables.

Profitez de cet amuse-bouche pour servir ces rares vins blancs que nous nous devons de faire partager tant ils sont méconnus en France et pourtant souvent reconnus par les amateurs étrangers : le Mauzac nature de Robert Plageoles (Gaillac), le Cerdon de Bugey (Ain).

L'omelette aux graisserons
« la consolante » du marcheur matinal

Ces graisserons que nous appelons chichons ou plus primitivement « titiouns » évoquent les petites surcharges graisseuses confortablement palpables sur certaines personnes potelées.

Ce sont des particules de viande détachées et recueillies lors de la lente cuisson des pièces de confits.

Les meilleurs sont obtenus par la cuisson simultanée du porc, de l'oie et du canard ; certains gourmands poussent le vice jusqu'à les enrichir de foie gras, ce qui est très agréable pour tartiner sur du pain grillé.

Je me contente de les cuisiner en petites omelettes traditionnelles que je n'hésite pas à inclure dans du pain. Pique-nique idéal pour découvrir le vignoble pas à pas ou pour la cueillette des champignons à la pointe du jour. Ainsi après une heure ou deux de marche matinale, le café noir oublié et l'odeur enivrante liée à la brume automnale faisant son effet, le moment de savourer et de partager « la consolante » sera venu.

Pour 2 personnes

Ingrédients :
4 beaux œufs de ferme
100 g de graisserons (appelés maladroitement rillettes)

- De bon matin, chauffer les graisserons dans une poêle afin d'éliminer l'excédent de graisse s'il y a lieu.
- Dans un bol, battre les œufs à la fourchette. Ajouter une pointe de piment d'Espelette.
- Découper la baguette fraîche en deux et fendre les 2 moitiés dans la longueur.

Piment d'Espelette
1 baguette de pain de campagne bien croustillante
Un ou une camarade de marche

• Séparer les œufs battus et les graisserons chauds en deux de manière à confectionner 2 omelettes.
• Chauffer la moitié des graisserons dans la poêle, y verser la moitié des œufs battus, bien mélanger et cuire pour obtenir une omelette moelleuse, « bien roulée » et étroite afin de la glisser en sandwich dans le pain. Renouveler l'opération pour le second casse-croûte. Les emprisonner tous les deux dans du papier adéquat.

Ne voyez rien de péjoratif dans ce mariage car cette simple omelette très puissante en goût nécessite un prétendant un peu possessif, voire de caractère. Au fil des années, ce mousquetaire du vin blanc sec s'est anobli et porte toujours le nom de Pacherenc de Vic-Bilh.

Calamars grillés en marinade

Ce plat a fait partie d'un dîner très particulier que le couturier André Courrèges m'avait demandé de concevoir et de servir à l'occasion d'une soirée-présentation haute couture à Paris. André Courrèges et moi-même parlons le gascon et à l'époque nous fréquentions le même trinquet (un des jeux de pelote basque) parisien. Il souhaitait offrir aux journalistes étrangers un défilé de petits plats au rythme de la présentation de ses modèles. Je relevai le défi et installai pour un soir mes cuisines dans la blancheur immaculée de ses salons de la rue François Ier. Je servis successivement aux journalistes de mode pour une fois attablés, les dix plats suivants :

Consommé en gelée au melon et jambon d'oie
L'assiette du pêcheur
Tartare de thon aux girolles
Calamars grillés en marinade
Petit crabe farci au piment
Galette de grenouille aux pousses d'ortie
Râble de lapereau rôti aux légumes d'été
Le cabécou et son mesclun
Vacherin aux fruits rouges
Petits fours et chocolats

Ce mariage d'un soir de la cuisine de terroir revisité par mes soins avec la géométrie rigoureuse du style Courrèges remporta le succès espéré.

Pour 6 personnes

Ingrédients :
2 kg d'encornets
20 cl d'huile d'olive

Marinade :
1 kg de poivrons rouges
20 g de gingembre frais
2 échalotes
2 gousses d'ail
1 citron (jus)
1/2 bouquet de persil plat
1/2 bouquet de coriandre
Sel, poivre

• Préparer un feu.
• Nettoyer les calamars et bien les essuyer afin de les sécher.
• Brûler la peau des poivrons, les monder* et les tailler en lanières.
• Éplucher puis blanchir* les gousses d'ail.
• Peler les échalotes et le gingembre frais, les ciseler ainsi que le persil et la coriandre.
• Presser le citron. Tailler les gousses d'ail blanchies en fines lamelles et les mélanger au jus de citron.
• Saler et poivrer les calamars, les frotter à l'huile et les griller sur les braises. Au fur et à mesure de leur cuisson les déposer dans une terrine en intercalant tous les ingrédients de la marinade. Pour finir ajouter l'huile d'olive.
• Réserver au frais au moins 6 h.

Cette préparation gagne à être faite un peu à l'avance (1/2 journée ou 1 nuit au froid).

Avec cette entrée de caractère, n'hésitez pas à choisir un vin blanc minéral de tempérament, issu du cépage Vermentino provenant des vignes du nord ou du sud de la Corse qui poussent sur les exceptionnels sols calcaires. Au nord, sous l'appellation Patrimonio, Antoine Arena et Yves Leccia excellent et au sud Christian Imbert, le morvandiaux, et Yves Canarelli contribuent à faire revivre la plus vieille tradition vinicole de notre pays.

Effeuillée de morue en « pimpe », salade tiède de haricots frais et céleri branche

Deux conditions pour réussir ce plat : se procurer de la vraie et belle morue très épaisse en provenance si possible des îles Féroé ou Lofoten et disposer du temps nécessaire pour la dessaler pendant quatre jours au réfrigérateur en ne changeant l'eau qu'une fois par jour afin de ne pas enlever la substance gélatineuse de la chair. J'ai une inclination particulière pour la morue en « pimpe » de mon enfance. On fait griller longuement le filet de morue dessalée sur les braises, puis on l'effeuille dans une terrine en bonne compagnie d'oignon émincé, de carottes, de laurier, de graines de coriandre écrasées et de poivre noir écrasé, le tout immergé dans une belle huile d'olive.

Après deux jours de marinade, le charme du sel se faisant encore sentir, j'accompagne ce plat d'une salade tiède de cocos frais au goût sucré rehaussé par le cœur de céleri branche cru.

La recette de base pour les amateurs avertis consiste à faire pocher* très lentement des morceaux épais de morue dans de l'huile d'olive faible en degré d'acidité. Au fil de cette cuisson très douce, agrémentée d'ail et de piment séché, un léger mouvement de poignet permet d'émulsionner l'huile grâce aux exsudats et à la gélatine du poisson. Résultat : une sauce d'accompagnement très goûteuse.

Pour 6 personnes

Ingrédients :

500 g de morue très épaisse sans arêtes
2 oignons
2 carottes
1 citron
1 bottillon de serpolet
2 feuilles de laurier
3 clous de girofle
2 cuil. à soupe de graines de coriandre
3 cuil. à soupe de câpres
2 cuil. à soupe de poivre noir en grains
1 litre d'huile d'olive vierge fruitée

Salade de haricots :

800 g de haricots à écosser (cocos)
1 cœur tendre de céleri avec ses feuilles
1 cuil. à café de cumin en poudre
Vieux vinaigre de vin ou balsamique d'exception
Sel, poivre du moulin

Curieusement, ce plat de caractère a besoin d'un vin blanc, qui tout en étant vif puisse offrir un certain confort jouant avec ambiguïté entre le « sec-tendre » et le « sec-arrondi », lié aux mystérieuses nuances entre maturation et sur-maturation (ah ! ce sucre résiduel). Le moment est venu de déboucher une belle bouteille trapue de Vouvray ou de Montlouis.

5 jours avant le repas

• Disposer la morue dans un bac contenant généreusement de l'eau en ayant soin de garder la peau en l'air et qu'elle ne touche pas le fond. Changer d'eau quotidiennement pendant 4 jours.

Au terme des 4 jours

• Préparer un bon feu.
• Peler et émincer très finement les oignons, les rincer sous un filet d'eau. Éplucher les carottes, les historier (sculpter la surface avec un couteau adéquat) et les trancher en fines rondelles. Laver, essuyer puis canneler le citron et le tailler en fines tranches.
• Bien égoutter et éponger la morue, la badigeonner avec un peu d'huile d'olive et la faire griller lentement sur des braises bien blanches pendant 8 min de chaque côté. Écraser grossièrement les grains de poivre. Écraser les graines de coriandre. Ciseler les feuilles de laurier. Piler les clous de girofle.
• Dans un grand saladier, effeuiller (séparer délicatement du bout des doigts) la chair de la morue qui se sépare en gros copeaux. Parsemer de poivre noir écrasé, des feuilles de serpolet entières, des câpres, des graines de coriandre écrasées, des feuilles de laurier ciselées et des clous de girofle pilés. Ajouter les oignons, les carottes, le citron et l'huile d'olive. Mélanger avec soin.
• Verser le tout dans une belle terrine en porcelaine blanche ovale et laisser mariner minimum 24 h au frais.

Le jour du repas

• Écosser les haricots, les mettre dans une casserole et couvrir très largement d'eau froide. Ajouter le cumin. Faire cuire à petits bouillons pendant 30 min. Saler à mi-cuisson. Laver le cœur et les feuilles de céleri, émincer le tout très finement.
• Égoutter sommairement les haricots (pour garder un tout petit peu de jus de cuisson) et les mettre dans un saladier, y ajouter le céleri. Mélanger.
• Servir les haricots tièdes dans leur plat et la morue dans la terrine sans oublier un flacon de précieux vinaigre. Chaque convive prendra des haricots rehaussés d'une giclée de vinaigre (suivant sa prédilection pour l'acidité) et disposera par dessus l'effeuillée de morue et sa marinade.

Cassolette de pibales comme à Peyrehorade

Les civelles, jeunes anguilles (6 à 7 cm), naissent dans la mer des Sargasses (à plus de 500 m de profondeur), près des Bermudes et parviennent grâce au Gulf Stream en une ou deux années jusqu'à nos côtes, plus précisément dans l'embouchure de la Loire, de la Gironde et de l'Adour. Afin de se protéger, elles se déplacent agglutinées en gros cordons qui ont la forme de masses gluantes.

Chez moi, elles portent le nom de pibales, qui se prononce « bibolles ». Dès la fin novembre et jusqu'en février, elles empêchent les pêcheurs de dormir : on les pêche la nuit à l'aide d'une lampe et d'un grand tamis (sedas) fixé sur un long manche, d'où leur surnom « d'or blanc de l'Adour ». Dans mon enfance à l'école, les lendemains de clair de lune favorables à la pêche, élèves et maîtres en manque de sommeil, les yeux boursouflés, se retrouvaient complices. Appréciées des initiés, du Sud-Ouest au pays basque espagnol, les pibales se vendaient déjà cher. Depuis quelques années, les Asiatiques les importent pour faire de l'alevinage (2 000 à 3 000 sujets au kilo) et ont fait monter les cours à des prix vertigineux. Il est judicieux de les choisir de couleur claire (éviter les noires qui ont séjourné dans un vivier et sont plus fermes).

Nos voisins espagnols les préparent simplement cuites au court-bouillon, égouttées, réchauffées dans de petites cassolettes en terre contenant de l'huile d'olive, un peu d'ail et de piment rouge. Ils les mangent molles à l'aide d'une fourchette en bois.

Personnellement, je préfère la préparation traditionnelle des cuisinières du coin de Peyrehorade dont voici la recette.

Pour 5 ou 6 personnes

Ingrédients :
1 kg de pibales bien transparentes
150 g de ventrèche de porc séchée (poitrine séchée)
6 gousses d'ail
15 g de beurre cru
Huile d'olive
Piment d'Espelette
Sel de mer écrasé
Tabac gris

• Pour tuer les pibales, les verser dans un grand saladier et y ajouter un nouet en étamine (gaze nouée en aumonière) contenant une grosse prise de tabac gris. Laisser les éléments en contact au frais pendant au moins 30 min (remuer fréquemment).
• Quand les pibales sont mortes, les déposer sur un tamis fin ou dans une grande passoire. Les rincer abondamment sous un filet d'eau froide de manière à éliminer la matière gluante qui les protège ; puis les sécher dans un linge.
• Éplucher et effiler 3 gousses d'ail, les ébouillanter, les rafraîchir, bien les égoutter et les frire à l'huile d'olive afin d'obtenir des pétales d'ail dorés.
• Peler et blanchir* les 3 gousses d'ail restantes puis les rincer.
• Tailler et émincer finement la ventrèche roulée et bien séchée. Répartir en 3 poêles et faire fondre complètement le gras. Puis augmenter la température au maximum et jeter un tiers des pibales dans chaque poêle. Saler (en tenant compte de la ventrèche) et pimenter assez légèrement. Remuer vivement en faisant sauter dans les poêles pendant 5 min, puis ajouter dans chaque poêle une noisette de beurre cru et en finale l'ail blanchi.
• Chauffer des cassolettes individuelles en terre cuite ou des plats à œufs dans un four tiède.
• Dès que les pibales sont légèrement dorées, les disposer dans les cassolettes ou les plats à œufs chauds. Les pibales doivent être légèrement dorées sans être sèches, moelleuses à cœur et surtout elles ne doivent pas baigner dans le gras.
• Déposer les pétales d'ail sur la surface et servir rapidement sans couvrir.

Si vous souhaitez une présentation plus colorée, n'hésitez pas à ajouter avant de servir un peu de fine brunoise* de chair de poivron rouge pelé et cuit ainsi qu'une touche de persil plat.

Pour nous, gens du Sud-Ouest, ce mets est si précieux qu'un sérieux vin blanc de Graves s'impose surtout s'il est de Léognan ou de Pessac et pourquoi pas d'un millésime ancien à dominante de cépage Sémillon.

Le foie gras de canard au naturel en conserve

Jadis les foies d'oies étaient très prisés des grandes cuisines et se vendaient à bon prix, contrairement aux foies de canards qui étaient consommés à la ferme, pour les fêtes ou les réunions familiales. On les conservait entiers dans des boîtes de métal ovales et millésimées. Pour honorer un invité de marque, il était de bon ton de sortir un foie de canard de cinq ou six années. Aujourd'hui c'est encore un bonheur de pouvoir humer pareille merveille, entourée de sa collerette de graisse jaune très pâle et immaculée, présentant une tranche nette légèrement rosée sous le fil du couteau. Il ne reste plus qu'à faire griller quelques tranches de bon pain de froment et à déboucher une vieille bouteille de vin de Jurançon bien frais qui dépose de la buée sur les verres…

Le foie gras de canard mi-cuit permet une consommation plus rapide mais manque de panache et de typicité. Il n'est soumis à aucune règle rigoureuse de conservation et demande de la vigilance au consommateur.

Le foie gras d'oie se prépare de la même manière mais nécessite à mon goût un plus long vieillissement afin que sa pâte redevienne onctueuse et que sa délicate amertume s'atténue à l'ombre et à la fraîcheur d'un placard.

Avec un peu de patience vous pouvez vous constituer une réserve millésimée de foie gras (canard et oie) et en gérer le vieillissement comme pour les vins. Il est recommandé d'ouvrir boîte ou bocal une demi-heure avant de le mettre sur la table et d'être très vigilant sur la température, garante de l'onctuosité et de l'arôme (15 à 16 degrés).

Pour 4 personnes

Ingrédients :
1 beau foie de canard cru (environ 500 g) souple au doigt et le plus frais possible
4 g de sucre en poudre
8 g de sel fin
4 g de poivre noir concassé
1 pointe de noix muscade râpée
1 cl d'Armagnac vieux

• À l'aide d'une petite cuillère enlever les parties verdâtres du foie (fiel), rincer sous un filet d'eau fraîche. Sans séparer les lobes, ouvrir délicatement par dessous avec l'envers d'une lame de couteau afin d'extraire les veines importantes.

• Mélanger le sel, le sucre, le poivre noir concassé et la noix muscade.

• Frotter le foie avec l'ensemble, le déposer dans un bocal, ajouter l'Armagnac vieux de bonne origine.

• Fermer le bocal avec le joint caoutchouc et stériliser 40 min en immersion dans de l'eau à ébullition.

• Garder cette conserve au minimum un an dans un endroit frais avant de la déguster (3, 4 années de vieillissement lui permettront d'être plus affinée et une exceptionnelle évolution du goût).

Vous pouvez aussi rompre avec les bonnes habitudes que sont les vins de Jurançon, Sauternes, Barsac, Sainte-Croix-du-Mont, Loupiac, Montbazillac et autres vendanges tardives de tout poil… Et choisissez entre deux superbes petits monstres : un Meursault « Charmes » d'une année très ensoleillée ou un grand millésime de vin Jaune du Jura.

Lou Mesclat,

pâté de foie de porc et foie gras en conserve

Chez nous le pâté de porc est lié au casse-croûte ; il est de bon ton de se servir directement dans la terrine à la pointe du couteau et de tartiner le pâté sur son pain croustillant.

Le cochon inspire trois pâtés, celui de couenne au charme gélatineux, celui de hure, cousin du fromage de tête, et le mesclat (mêlé-mélangé), savante stratification de viande, foie de porc et foie gras. Ce pâté mis en conserve doit être caché dans l'obscurité d'un placard pendant un an, afin que l'osmose porc et foie se réalise au mieux.

Comme on a toujours partagé le plaisir de goûter le pâté du voisin, la tradition veut que l'on fasse passer le pâté (dans son bocal) de main en main, action qui a donné son nom à la confrérie gourmande, créée à Bouliac par Jean-Marie Amat : « Hey passa lou pâté ».

Pour 8 à 10 personnes

Ingrédients :

(Il est impératif d'utiliser du porc fermier)
200 g de foie de porc
300 g de gorge de porc (goula dans le Sud-Adour)
150 g d'épaule de porc
150 g de poitrine de porc
100 g de couennes de porc

• Blanchir* puis rafraîchir et égoutter la gorge, l'épaule et la poitrine de porc. Dans la même eau, faire cuire les couennes pendant 20 min puis les rafraîchir et les égoutter aussi.
• Hacher lentement (à la grille moyenne) le foie de porc, les viandes blanchies et les couennes.
• Éplucher puis ciseler finement ail et échalotes, les rincer sous un filet d'eau froide. Laver et concasser les feuilles de laurier.
• Chauffer l'Armagnac et le Porto, ajouter l'ail et les échalotes ciselés puis le laurier concassé et laisser infuser le tout sur le bord de votre plaque de cuisson jusqu'à sa prochaine utilisation.

2 foies gras de canard mi-cuits (environ 700 à 800 g)
2 échalotes grises
1 gousse d'ail
3 cl de Bas-Armagnac vieux
5 cl de Porto vieux
1 râpée de noix muscade
1 pointe de cardamome verte pilée
2 feuilles de laurier frais
5 g de poivre noir du moulin
4 g de sucre
15 g de sel

• Dans un grand saladier mélanger viandes hachées et infusion, ajouter le sucre, le sel, le poivre noir moulu grossièrement, la généreuse râpée de muscade et la cardamome pilée. Malaxer délicatement afin d'obtenir une « mêlée » bien homogène.
• Selon votre choix, répartir votre préparation soit en bocaux de verre de 350 g, soit en boîtes métalliques qui impliquent un sertissage chez le quincaillier. Comme pour une terrine vous pouvez tapisser vos contenants de crépine de porc (sinon mettre directement le mélange dans le récipient) puis intercaler équitablement par couches successives de belles tranches de foie gras mi-cuit avec la préparation.
• Fermer les bocaux ou les boîtes et les stériliser à 100 °C pendant 2 h. Si le foie gras qui a déjà subi une pré-cuisson est de bonne qualité, il ne perdra pas de graisse d'exsudation et enrichira en moelleux vos pâtés.
• Afin d'optimiser cette recette et d'éviter le goût métallique et amer du foie de porc fraîchement cuit, il est judicieux d'oublier vos conserves dans un lieu frais et obscur pendant 1 an minimum.

Pour mémoire, si vous aimez le goût particulier du laurier, n'hésitez pas, à condition de l'utiliser frais, à disposer un quart de feuille à la surface de chaque pâté avant cuisson.

À déguster en compagnie d'un vin rouge frais et gourmand dans l'esprit des vins de Fronton personnalisés par le cépage Négrette.

Les pâtés d'oiseaux
(alouettes, grives, bécasses, bécassines...)

L'interdiction de vente et de colportage réserve aux chasseurs le privilège de pouvoir déguster ces traditionnelles mais rares préparations. Il est toujours agréable de les savourer sous forme de pâté en croûte mais il faut reconnaître que la conserve les bonifie. Dans ce dernier cas il est souhaitable d'attendre au minimum deux années afin que l'osmose des riches ingrédients (foie gras, Armagnac, truffe, jambon...) s'accomplisse.

Dans mon enfance, ces boîtes de fer blanc ou bocaux de verre contenant les pâtés étaient étiquetées et datées soigneusement à la main puis entreposées dans l'obscurité d'un placard bien au frais (sous l'escalier) et fermé à clé. Seuls les visiteurs privilégiés par la famille en profitaient.

Pour 6 à 8 personnes

Ingrédients :
3 belles bécasses (de terre) ou 6 bécassines ou 10 grives ou 18 alouettes (dans tous les cas, des gibiers frais)
250 g d'échine de porc fermier
150 g de gorge de porc fermier
50 g de gras de vieux jambon
50 g de vieux jambon

• Plumer, flamber et vider les volatiles, avec une nuance pour bécasses et bécassines dont vous récupérerez les entrailles en éliminant les estomacs.
• Désosser, dénerver, tailler en petits dés les filets de gibier et hacher finement la chair des cuisses. Réserver.
• Concasser les os récupérés sans oublier les têtes. Éplucher la carotte et l'oignon. Les tailler en fine mirepoix* ainsi que le blanc de poireau. Dans une casserole faire suer les os concassés avec la carotte, la moitié de l'oignon et le blanc de poireau hachés. Mouiller* à hauteur (c'est-à-dire très peu) avec du bouillon de volaille, ajouter le bouquet garni et les feuilles de laurier frais. Réduire* ce fond de gibier, lentement « à glace », c'est-à-dire à consistance sirupeuse.

75 g de couenne de porc confite
150 g de foie gras de canard mi-cuit
2 échalotes
2 gousses d'ail
1 belle truffe de 30 à 40 g
5 cl de Bas-Armagnac vieux
5 cl de vin de Porto plutôt vieux
2 g de baies de genièvre écrasées
6 capsules de cardamome verte
1/8 de noix muscade râpée
3 g de poivre noir moulu grossièrement
8 g de sel
3 g de sucre
Crépine de porc

Base gibier :
1 bouquet garni
1 petite carotte
1 oignon
1 blanc de poireau
3 feuilles de laurier frais
20 cl de bouillon de volaille

• Blanchir* la viande de porc, le gras et le maigre de jambon puis les rafraîchir de manière à stabiliser les graisses et les égoutter.
• Tailler la truffe en brunoise* et le foie gras en petits dés.
• Éplucher l'échalote et l'ail. Les blanchir* puis les écraser.
• Hacher assez grossièrement les viandes de porc et les mélanger à la chair du gibier.
• Ajouter la truffe émincée, les dés de foie gras, l'échalote et l'ail écrasés, le genièvre, le sel, le sucre, le poivre, la muscade, les capsules de cardamome pilées, le Bas-Armagnac, le vieux vin de Porto sans oublier l'équivalent de 5 à 8 cl de jus de gibier réduit à glace.
Concernant bécasses et bécassines, n'hésitez pas à concasser et à ajouter les entrailles qui sont aussi importantes que le corail dans le homard bleu.
• Rincer et égoutter la crépine de porc.
• Tapisser une terrine rectangulaire de crépine de porc puis verser la « mêlée » en tassant progressivement afin d'éviter d'emprisonner de l'air qui favorise de désagréables oxydations à la cuisson. Recouvrir le dessus de crépine.
• Cuire au bain-marie, au four, pendant 15 min à 180 °C puis pendant 45 min à 150 °C.
• Après cuisson, laisser refroidir la terrine puis la presser à l'aide d'une planchette au gabarit supportant un poids (action de charger une terrine). Récupérer les graisses d'exsudation puis les couler à la surface de la terrine froide.
• Laisser rassir au froid une bonne semaine avant dégustation.

Ce genre de gourmandise s'harmonise avec un jeune Graves rouge ou un vieux Chablis mais personnellement je préfère un Jurançon doux, riche en petit Manseng.

Sanquette de poulet

La sanquette fait partie des habitudes paysannes et est considérée comme une gourmandise dès lors qu'elle est préparée à base du sang de poulet tué la veille du repas. Cette petite crêpe brune rehaussée d'une pointe d'ail et de persil est partagée brûlante sur du pain en casse-croûte sinon en début de repas. Elle symbolise aussi la fraîcheur, la qualité et la spontanéité de cette rare cuisine des abats qui a eu recours à l'imagination humaine et a fait évoluer le plaisir de notre alimentation.

Pour 4 personnes

Ingrédients :
Le sang de 2 poulets
1 cuil. à soupe rase de graisse d'oie
1 échalote grise
1 gousse d'ail
Quelques brins de persil plat
Vieux vinaigre de vin
Poivre noir
1 pincée de bon sel (fleur de sel écrasée)

• Éplucher et ciseler l'échalote et la gousse d'ail. Dans une fine passoire les rincer sous un filet d'eau fraîche et les égoutter.
• Laver, essuyer et hacher finement le persil.
• Dans une assiette creuse, déposer le sel, du poivre noir moulu grossièrement, le persil haché, l'ail et l'échalote ciselés puis verser le sang et mélanger.
• Laisser reposer au frais 2 h de manière à obtenir un ensemble bien ferme (coagulé).
• Cuire comme une grosse crêpe des 2 côtés dans une poêle au diamètre adéquat avec la graisse d'oie.
• Servir en arrosant d'un filet de vieux vinaigre de vin.

Je sais que le terme vin de casse-croûte est péjoratif mais pourtant avec ce genre de petit plat démoniaque nous avons le bonheur de pouvoir choisir dans chaque région vinicole un petit vin rouge, jeune, vif et pertinent servi juste frais qui nous met de bonne humeur dès le matin. Égoïstement, j'en profite pour boire le vin de ma vigne qui sort flatté de cette fréquentation.

Civet de cagouilles

Les escargots « petits-gris » sont appelés cagouilles. Il est recommandé de les faire jeûner une semaine avec du serpolet et un peu de son de blé dans une cage (contrairement à son image, l'escargot est le roi de l'évasion...). Cette préparation permet de consommer l'intégralité de la chair sans la moindre amertume.

Pour 6 personnes

Ingrédients :
60 escargots petits-gris cuits avec leur coquille
100 g de poitrine demi-sel
50 g de gras de jambon
400 g de cèpes frais en saison
150 g de carottes
100 g d'oignons
10 g d'ail
1/2 bottillon de persil
2 branches de sarriette
30 cl de vin rouge corsé
3/4 de litre de bouillon de volaille
50 g de sucre en poudre
50 g de farine
3 cl d'huile de noix
Sel, poivre

• Cuire lentement le vin rouge à couvert, en évitant de le faire bouillir, pendant environ 20 min, afin d'éliminer son acidité.
• Éplucher les carottes et les oignons, les tailler en brunoise*.
• Couper le gras de jambon et la poitrine de porc en petits cubes.
• Dans une casserole verser les carottes et les oignons taillés en brunoise ainsi que les dés de gras de jambon et de poitrine de porc, cuire doucement à couvert sans coloration.
• Saupoudrer de farine puis déglacer* au vin rouge cuit, ajouter le sucre et le bouillon de volaille.
• Nettoyer puis émincer les cèpes.
• Dans une poêle anti-adhésive faire sauter les cèpes avec un peu d'huile de noix, saler et poivrer puis les ajouter aux légumes et au porc ainsi que les escargots en coquilles.
• Faire mijoter 45 min à couvert sur le coin du feu.
• Éplucher, blanchir* et hacher l'ail. Ciseler les sommités de persil et la sarriette.
• En fin de cuisson, rectifier l'assaisonnement puis ajouter l'ail blanchi, le persil et la sarriette ciselés. Servir brûlant sans attendre.

Le caractère « pierre à fusil » du Tursan blanc révèle le goût de l'escargot.

La grande garbure

Le mot « garbure » vient du gascon *garbe* qui signifie gerbe et désigne à l'exclusion de tout autre chou, les feuilles de chou cavalier aux longues queues de couleur bleutée, liées avec du raphia. On rencontre ce chou montant (il peut atteindre 1,50 m) sur le littoral Atlantique du Portugal à la Vendée, ainsi qu'au Brésil, et je l'ai retrouvé en Chine populaire accroché par gerbes au guidon des vélos... Je l'ai aussi croisé dans les jardins de Toscane avec une robe plus foncée mais un goût identique, si différent de celui des choux pommés courants.

Mon ami Sergio Mendès, musicien brésilien, décida un jour de m'offrir un grand repas avec les plats de son enfance. Plus doué pour le piano que pour la cuisine il demanda l'aide de sa voisine Remy (originaire de Bahia et cuisinière attitrée de Michael Jackson). Je vis, non sans surprise, qu'elle prenait les feuilles de chou cavalier, les battait une par une, enlevait les côtes à la main et les roulait ensemble afin de les tailler en très fines lanières exactement comme ma grand-mère le faisait chez nous !

En Chalosse, les anciens ajoutaient dans la soupière de fines tranches de pain qui absorbaient le bouillon, rendant le plat si compact que la louche s'y tenait plantée, d'où l'expression *le gahe s'y quille* qui signifie : la louche s'y tient droite.

En 1989, lors du dîner officiel du bicentenaire de la Révolution française, j'ai servi à 400 convives privilégiés cette garbure en mémoire du cuisinier Durand (né dans le Gard sous Louis XV) qui, au lendemain de 1789 fit entrer ce plat dans le patrimoine culinaire français.

Ma garbure, quoique allégée (sans pain trempé), garde le caractère originel du plat unique, avec la signature de l'os de crosse de jambon séché appelé *camajot* (petite jambe en Gascon). Pendant les vacances, j'aime à renouer avec la gestuelle de ma mère qui dès 7 h 30 accomplissait des allers et retours au potager cueillant, lavant et taillant les divers légumes au rythme des mises en cuisson respectives.

Cet os de vieux jambon est très important et recherché dans nos terres du Sud. À tel point que le truculent et non moins célèbre restaurateur béarnais monsieur Monminou n'hésite pas à expliquer comment son arrière grand-père a fait fortune en Andalousie : il allait de cuisine en cuisine, louant par durées d'un quart d'heure l'immersion de son os de jambon dans les différentes soupes du voisinage. Au terme de la journée, épuisé par le service galant qui accompagnait parfois sa prestation, il ne lui restait plus qu'à dévorer la délicate chair du jambon enrichie par les différents fumets…

Plus sérieusement, j'aime goûter les premiers haricots frais de l'été dans lesquels on a cuit ce *camajot* dont la couenne est encore légèrement ferme, avec une pointe de goût suret, et la chair rouge foncée comme dans les vieux jambons. Le complice idéal de ce plat d'amis est le cépage baroque de nos coteaux que l'on retrouve bien sûr dans le Tursan blanc.

Impossible de passer sous silence les pousses printanières de ces hauts pieds de choux à garbure que nous appelons les broutes. Nous les cuisons à l'eau salée et les servons tièdes avec huile, vinaigre et œufs durs hachés. Compte tenu de la rareté et de la délicatesse de ces jeunes pousses, une expression gasconne qualifie les palais raffinés et difficiles de *« minje broustes »* (mangeur de broutes).

Pour 6 personnes

Ingrédients :
1 crosse de jambon séché
2 cuisses d'oie ou 3 de canard confit
100 g de couennes de porc
400 g de très bonne saucisse de Toulouse
20 feuilles de chou bleu appelé « garbure » dans le Sud-Ouest (ou de chou vert)
250 g de haricots blancs frais tarbais
250 g de fèves fraîches
6 pommes de terre (type belle de Fontenay ou BF15)
1 branche de céleri
200 g de navets
2 carottes
2 blancs de poireaux
2 échalotes
2 gousses d'ail
20 cl de vin blanc sec
2,5 litres d'eau ou de bouillon de volaille
1 bouquet garni
1 clou de girofle
1 bouquet de basilic à petites feuilles
Poivre du moulin
6 tranches de pain de campagne frottées à l'ail

Cette riche potée au fumet élégant sera honorée par un mythique vin de Saint-Émilion aux arômes de sous-bois et de fruits noirs.

La veille

• Mettre la crosse de jambon à tremper dans l'eau froide avec les haricots.

Le jour du repas

• Faire blanchir* le jambon, éplucher et laver les légumes. Tailler les carottes, les navets et les pommes de terre en petits dés. Dérober les fèves fraîches (retirer la peau des grains). Ciseler les échalotes et l'ail. Émincer finement les poireaux et le céleri. Écôter (enlever la tige) les feuilles de chou et les découper en lanières. Réserver chaque légume séparément.
• Couper la couenne de porc en morceaux.
• Faire dorer au four à 240 °C la saucisse et le confit.
• Pendant ce temps, dans une cocotte, mettre la crosse de jambon, le bouquet garni, le clou de girofle, les haricots et les couennes taillées. Mouiller* à hauteur avec le bouillon de volaille et cuire pendant 45 min.
• Dégraisser* le plat de cuisson de la saucisse et du confit (garder la graisse) et débiter respectivement les viandes en 6 portions et les réserver. Déglacer* le plat avec le vin blanc puis verser dans la cocotte ainsi que les viandes.
• Dans une sauteuse faire suer pendant 5 min les échalotes, les carottes, les navets, le poireau et le céleri avec un peu de graisse de confit puis ajouter le tout dans la marmite. Laisser cuire 30 min, lentement, en ayant soin d'écumer.
• Faire blanchir* les lanières de chou et les ajouter à la préparation ainsi que les dés de pommes de terre ; laisser cuire encore 30 min au sourire (infime bouillon).
• En fin de cuisson, ajouter les fèves fraîches dérobées, laisser cuire 5 min, rectifier l'assaisonnement et retirer le bouquet garni.
• Disposer dans une soupière résistante au feu les fines tranches de pain de campagne légèrement frottées à l'ail. Découper la crosse de jambon en tranches de 1 cm d'épaisseur et les répartir dans la soupière. Verser par dessus le bouillon très chaud, les légumes et les viandes, saupoudrer de feuilles de basilic. Porter à ébullition et servir aussitôt sans oublier quelques tours de moulin à poivre noir.

Omelette du pauvre

Dans nos campagnes, les œufs étaient rares l'hiver. Souvent, le samedi, on cuisinait une omelette sans œufs, appelée aussi omelette du pauvre. Elle s'appuyait sur les restes de la morue du vendredi. Après avoir servi à faire sauter de gros morceaux de pommes de terre, la poêle épaisse recevait les morceaux de morue effeuillée. On y ajoutait ail et piment en évitant le sel, déjà fourni par le poisson. On mettait au four, afin de bien croûter l'ensemble ; par la suite, il suffisait de renverser ce beau gâteau doré dans un plat rond et de le servir comme une omelette plate dite « à l'espagnole ».

Pour 4 personnes

Ingrédients :

400 g de morue cuite au court-bouillon (utiliser de la grosse morue bien épaisse)
800 g de pommes de terre type belle de Fontenay
8 gousses d'ail
1 bouquet de « clabet » ou herbe du cordonnier, c'est-à-dire du basilic à petites feuilles que l'on trouvait le long du mur des jardins de Chalosse.
Huile d'olive
Beurre cru
1 bonne prise de piment d'Espelette

• Cuire les pommes de terre à la peau, pendant 40 min, dans l'eau salée à 85 °C.

• Enlever la peau et les arêtes de la morue en ayant soin de l'effeuiller sans la déstructurer.

• Éplucher les gousses d'ail, les écraser légèrement et les blanchir* rapidement à l'eau. Peler les pommes de terre presque cuites et les tailler en belles rondelles de 2 cm d'épaisseur. Les faire dorer lentement dans une grande poêle épaisse avec du beurre cru, de l'huile d'olive élégante et l'ail écrasé.

• Préchauffer le four à 180 °C.

• Quand les pommes de terre et l'ail ont une belle couleur et une texture fondante, égoutter l'excès de matière grasse, mélanger la morue effeuillée et rehausser de piment d'Espelette. Disposer la préparation dans un moule à génoise anti-adhésif et bien compresser à l'aide d'une écumoire. Enfourner pendant 20 min. Démouler à chaud sur un plat de service rond et parsemer de petites feuilles de basilic. Servir chaud.

Ce plat aux puissantes saveurs iodées appelle un cépage Savagnin (Jura-Arbois).

La sauce de cèpes

Chez nous, le mot sauce désigne essentiellement un jus léger qui provient naturellement du produit cuisiné. Nous sommes très loin des sauces gastronomiques liées, crémées et beurrées. Ce qui avait agréablement surpris Claude Jolly, séjournant pour la première fois chez le célèbre Michel Guérard fraîchement arrivé dans nos Landes.

Enfant c'était une de mes gourmandises. Quel bonheur de soulever le couvercle d'une vieille cocotte en fonte et de humer la sauce à l'inimitable odeur de sous-bois, enrichie du fumet précieux de vieux jambon mijoté et de l'acidité du vin blanc ! Chaque famille avait son secret, lié souvent au territoire de la cueillette, à la qualité du vin et du jambon et basé sur un tour de main particulier.

Malgré un choix très scrupuleux des ingrédients, j'ai mis longtemps à retrouver ces saveurs idéalisées et à comprendre l'importance de la douceur de la cuisson.

Cette préparation bien maîtrisée mérite d'être conservée en bocal stérilisé, permettant une utilisation judicieuse et méritée.

Pour 4 personnes

Ingrédients :
1 kg de cèpes « tête de nègre » (de châtaignier ou de chêne)
150 g de vieux jambon moelleux de Chalosse
6 belles gousses d'ail
10 cl d'huile d'olive douce

• Nettoyer correctement les champignons sans les laver. Séparer les têtes des queues, réserver les têtes et tailler les queues en fine brunoise*.
• Conserver le beau gras rose qui entoure la tranche du jambon et tailler de belles lames « gras et maigre ».
• Écraser complètement les gousses d'ail avec la peau, récupérer la chair et la rincer sous un filet d'eau froide dans une passoire étamine.

12 cl de vin blanc sec type Tursan
12 cl de bouillon de volaille corsé
20 g de mie de pain rassis
Sel, poivre noir du moulin

• Dans une belle cocotte émaillée faire suer les lames de jambon à feu doux, puis ajouter l'huile d'olive et les têtes de cèpes. Faire dorer. Ensuite introduire la brunoise de queues de champignons. Remuer le tout délicatement avec une large spatule en bois et continuer à faire dorer.
• Quand l'ensemble est bien blond, ajouter la chair de l'ail écrasée, mouiller* avec le vin blanc et le bouillon de volaille. Parsemer de mie de pain brisée. Ajouter quelques tours de moulin de bon poivre noir. Attention au sel car le jambon en communiquera pendant la cuisson.
• Couvrir et laisser mijoter « au sourire » (infime bouillon) pendant au moins 1 h 30.
• Rectifier l'assaisonnement avant de servir.

Pas d'hésitation, le moment est venu d'ouvrir (toujours à l'avance) un grand vin de cette si convoitée commune de Puligny-Montrachet qui regroupe les vins d'appellation village, les crus prestigieux qui ont pour nom Pucelles, Truffières, Folatières..., les Criots, le Bienvenu, le Bâtard, le Chevalier et l'unique Montrachet.

Les œufs poêlés aux piments et vieux jambon

C'est pour moi le plat idéal pour un repas régénérateur que je peux même prendre en solitaire, à n'importe quelle heure du jour ou de la nuit.

Contrairement à ce que l'on pourrait penser, ce plat requiert un choix très précis des produits et un savoir-faire particulier.

Foin de la fine tranche de jambon courant, de l'insipide œuf industriel et du poivron de serre, au profit d'une tranche épaisse de vieux jambon au gras rose (garantie de qualité), d'un œuf de ferme à l'onctueux jaune orangé et du digeste petit piment vert de nos jardins (rappelant le goût de l'asperge violette). Autre secret : entailler le gras du jambon jusqu'à le denteler et le cuire sur les bords de la poêle de manière à obtenir le gras frit et croustillant et le maigre moelleux. Les deux ou trois petits piments fendus et débarrassés de leurs graines, seront saisis dans la poêle avec le gras résiduel et accompagnés d'un œuf frit, voilé grâce à quelques cuillères de graisse brûlante. Ces trois éléments cuits débarrassés du gras inutile, s'épanouiront par un déglaçage de la poêle avec un filet de vinaigre de vin.

Pour 2 personnes

Ingrédients :
4 œufs de ferme
4 tranches épaisses (6 mm) de vieux jambon avec un beau gras rose bien épais et une chair foncée et persillée encore molle malgré 2 à 3 ans de séchage (300 à 350 g le tout)
8 à 12 petits piments verts de jardin parfumés mais pas « piquants »
Un peu de graisse d'oie
Quelques giclées d'un excellent vinaigre de vin

• Inciser le gras des tranches de jambon avec des petits coups de couteau parallèles (comme une frange !).

• Couper la queue des piments frais cueillis et les fendre en deux afin d'ôter graines et cloisons blanches.

• Dans une première poêle, faire chauffer un filet de graisse chaude, y saisir rapidement les tranches de jambon puis les disposer aussitôt au bord de la poêle avec le gras vers le bas qui croustillera. Jeter les piments au milieu de la poêle et les retourner fréquemment. Ils doivent être juste cuits, encore verts et la peau cloquée afin de garder cette délicatesse voisine de l'asperge.

• Dans une autre poêle, cuire à la graisse les œufs bien séparés en prenant soin de voiler en surface avec un peu de graisse chaude les jaunes (sunny side) qui seront à peine cuits.

• Servir sur plat les œufs posés sur la tranche de jambon et les piments par dessus. Dégraisser* la poêle puis la déglacer* en versant le vinaigre pour dissoudre les sucs de cuisson. Déposer quelques gouttes de ce jus gras brûlant sur la préparation et humer.

• Accompagner ce mets de quelques mouillettes de gros pain de campagne.

Un verre de vin blanc sec de l'année. Et plus précisément, le basque Irouléguy blanc sera un judicieux compagnon.

Daurade rôtie aux oignons rouges et « jus pointu »

La daurade royale, rose ou grise est un poisson très répandu de Dieppe à Menton. Choisissez-la de plus d'un kilo (la texture est plus ferme et le goût plus affirmé) le sang frais aux ouïes, et les écailles bien brillantes.

Assaisonnement, matières grasses et garniture de cuisson au four varieront suivant les régions, mais quel bonheur de planter les couverts de service dans sa chair blanche et dense et de répartir le dos, la tête et le ventre, suivant le désir de chacun.

Très fraîche, levée en filets, escalopée délicatement elle peut se manger crue, marinée avec une belle huile d'olive, quelques gouttes de citron vert, une pointe de muscade et un peu de piment.

Moralité : laissez grandir les petites daurades (soi-disant portions).

Pour 4 personnes

Ingrédients :
1 daurade d'1 bon kg
500 g d'oignons rouges
100 g de citrons confits
1 prise de cumin en poudre
20 cl d'huile d'olive
80 g de sucre
Sel, poivre noir du moulin

• Préchauffer le four à 180 °C.
• Éplucher les oignons rouges et les couper en quatre.
• Disposer dans une cocotte allant au four les oignons en quartiers, les citrons confits, le sucre, le cumin, 1 cuil. à café de poivre noir, un peu de sel, 15 cl d'eau et l'huile d'olive.
• Couvrir d'une feuille d'aluminium puis laisser confire* au four pendant 45 min.
• Écailler et vider la daurade, la poser sur une plaque ; la saler et la huiler. Cuire 20 à 25 min au four à 180 °C/ 200 °C.
• Laver puis couper la tomate en dés. Éplucher et ciseler l'échalote. Peler et blanchir* la gousse d'ail. Laver, essuyer puis ciseler grossièrement les sommités de persil.

Jus pointu :
1 petite tomate un peu verte
1 gousse d'ail
1 échalote
1 bouquet de persil plat
1 pincée de curry
5 cl de fond de veau
3 cl de vinaigre balsamique
5 cl d'huile d'olive
Sel

• Préparer le jus pointu. Dans un bol, verser le vinaigre balsamique, 1 pointe de curry et du sel ; mélanger puis ajouter le fond de veau et l'huile d'olive. Ajouter les dés de tomate, une pointe d'échalote ciselée, l'ail blanchi et le persil ciselé.
• Dresser la daurade au centre d'un plat et disposer autour les oignons rouges confits. Servir le jus pointu à part.

Profitez de la fraîcheur iodée des très beaux vins blancs du Languedoc-Roussillon, en privilégiant ceux qui ont du caractère et en oubliant ceux au style racoleur (aux arômes de fleur blanche, bonbon anglais, banane, chêne vanillé, sans franche acidité compensée par un savant dosage de gaz carbonique résiduel) liés à une technologie exacerbée… et un peu trop systématique dans de nombreux vignobles internationaux.

Merlu entier au court-bouillon,
vinaigrette aux herbes potagères

Le merlu du golfe de Gascogne, appelé trop souvent en ville colin, est considéré chez nous comme un poisson très noble. Frais pêché, le dos bleu violet et le ventre blanc, ce poisson sans problème d'arêtes (il n'a qu'une arête centrale sans ramification) possède une chair très légère évoquant le moelleux d'un soufflé.

Nos voisins basques espagnols, experts en cuisine de la mer, n'hésitent pas à manger la tête fendue en deux et saisie sur la plaque (*cogote de merluza*).

Un de leurs mets préféré est la gorge (petit triangle gélatineux prélevé sous la mâchoire inférieure appelée *kokotxa*). Ils cuisinent ces petits morceaux poêlés à la romaine ou avec une petite sauce verte (ail et persil) liée par la propre gélatine du merlu. Ce plat rare, d'un coût élevé, est très recherché des initiés.

Beaucoup plus faciles à faire étaient les petits pains que nous emportions à la pêche ou à la plage : un morceau de filet de merlu assaisonné, fariné, passé à l'œuf, poêlé et pris en sandwich dans un pain devenait quelques heures plus tard une pure merveille pour le pique-nique.

Pour 6 à 8 personnes

Ingrédients :
1 merlu de 3 kg
2 belles romaines

Court-bouillon pour 4 litres d'eau :
40 cl de vinaigre de vin
2 oignons
2 carottes
1 poireau
Thym
Laurier
Sel

Vinaigrette :
30 cl d'huile d'olive
3 citrons (jus)
30 g d'ail blanchi
1/2 bouquet de cerfeuil
1/2 bouquet d'estragon
1/2 bouquet de persil
1 cuil. à café de curry en poudre
Fleur de sel

Préparation du court-bouillon

- Éplucher les oignons et les carottes. Laver le poireau.
- Dans une grande marmite, mettre toute la garniture aromatique, l'eau, le vinaigre et le sel.
- Cuire à couvert pendant 1 h à feu doux. Filtrer le liquide dans une saumonière si possible. Remettre le liquide à chauffer.

Préparation du merlu

- Écailler et vider le merlu puis l'essuyer avec du papier absorbant. Le plonger dans le bouillon brûlant jusqu'à reprise de l'ébullition. Ensuite, éteindre le feu puis couvrir. Il finira de pocher* lentement dans la cuisson.

Préparation de la vinaigrette

- Peler et blanchir* l'ail. Laver, essuyer, équeuter et ciseler le cerfeuil, l'estragon et le persil.
- Dans un saladier, verser les jus de citron et de la fleur de sel, mélanger puis ajouter l'ail blanchi, l'huile d'olive, le curry puis toutes les herbes ciselées.

- Préparer les salades.
- Au dernier moment, sortir le merlu de la cuisson. Enlever délicatement la peau puis à l'aide d'une grosse cuillère de service décoller la chair de l'arête.
- Servir le poisson avec sa vinaigrette d'herbes potagères, accompagné d'une salade de laitue romaine.

Ce poisson exceptionnel servi dans sa pure simplicité évoque chez moi la fraîcheur et la pureté de ces superbes vins blancs de Saint-Romain, Saint-Aubin et grands Chassagne-Montrachet.

Ventrèche de thon, émulsion d'olives vertes,

risotto aux olives noires

Les flancs du thon constituent les morceaux de choix que se réservent les pêcheurs basques. Pour les obtenir, vous devrez peut-être déployer des efforts particuliers auprès de votre poissonnier. Quand cette chair est épaisse et grasse, son goût est très puissant et peut surprendre les palais non avertis. Après cuisson la texture est exceptionnelle et mérite un accompagnement soyeux comme le risotto obtenu avec le meilleur riz.

En France, nous avons la chance d'avoir en Camargue du riz de grande qualité que les experts italiens s'arrachent (une fois de plus, merci au bon roi Henri IV, initiateur de cette culture mal connue). Si le sujet vous passionne et si vous aimez les chevaux et les taureaux, allez visiter l'élevage camarguais de monsieur Yonnet et demandez à Françoise le secret de son riz qui reste pour moi incomparable.

Au pays du soleil levant, le thon est le poisson roi et se prépare suivant sa variété, son âge, son poids, son origine et l'époque de pêche. Les Japonais vénèrent le ventre du thon, l'achètent à prix d'or, le mange cru en *sashimi* et en *sushi*, voire en *tataki* et appellent ce noble morceau *torro*.

Pour 6 personnes

Ingrédients :
1 kg de ventre de thon blanc
15 cl d'huile d'olive
6 sommités de basilic
1 cuil. à café de curry en poudre
35 g de gingembre frais
Sel

Risotto aux olives noires :
350 g de riz rond de qualité
1 oignon
100 g d'olives noires dénoyautées
70 g de mascarpone
40 g de beurre
10 cl d'huile d'olive
20 cl de vin blanc
80 cl de fond blanc

Emulsion d'olives :
150 g d'olives vertes dénoyautées
1 citron (jus)
50 g d'ail
1 bouquet de basilic
1/2 bouquet de persil plat
1 cuil. à café de piment d'Espelette

Cuisson du risotto

• Peler et ciseler l'oignon.
• Faire blondir l'oignon dans l'huile d'olive et le beurre. Ajouter le riz et le nacrer ; verser le vin blanc, laisser cuire environ 10 min. Tout en remuant régulièrement, ajouter le fond blanc en 3 ou 4 fois par petites quantités (au fur et à mesure que les grains de riz absorbent le liquide). Laisser cuire doucement pendant 18 min.

Préparation de l'émulsion

• Peler et blanchir* l'ail. Laver, équeuter et essuyer le persil et le basilic. Presser le citron.
• Dans un mixeur, mettre les olives vertes, l'ail blanchi, le basilic, le persil, le piment et le jus de citron. Mixer l'ensemble de façon à obtenir un coulis vert mousseux. Réserver.

• Éplucher et tailler le gingembre en brunoise*.
• Tailler 6 tranches épaisses dans le ventre de thon. Les faire mariner pendant 30 min avec la brunoise de gingembre, le curry et l'huile d'olive. Saler.
• Cuire les tranches de thon légèrement rosé dans une poêle anti-adhésive quelques minutes de chaque côté (attention, cette chair a l'apparence du veau mais cuit beaucoup plus vite).
• Tailler les olives noires en brunoise.
• En fin de cuisson du risotto, ajouter le mascarpone et la brunoise d'olives noires. Rectifier l'assaisonnement.
• À l'aide d'un cercle de 10 cm de diamètre, dresser le risotto dans chaque assiette. Poser le thon dessus, un cordon d'émulsion d'olives vertes autour ; le reste en saucière. Décorer avec quelques sommités de basilic.

La chair du thon, et particulièrement ce morceau, est très savoureuse. On peut voir rouge à condition de bien choisir un subtil Lirac, voisin du rosé Tavel, ou un vin rouge corse issu d'un savant dosage entre le ténébreux Niellucio (cousin du Toscan San Giovese) et l'aromatique Sciaccarello.

Lamproie à la mode du Sud-Adour

La mystérieuse lamproie, poisson de mer et de rivière, est recherchée depuis la nuit des temps pour sa chair si particulière qui demande des apprêts évoquant ceux du gibier à poil.

Ce poisson, qui peut atteindre un mètre de long, est profilé comme une anguille et n'hésite pas, grâce à sa bouche en forme de suçoir corné, à se fixer sur de gros saumons afin de remonter les fleuves au printemps. Avec ses sept paires d'orifices latéraux, le plus ancien et le plus primitif représentant des vertébrés est souvent appelé « flûte à sept trous ».

Enfant, j'étais impressionné par l'étrange rituel de la préparation. Personnellement, je me limite à ébouillanter ce poisson, à enlever à l'aide d'un linge, éventuellement d'un couteau, le limon qui recouvre son corps (limoner*), puis à le suspendre par la tête afin de récupérer le sang en entaillant le bas de la queue. La texture de la lamproie demande une cuisson longue et lente qui lui fait perdre plus des deux tiers de son poids de telle sorte que le prix de revient avoisine celui du foie gras. Le goût singulier et carné de ce poisson mythique, sans arête (cartilage central), doté d'un double système respiratoire, appelle une cuisine relevée teintée d'exotisme : poivre parfumé, fruits secs, vin liquoreux, cacao amer…

La lamproie développe à la cuisson un merveilleux goût terreux rappelant l'humus qui n'a rien à voir avec l'infect goût de vase de certains poissons de rivière ou d'étang. Il est important d'intégrer cette notion subtile qui différencie également dans les vins l'élégante touche de rancio avec la notion de madérisé ainsi qu'un boisé parfois excessif avec l'odeur et le goût de mauvais bouchon.

Pour 6 à 8 personnes

Ingrédients :

2 lamproies de 1,2 kg
100 g de crosse de jambon de Bayonne
50 g de chocolat amer (70 % minimum de cacao)
12 gros pruneaux d'Agen
60 g de raisins blonds secs
60 g de pignons de pin
18 petits oignons grelots
6 blancs de poireaux
1 oignon
3 gousses d'ail
1 bouquet garni (avec un peu de sauge)
1 pointe de noix muscade râpée
1 ou 2 clous de girofle
1 bonne prise de piment d'Espelette
1 cuil.à café de poivre de Séchuan
Sel
1 sucre frotté sur une peau d'orange
Mie de pain
5 cl d'huile d'olive
30 cl de bouillon de volaille
1 verre de vieux Bas-Armagnac
1 bouteille de vin blanc doux (à défaut un riche vin de Sauternes, un jeune Muscat)

La veille

• Mettre les pruneaux et les raisins à gonfler ensemble dans de l'eau.

Le jour du repas

• Faire réduire* de moitié, à couvert et très lentement, la bouteille de vin blanc doux.
• Plonger les lamproies 1 min dans de l'eau bouillante afin d'enlever, à l'aide d'un linge, le limon, imperceptible à froid, qui recouvre et protège sa peau.
• Suspendre les poissons par la tête, placer un bol sous la queue et en trancher l'extrémité pour récupérer le sang qui va s'écouler naturellement. Mélanger le sang à l'Armagnac. Réserver.
• Étêter les lamproies, les vider et les découper en morceaux de 3 cm d'épaisseur.
• Éplucher l'oignon et les gousses d'ail. Ciseler l'oignon et écraser l'ail.
• Couper la crosse de jambon en brunoise*.
• Couper chaque blanc de poireau en 3 tronçons.
• Préchauffer le four à 90 °C.
• Dans une cocotte allant au four, faire chauffer un peu d'huile d'olive, y jeter le jambon en brunoise, l'oignon ciselé et les gousses d'ail écrasées, laisser suer sans colorer.
• Dans une petite casserole, faire fondre le chocolat.
• Ajouter les morceaux de poisson, le bouquet garni, les pruneaux, les raisins, les petits oignons, les tronçons de blancs de poireaux, les pignons, le sucre frotté de zeste d'orange, la muscade râpée, les clous de girofle, un peu de sel, le poivre de Séchuan, le piment d'Espelette et le chocolat fondu. Mouiller* au minimum le tout avec le vin blanc doux réduit et le bouillon de volaille.
• Émietter un peu de mie de pain pour assurer une légère liaison et cuire à couvert dans le four pendant 2 h minimum (mijotage).
• 10 min avant de passer à table, lier avec le mélange sang et Armagnac et rectifier l'assaisonnement. Les morceaux de lamproie ont réduit leur volume de 3 fois environ, la chair doit être onctueuse et parfumée et le jus brun ressemble à celui d'un civet.

Deux vins me viennent tout de suite à l'esprit : un vigoureux Cornas ou un somptueux vin de Sauternes d'une belle année.

L'alose grillée au laurier,
jeunes poireaux au vin de Madiran

Je tiens l'alose de mer et de rivière pour le plus goûteux des poissons si l'on sait en maîtriser les contraintes de préparation, en particulier le piège de ses nombreuses fines arêtes fourchues. L'alose réunit l'élégance du saumon sauvage, la légèreté du merlu (grâce aux multiples arêtes, la chair est légère) et l'onctuosité et le gras du thon. Elle ne mord à aucun appât et donc ne peut être pêchée qu'au filet. Chez nous, au printemps, quand les premières aloses (que nous appelons *coulacs*) remontent l'Adour et les Gaves, nous avons pour tradition de nous réunir dans chaque village autour d'un repas en son honneur.

La première gourmandise, les « rondelles » d'œufs d'alose poêlées avec échalote et pointe de vinaigre, est réservée aux enfants et aux anciens. Le poisson est grillé en grosses darnes sur les braises avec des feuilles de laurier, ou braisé lentement en cocotte avec le ventre bourré d'oseille. Cette dernière cuisson très lente a pour mérite de ne pas déstructurer le poisson et de confire* les arêtes (qui ne posent plus de problème).

Des petits malins prétendent avoir la solution idéale, enlevant les arêtes avant la cuisson. Malheureusement et bien que cela soit réalisable, la chair du poisson se déstructure alors, devient compacte à la cuisson et désagréable sous la dent.

Personnellement, je choisis des aloses de 3 kg afin de trancher de belles darnes bien épaisses. Avant la cuisson, j'enlève à l'aide d'une grosse pince à épiler toutes les petites arêtes qui dépassent des tranches. Puis j'assaisonne généreusement, je tapisse de laurier frais ciselé et je laisse mariner une bonne heure avec un peu d'huile d'olive bien fruitée.

Il ne reste plus qu'à griller ces darnes sur de belles braises blanches. Aux deux tiers de la cuisson, les arêtes restantes apparaissent en surface. Il suffit, et cela très rapidement, de les arracher sur le feu à l'aide de la pince. Ainsi vous n'abîmerez pas la texture de ce merveilleux poisson et vous aurez eu raison de son inconvénient majeur.

Pour 6 personnes

Ingrédients :
1 grosse alose de 2,5 kg
6 bottes de jeunes poireaux
50 g d'échalotes
1 feuille de laurier
1 noix de beurre
10 cl d'huile d'olive bien fruitée
15 cl de crème épaisse
Sel, poivre

Fumet :
1 tête de merlu
1 poireau
1 carotte
1 oignon
1 bouteille de vin de Madiran
1 bouquet garni

Décor :
6 feuilles de laurier

• Écailler, vider les aloses, les essuyer avec du papier absorbant.
• Tailler 6 belles darnes épaisses. À l'aide d'une pince à épiler, enlever les petites arêtes qui dépassent. Réserver.
• Éplucher et émincer la carotte, l'oignon et le poireau.
• Dégorger* la tête de l'alose et lui adjoindre la tête de merlu. Concasser et réaliser un petit fumet avec le poireau, la carotte, l'oignon émincés, la bouteille de vin rouge et le bouquet garni.
• Ciseler la feuille de laurier, mélanger avec l'huile d'olive puis badigeonner les darnes d'alose de ce mélange. Laisser mariner au frais au moins 1 h.
• Éplucher, laver et ficeler les poireaux puis les cuire dans de l'eau bouillante salée. Refroidir dans de l'eau glacée. Égoutter.
• Préparer un feu de charbon de bois.
• Préchauffer le four à 180 °C.

Finition de la sauce
• Filtrer le fumet de poisson. Le faire réduire* à couvert de façon à obtenir une demi-glace (consistance sirupeuse). Réserver au chaud sur l'angle de la cuisinière. Lier avec la noix de beurre cru.

• Griller les darnes d'alose à moitié, de préférence sur les braises, puis extraire toutes les arêtes qui dépassent à la pince à épiler. Finir la cuisson au four.
• Éplucher, ciseler puis rincer les échalotes sous un filet d'eau froide.

• Chauffer les poireaux avec la crème assaisonnée en sel et poivre.
• Dresser les poireaux au centre de vos assiettes de service. Poser les darnes d'alose dessus en ayant soin d'enlever l'arête centrale. Verser un cordon de sauce vin rouge agrémenté d'échalotes ciselées. Décorer avec une feuille de laurier.

Ce rare poisson dense en texture et en goût se comporte comme une viande au contact d'un jus à base d'un riche vin rouge. Aussi faut-il aller au bout de la démarche et ne pas hésiter à servir un de ces vins de Madiran pourpres, à la limite du jus de mûres, d'une année réussie.

La poule au pot

Même si dans mon enfance en Chalosse la poule n'était plus de mise chaque dimanche, elle reste encore aujourd'hui l'entrée en matière de tout grand repas familial et le prétexte de nombreuses préparations des lendemains.

Comme son nom ne l'indique pas, la poule au pot nous vient de Pau, cité hospitalière de notre bon roi Henri IV, de Bernadotte (roi de Suède) et du non moins célèbre officier de bouche Raymond Casau. Celui-ci, avocat par intérim du régicide Ravaillac, se plaît à démontrer que la mort du bon roi est due à son amour immodéré pour la poule au pot : « Comme beaucoup d'hommes d'État, le roi dans toutes ses grandes réformes pourchassait le bonheur de son peuple souvent affamé, explique-t-il. Ce pauvre Ravaillac, après son dur labeur du dimanche matin, regagnait son domicile dans le quartier des Halles et se désolait à l'idée d'avoir à consommer chez lui la poule au pot hebdomadaire recommandée par le roi mais le plus souvent mal accommodée par sa brave femme. Au détour d'une ruelle, l'odeur envahissante des poules en cuisson le rendit furieux quand soudain surgit le carrosse royal. Ravaillac empoigna son "Nontron", bloqua la lame et tua sauvagement le roi initiateur de l'incontournable poule du dimanche. »

Laissant à ce cher ami la responsabilité de cette version d'un drame de l'histoire, je reste fidèle à la poule au pot et ses atours. Chez nous on l'accompagne traditionnellement d'une sauce tomate très particulière à base de coulis, de sucre et de piments confits au vinaigre, élégant ancêtre d'un enfant dégénéré connu sous le nom de *ketchup*.

La sauce tomate aigre-douce s'accommode très mal d'un vin rouge, choisissez plutôt un vin blanc riche. Si vous êtes des inconditionnels du vin rouge frais, oubliez la tomate, remplacez-la par ma petite sauce minute : 1/3 de raifort, 1/3 de moutarde à l'ancienne, 1/3 de mayonnaise.

De façon aléatoire j'ajoute à ma poule au pot un jarret et une queue de veau ainsi qu'un beau morceau de paleron de bœuf gélatineux afin d'enrichir le bouillon et d'obtenir un consommé de rêve.

Pour 8 à 10 personnes

Ingrédients :
1 poularde fermière de 2,5 kg
1,2 kg de paleron de bœuf
1 jarret de veau
1 queue de veau

Farce :
200 g de blanc de volaille
100 g de ris de veau cuits
100 g de jambon de Bayonne
Le foie de la poularde saumuré*
2 œufs
Lait
50 g de mie de pain
50 g d'ail
100 g de carottes
1 râpée de noix muscade
Vinaigre blanc
Sucre en poudre
Sel, poivre du moulin

La veille

• Retirer le foie de la poularde, le saler, le poivrer, le sucrer et le mettre dans un petit bol avec du vinaigre blanc pour le faire dégorger. Réserver au frais.

Le jour du repas

• Flamber, vider la poularde puis bien l'essuyer avec du papier absorbant. Ficeler le paleron et le jarret, réserver au froid.
• Éplucher et laver tous les légumes de la garniture aromatique. Piquer les oignons avec les clous de girofle.

Préparation de la farce

• Tremper la mie de pain dans du lait.
• Peler et blanchir* l'ail.
• Couper les ris de veau et le jambon en petits dés.
• Éplucher les carottes et les tailler en petits dés.
• Rincer le foie de la poule saumuré sous un filet d'eau fraîche.
• Dans un mixeur déposer le blanc de volaille, la mie de pain, l'ail blanchi, le foie saumuré et les œufs, bien déstructurer l'ensemble.
• Dans une petite jatte, débarrasser la farce, ajouter les dés de ris de veau, de carottes et de jambon, saler, poivrer et muscader.

Garniture aromatique :
5 belles carottes
5 poireaux
3 gros oignons
3 clous de girofle
1 branche de céleri

• Farcir la poule avec cette préparation, la brider en prenant soin de bien fermer la cavité ventrale.
• Placer les viandes dans un faitout avec la garniture aromatique, couvrir d'eau, saler puis chauffer doucement pour amener à un léger frémissement. Ecumer souvent. La queue et le jarret de veau seront cuits les premiers (environ 1 h 30), puis la poule (2 h 30 à 3 h) et enfin le paleron (4 h). Retirer les viandes au fur et à mesure de leur cuisson et les réserver dans une ambiance chaude.
• Ôter les ficelles, tailler de beaux morceaux de chaque viande et les accompagner des légumes et de la farce. Servir le bouillon dans de petits bols.

Les restes de viande et de bouillon pourront être utilisés dans une autre préparation.
Suivant votre envie, n'hésitez pas à agrémenter la poule au pot d'une des deux sauces présentées dans l'historique de ce plat.

Deux vins très différents sont bienvenus. En blanc, un riche Châteauneuf-du-Pape et en rouge un élégant et dense Morgon.

Poulet fricassé aux oignons confits

Depuis toujours c'est mon plat favori de l'été qui rend toute sa dignité à l'oignon frais, légume trop souvent massacré. Dans mon esprit, il est lié à la cocotte en fonte placée sur les braises du « potager » (dans les vieilles demeures, lieu de cuisson d'appoint pendant la période estivale).

Le secret de cette recette consiste à faire confire*, dorer et réduire* une masse d'oignons émincés en évitant d'obtenir une médiocre marmelade. À l'opposé de nombreux écrits clamant l'intérêt de la fricassée à travers une cuisson sans coloration avec ajout de crème ; je respecte le mot dans son sens originel : frit-cassé. Cela signifie que notre généreux poulet de ferme est découpé en 16 morceaux, légèrement farinés et sautés vivement jusqu'à obtention d'une cuisson croustillante en surface et moelleuse à cœur qui n'a rien à voir avec la volaille cuite dans une sauce. Il suffit de disposer ces morceaux sur les oignons confits dans la cocotte au dernier moment et de servir.

Ce grand plat nécessite de gros oignons doux de qualité qui seront émincés, confits et caramélisés à souhait. Il peut aussi se déguster tiède, voire froid.

Pour 8 personnes

Ingrédients :
1 poulet fermier de 2 kg
12 oignons (de préférence des oignons rouges bien doux)
1 citron (jus)
1 citron confit

• Éplucher les oignons, les émincer finement et les rincer à l'eau fraîche.
• Dans une casserole, faire cuire les oignons avec 10 cl d'huile d'olive, 30 g de beurre et le sucre en poudre, à feu doux, pendant 1 h 30 de manière à obtenir des oignons blonds caramélisés.
• Découper le poulet en 8 morceaux, les saler, poivrer et fariner légèrement.
• Tailler le citron confit en brunoise*.

1/2 bouquet de coriandre fraîche
15 cl d'huile d'olive
80 g de beurre
10 cl de bouillon de volaille concentré
2 cuil. à soupe de farine
2 cuil. de sucre en poudre
Sel, poivre du moulin

15 min avant de servir

• Dans une cocotte, faire fricasser le poulet avec le restant de beurre et d'huile d'olive, pendant 12 min jusqu'à coloration complète ; la peau doit être bien croustillante.
• Dégraisser*, ajouter le bouillon de volaille et les oignons compotés. Rectifier l'assaisonnement, verser le jus de citron et la brunoise de citron confit et servir brûlant dans un beau plat creux décoré de belles pluches* de coriandre fraîche.

Un vin rouge pertinent et complice soulignera cette belle volaille dorée sur son lit d'oignons caramélisés. Je pense au bois de cèdre et au goût d'amande des vins de Saint-Julien aux tanins soyeux, ou tout aussi bien à la finesse et à la générosité d'un harmonieux vin de Volnay et, pourquoi pas, à un de ces Monthélie ou Mercurey issus de vieilles vignes bien placées.

Chapon de Chalosse au céleri confit

En Chalosse, dans ma jeunesse, les métayers élevaient et engraissaient ces superbes volailles castrées pour les offrir ou les vendre à l'occasion des fêtes de fin d'année.

Aujourd'hui, un détail commercial supplémentaire a fait son apparition car l'élite des pêcheurs à la mouche attache un vif intérêt à certaines plumes très rares prélevées sur la tête du volatile.

Pour moi le chapon reste le symbole de la convivialité car il requiert la réunion de huit personnes au minimum autour de la table. Sa chair moelleuse appelle un légume de saison fondant et savoureux. À cet effet de grosses rouelles de céleri-rave placées dans le plat à rôtir ont l'avantage de confire* lentement tout en humidifiant la longue cuisson.

Pour 6 à 8 personnes

Ingrédients :
1 chapon de 3 à 4 kg
100 g de couennes de porc
100 g de jambon de Bayonne
2 boules de céleri-rave
1 céleri branche
1 orange
1 citron
1 carotte
1 oignon
2 gousses d'ail
2 feuilles de laurier
3 brins de serpolet
1 verre de vin de Jurançon
Sel, poivre du moulin

• Préchauffer le four à 180 °C.
• Éplucher et tailler les boules de céleri-rave en tranches de 1 cm d'épaisseur. Les frotter au citron pour les garder d'une couleur claire puis les blanchir*. Rafraîchir. Égoutter.
• Laver le céleri branche et réserver les plus belles feuilles. Couper les côtes le plus finement possible dans le sens de la longueur
• Tailler le jambon et les couennes de porc en dés.
• Vider le chapon et réserver le foie.
• Prélever le zeste de l'orange puis la presser.
• Éplucher et tailler l'oignon et la carotte en petite mirepoix*. Peler les gousses d'ail. Hacher les feuilles de laurier.
• Avec la pointe d'un couteau d'office, truffer le chapon de feuilles de céleri glissées sous la peau.

• Avant de le brider, saler et poivrer l'intérieur et introduire les lanières de côtes de céleri branche. Ajouter le zeste d'orange, le serpolet et le laurier haché.
• Faire cuire le chapon au four pendant 2 h dans sa propre graisse (45 min sur chaque côté et 30 min sur le dos) en ayant soin de l'arroser régulièrement.
• À mi-cuisson, retirer 2/3 de la graisse et ajouter dans le plat à rôti la mirepoix*, l'ail écrasé, le foie concassé, les couennes et le jambon en dés.
• Quand ces éléments de fonçage* sont colorés à blond, ajouter les tranches de céleri qui cuiront lentement jusqu'à la fin de la cuisson du chapon. Saler, poivrer.
• Laisser reposer la volaille cuite, 10 min au chaud (pour que les chairs se relâchent).
• Dégraisser* le plat à rôtir, puis le poser sur feu doux afin de faire pincer les sucs, autrement dit caraméliser le jus de cuisson. Déglacer* avec le jus d'orange et le verre de Jurançon.
• Découper le chapon et le servir sur les tranches de céleri confites avec le jus et le fonçage* mélangés. Parsemer le tout des feuilles de céleri réservées et ciselées finement.

La sapidité de la chair de céleri combinée au moelleux de la chair fruitée du chapon demande un certain respect. Bien entendu vous trouverez des vins de charme à cet effet dans nos grandes appellations. Personnellement, compte tenu de l'événement, l'appellation Margaux sera de mise même s'il s'agit de deuxièmes vins issus des grands terroirs, pour peu que vous serviez un millésime élégamment évolué qui dévoilera des parfums de rose séchée et de violette.

Les abignades d'oie

civet de tripes d'oie typique des rives de l'Adour

Il s'agit d'un civet de tripes d'oie typique du bassin de l'Adour qui, dans mon enfance, se mangeait en hiver lors de l'abattage des oies, sur des tranches de pain frit ou bien avec de l'escauton de maïs (notre polenta locale). Ce plat économique demande beaucoup d'attention et une cuisson respectueuse.

Je ne connais plus qu'un seul cuisinier gascon qui maîtrise cette recette à la perfection, c'est Maurice Coscuela à Plaisance. Notre expert passionné n'hésite pas à raconter dans le moindre détail les subtilités de son interprétation et le choix du meilleur vin de Madiran du moment (les *abignades* signifie chez nous les avinées).

Pour 4 à 6 personnes

Ingrédients :

Carcasses et boyaux de 6 oies
10 cl de sang frais de volaille
150 g de ventrèche séchée (poitrine de porc)
1 pied de porc cuit et désossé
2 oignons
8 poireaux (le blanc)
4 gousses d'ail
1 bouquet garni
1 litre de fond blanc de volaille

La veille

• Dégraisser* les tripes, détailler des morceaux de 15 cm et les vider par pression. Les fendre avec des ciseaux dans le sens de la longueur et finir de les nettoyer avec du gros sel sous un filet d'eau.
• Couper les morceaux en 3 (environ 5 cm) et les faire dégorger* 24 h au frais avec le vinaigre, le sucre, du sel et de l'eau.

Le jour du repas

• Rincer les tripes, les blanchir* et les égoutter.
• Éplucher et tailler les oignons en mirepoix*, les blancs de poireaux en grosses rondelles.
• Détailler la ventrèche en petits lardons. Lever la chair restante des carcasses et les « ris » à l'intérieur du croupion ; hacher grossièrement au couteau.

2 bouteilles de vin rouge riche et tannique (Madiran)
Armagnac vieux
4 cl de vinaigre de vin
2 cuil. à soupe de sucre
Gros sel
Sel, poivre du moulin

• Dans une cocotte en fonte, faire revenir les lardons dans leur propre graisse, ajouter les morceaux de viande hachée grossièrement et les morceaux de tripes. Quand l'ensemble a pris une couleur dorée, compléter avec les oignons en mirepoix*, les rondelles de poireaux et le pied de porc concassé puis mouiller* avec les deux bouteilles de vin rouge et le fond blanc de volaille sans oublier le bouquet garni et les gousses d'ail légèrement écrasées avec leur peau.
• Saler et poivrer la préparation, porter à ébullition et écumer sérieusement. Couvrir la cocotte et cuire 6 h à moins de 90 °C.
• Au moment de servir, lier avec le sang, parfumer avec une pointe de vieil Armagnac de bonne origine et rehausser d'un trait de bon vinaigre.

Il est recommandé de servir ce mets délicat sur des tranches de pain de campagne préalablement poêlées et aillées. Du persil simple, grossièrement ciselé et parsemé sur la préparation, complétera l'ensemble.

Pour honorer ce mets, beaucoup plus subtil qu'il n'en a l'air, un vin des Côtes-de-Saint-Mont, voisin de Madiran, sera le bienvenu. Si vous faites partie des initiés, c'est le moment idéal de goûter à la cuvée « Le Faîte » (le plus haut) et d'apprécier sa riche complexité liée à une sélection rigoureuse.

L'alicot aux pommes de terre

L'« Alicot » (ale y cot), l'aile et le cou, est tout simplement une variante gasconne du populaire rata (ragoût de poitrine de veau et de pommes de terre) préparé en hiver avec les ailes et les cous d'oie ou de canard. Ces abats sont vivement sautés en morceaux avec un fonçage* d'oignons, de carottes et d'ail. Après une cuisson lente avec vin blanc, bouillon de volaille ainsi que des langues (d'oie ou de canard gavés) bien pelées, apportant le liant gélatineux naturel, il suffit d'ajouter des rondelles de pommes de terre fondantes qui se « tiennent », du genre belle de Fontenay, pour obtenir un superbe plat mijoté très convivial.

Pour 6 à 8 personnes

Ingrédients :
(Dans le Sud-Ouest nous utilisons les abattis frais de canard gras que l'on trouve facilement.)
6 à 8 cous de canard
20 ailerons de canard
30 langues de canard
80 g de vieux jambon
Graisse de confit
800 g de pommes de terre type belle de Fontenay
50 g de cèpes séchés
3 carottes
1 oignon
2 gousses d'ail
1 bouquet garni
1/2 bouquet de persil plat
1 bottillon d'estragon

La veille

• Mettre les cèpes séchés à tremper.

Le jour du repas

• Dégraisser* et couper en quatre les cous de canard. Laver et couper en deux les ailerons.
• Ébouillanter les langues afin d'enlever facilement, à l'aide d'un simple torchon, le voile granuleux qui les protège. Elles apportent dans cette préparation un plaisir de texture gélatineuse et un liant exceptionnel combiné avec les pommes de terre.
• Éplucher les carottes et l'oignon, les tailler en fine mirepoix* ainsi que le jambon (gras et maigre). Égoutter puis hacher les cèpes.
• Faire sauter vivement à la poêle les morceaux de cou et les ailerons avec un peu de graisse de confit.
• Dès qu'ils sont dorés, les égoutter puis les verser dans une grande cocotte en fonte avec les dés de carottes, d'oignon et de jambon. Faire suer à couvert.

1/2 bouteille de vin de Jurançon
10 cl de Madère
50 cl de bouillon de volaille
Quelques râpées de noix muscade
Sel, poivre du moulin

• Mouiller* à hauteur minimum avec le vin, le Madère et le bouillon de volaille. Saler, poivrer, ajouter la noix muscade, les cèpes hachés et les langues. Écumer et cuire « au sourire » (infime bouillon) pendant 45 min.
• Éplucher puis tailler les pommes de terre en quartiers directement dans la cocotte, couvrir et laisser mijoter encore 30 à 45 min.
• Juste avant de servir, peler et ciseler finement les gousses d'ail, rincer sous un filet d'eau froide. Laver l'estragon frais et le persil plat, les hacher, puis mélanger ce hachis d'herbes à l'ail. Incorporer ce mélange dans le jus blond et sirupeux de cette curieuse et très savoureuse spécialité.
• Servir aussitôt.

Personnellement, j'apprécie mieux un vin blanc de caractère avec ce plat mijoté et pourquoi pas un superbe Tokay Pinot gris d'Alsace.

Les « demoiselles » d'oie ou de canard et les aiguillettes sur l'os

Beaucoup de gens méconnaissent le plaisir que peuvent apporter des morceaux souvent méprisés, sans grande valeur marchande. Dans le cas de l'oie, après avoir prélevé les quatre membres, le foie gras et les viscères on se trouve en présence du coffre osseux composé de la partie inférieure (cruspe) et de la partie supérieure (croupion).

Sur la partie inférieure, il subsiste un filet mignon souvent prélevé et vendu sous le nom d'aiguillette (la chair sans l'os est cotonneuse et sans intérêt). À l'aide d'un ciseau de cuisine découper l'os avec ce filet mignon afin de le garder bien tendu sur son support pour affronter la cuisson.

Sur la partie dorsale, ne conserver que le « bateau arrière » qui contient à l'intérieur des ris succulents (supérieurs au goût du foie gras à la cuisson). Il suffit de donner un coup de gros couteau au milieu du croupion pour l'aplatir et le préparer à la cuisson. Votre « demoiselle » est prête à cuire.

Ces deux morceaux se mangent grillés bien épicés avec une persillade à la mie de pain, le tout réalisé grâce à la pointe d'un couteau, et d'une main agile.

Pour 4 personnes

Ingrédients :
4 demoiselles d'oie ou 6 de canard
8 aiguillettes d'oie sur l'os ou 12 de canard
100 g de mie de pain
3 gousses d'ail
1/2 bouquet de persil plat
Sel, poivre noir du moulin

• Préparer un beau feu qui fournira des braises blanches surtout si vous disposez de sarments de vigne et de « tanocs » (rafle de l'épi de maïs) qui s'enflamment beaucoup moins au contact des graisses que le charbon.
• Saler et poivrer généreusement les demoiselles et les aiguillettes.
• Éplucher et ciseler finement les gousses d'ail, les ébouillanter et les rafraîchir. Puis les concasser avec le persil plat et un peu de mie de pain. Réserver.
• Griller rapidement (2 à 3 min de chaque côté) les aiguillettes sur l'os, les servir encore moelleuses et brûlantes.
• Les demoiselles nécessitent un peu plus de soin : les placer sur le gril côté extérieur en premier (pendant 2 min) et terminer lentement côté intérieur afin que les ris aient le temps de cuire (4 à 5 min). Les retourner sur le plat de service et les saupoudrer de la préparation ail/ persil/ mie de pain.

Profitez de ces grillades gourmandes pour servir un vin rouge frais et friand : jeune Bordeaux, Saumur-Champigny, Beaujolais bien choisi, Mondeuse de Savoie et pourquoi pas « l'un des vins préférés » du bon roi Henri IV, le Givry (merci Gabrielle...).

L'oie confite et les premiers petits pois

Tout est question d'organisation : dans le Sud-Ouest, fin juin, les confits en pot commencent à s'épanouir, il est temps d'entamer l'épaule séchée du cochon, les cœurs de laitue sont tendres à souhait et les premiers petits pois nous offrent leur douceur.

Le temps a passé, on oublie souvent les petits pois en les remplaçant par de douteuses frites et on souhaite manger le confit d'oie en quantité en le salant de moins en moins et en se plaignant de son goût bizarre. Je n'ose même pas vous parler du confit en conserve qui n'est plus une viande confite mais qui est devenue par la stérilisation une vulgaire viande bouillie dans de la graisse. À l'inverse, les petits pois, même s'ils y perdent un peu de couleur, se jouent favorablement de la conserve (un des rares légumes souvent meilleur en conserve que surgelé).

J'ai connu le temps, pas si lointain, où ma cousine Irène escalopait en petites tranches une simple aile d'oie confite à la peau bien dorée (eh oui ! il faut arroser à la cuillère pendant la cuisson et c'est long...) et apportait simultanément une cocotte fumante de petits pois très sucrés et surtout pas farineux (frais cueillis du jardin). Ainsi, quatre robustes travailleurs trouvaient entre le salé de l'oie et le sucré du légume dominant, le réconfort idéal après une matinée dans les vignes.
D'une façon générale, je pense que les viandes ou poissons confits au sel ou saumurés* demandent à être consommés avec modération et appellent des légumes doux en quantité (haricots, pommes de terre, petits pois...).

Si pour les diverses préparations de foie gras chaud, le canard excelle, pour ce qui est « confit » la chair de l'oie est reine avec son moelleux et sa typique saveur musquée et fruitée en même temps. Afin que sa texture soit souple il est indispensable de confire* les quartiers d'oie sur l'os et de les laisser arriver à maturation après plusieurs mois de vieillissement dans la graisse en pot.

Pour 6 à 8 personnes

Ingrédients :

1 paletot d'oie avec os (les 4 membres sur la carcasse fendue en crapaudine*)
3 kg de graisse de confit
3 gousses d'ail
6 brins de serpolet
6 feuilles de laurier frais
Gros sel
Poivre noir mignonnette
600 g de petits pois frais écossés (extra-fins)
1 bottillon d'oignons nouveaux
2 cœurs de laitues de plein champ
2 carottes
150 g de ventrèche de porc séchée (poitrine de porc)
1,5 morceau de sucre

Quelques mois avant (préparation hivernale)

• Frotter le paletot d'oie avec du gros sel, du poivre noir mignonnette et le serpolet.
• Sur une plaque préparer un lit de gros sel et y déposer la viande. La recouvrir également de gros sel côté chair. Réserver ainsi pendant 24 à 36 h suivant votre goût pour le salé.
• Laver le paletot d'oie sous un filet d'eau froide et bien le sécher. Découper les 2 cuisses et les 2 ailes en suivant rigoureusement la forme des muscles de manière à harmoniser la peau et la chair.
• Hacher les parures de peau grasse.
• Éplucher et blanchir* les gousses d'ail.
• Dans une cocotte ou une bassine à confiture en cuivre, faire fondre les parures de peau grasse hachées, dans la graisse d'oie, ajouter les feuilles de laurier, les quartiers d'oie et les gousses d'ail écrasées. Cuire très lentement (confire*) à 90 °C pendant 2 h minimum. Contrôler la cuisson avec une aiguille : le jus des cuisses doit être transparent.
• Égoutter les confits d'oie et les disposer dans un pot de grès. Filtrer la graisse et en couvrir les confits. Oubliez-les jusqu'au début de l'été dans un endroit froid à l'abri de la lumière.

Dans le passé, les pots en terre vernissée (toupins ou toupies) avaient une base très étroite (style amphore) destinée à recevoir une poignée de sel aseptisant, gelée et sucs de viande pouvant engendrer une dégradation. Les gens précautionneux n'hésitaient pas à utiliser un croisillon de bambou fendu afin que les viandes ne soient pas en contact avec le fond du pot. De nos jours, nous disposons de pots en grès à large fond plat dans lesquels quelques rameaux de bambou ébouillantés assureront une conservation optimale.

Le jour du repas

- Couper la ventrèche en tout petits lardons.
- Éplucher les carottes et les tailler en brunoise*. Couper les oignons nouveaux en quartiers. Laver et couper les cœurs de laitues en quatre.
- Dans un faitout, faire revenir les dés de ventrèche, les carottes en brunoise et les oignons en quartiers. Verser les petits pois et les cœurs de laitues fendus, couvrir avec un peu d'eau. Ajouter quelques tours grossiers de moulin à poivre et le sucre. Cuire 12 à 15 min puis rectifier l'assaisonnement.
- Préchauffer le four à 180 °C.
- Pendant ce temps, sortir les confits du pot, les débarrasser d'une partie de leur graisse, les disposer peau en l'air dans un plat à rôtir.
- Enfourner et arroser régulièrement de graisse brûlante la peau d'oie de manière à ce qu'elle croustille et que les graisses sous-cutanées fondent.
- Égoutter ailes et cuisses dorées à souhait, éliminer les os de la carcasse, découper en tranches les ailes et en morceaux les cuisses.
- Déguster le charme salé de l'oie avec celui sucré du petit pois.

Une fois de plus je serais tenté de boire un vin de Jurançon doux mais je reste convaincu qu'un grand vin rouge dense et velouté de Cahors, fidèle au cépage Malbec (Cot), s'épanouira entre la douceur des petits pois et le salé élégant du confit.

Les cœurs d'oies grillés à la confiture d'oignons

Parmi les abats le cœur est souvent un morceau sans attrait, parfois très ferme voire caoutchouteux. Je fais une exception pour le cœur de veau élégamment farci et braisé lentement ainsi que pour les cœurs de canard et d'oie gavés. Le cœur d'oie, plus gros que celui du canard, développe un goût particulier et présente une texture unique quand il est grillé sur les braises. Il supporte une cuisson assez violente qui n'altère pas sa chair rosée et juteuse. Condition impérieuse, il doit être mangé tout frais car il accepte mal le sous-vide et le grand froid. Accommodé de cette façon, inutile de lui adjoindre un légume d'accompagnement, mais évitez la moutarde au profit d'une confiture d'oignons bien dosée dans laquelle l'aigre-doux sera à son summum.

Pour 4 ou 5 personnes

Ingrédients :
24 cœurs d'oies gavées
1 prise de piment d'Espelette
1/2 cuil. à café de cumin en poudre
5 cl d'huile d'olive
Sel
Brochettes en bois

Confiture d'oignons :
500 g d'oignons rouges
300 g de tomates à chair ferme

Confiture d'oignons

• Monder* les tomates, les couper en deux, éliminer les graines et concasser la chair.
• Peler et émincer finement les oignons, rincer à l'eau froide et égoutter.
• Éplucher et ciseler le gingembre.
• Dans une sauteuse, faire fondre les oignons dans l'huile d'olive en évitant toute coloration. Quand ils deviennent transparents ajouter la chair de tomate, le sel, le vinaigre de Xérès, le sucre, le concentré de tomate, le piment d'Espelette, la noix muscade, les graines de coriandre écrasées et le gingembre ciselé. Mélanger.
• Couvrir avec du papier sulfurisé sans oublier de laisser une cheminée* au centre et cuire à 90 °C pendant 2 h 30. Au terme de la

20 g de concentré de tomate
60 g de gingembre frais
2 cuil. de graines de coriandre
2 g de noix muscade râpée
1 pincée de piment d'Espelette
2 cl de vinaigre de Xérès
10 cl d'huile d'olive
125 g de sucre en poudre
15 g de sel

cuisson, la confiture aura réduit de 3 fois son volume et sera acidulée et épicée à souhait.

• Préparer les braises pour la grillade.
• Nettoyer les cœurs d'oies en retirant les divers vaisseaux. Les fendre en deux et les enfiler par 5 ou 6 cœurs sur les brochettes afin de pouvoir mieux les manipuler sur le feu.
• Dans un plat creux mélanger l'huile d'olive, le cumin et le piment d'Espelette.
• Saler les brochettes et les badigeonner au pinceau avec le mélange préparé.
• Griller sur les braises bien blanches 2 à 3 min de chaque côté afin d'obtenir une surface croustillante et un intérieur moelleux et bien rosé.
• Servir les brochettes sur la confiture d'oignons bien chaude.

Pour cet abat à la délicate texture et au goût raffiné, souligné par un discret aigre-doux, dénichez l'un de ces solides vins rouges des Côtes-du-Roussillon gorgés de soleil et pourquoi pas un trop rare Collioure sublimant le Grenache.

Palombes grillées sur les braises

La palombe est un pigeon-ramier migrateur qui chaque année quitte le nord de l'Europe pour hiverner en Afrique. Son itinéraire traverse les Pyrénées. Dès la fin de l'été, les chasseurs du sud-ouest de la France préparent des lieux de chasse dans la forêt, les palombières.

À la première migration, en octobre, « branle-bas de combat », chacun s'organise pour trouver le temps nécessaire à la chasse. Cela devient presque une maladie : la « palombite » ou « épidémie bleue ». Cette chasse est avant tout un prétexte à de sérieux casse-croûte entre amis ; c'est à qui apportera le meilleur pâté, le meilleur « fricot » ou la bouteille rare. Pour ma part, je garde un souvenir ému de pain de campagne encore tiède dans lequel le boulanger avait fait cuire une belle tranche de vieux jambon avec son gras rose. Compte tenu de l'activité gourmande des chasseurs, des rires, des bruits, de l'absence de recueillement, les tableaux de chasse sont bien moins dévastateurs que la pollution et la fatigue des oiseaux (de nombreuses palombes, épuisées, s'abîment dans la mer autour de Gibraltar).

Suite au radoucissement du climat hivernal dans le Sud-Ouest, de plus en plus nombreuses sont les palombes qui ne franchissent plus les Pyrénées et hivernent dans nos forêts de chênes ; elles se nourrissent sur nos terres du maïs oublié par les machines agricoles. Aussi pouvons-nous manger au milieu de l'hiver des palombes au goût exceptionnel lié à notre terroir et à notre climat.

Afin d'adapter la recette idéale à ce gibier il est important de reconnaître les jeunes : on les identifie à leur collier de plumes blanches encore naissant et aux plumes bleues délicatement ourlées de marron à l'articulation des ailes. Tendres, ces palombes gagnent à être grillées sur les braises ou rôties en cocotte et servies à la goutte de sang. Le goût de la chair est exceptionnel, ce qui explique son prix élevé. Les oiseaux plus vieux, à la chair plus ferme, exigent des cuissons plus longues mais deviennent sublimes au travers d'un salmis cuit lentement ou d'un confortable pâté en croûte.

Pour 6 personnes

Ingrédients :
6 palombes jeunes (colliers de plumes non formés autour du cou)
6 tranches fines de ventrèche de porc (poitrine de porc)
2 gousses d'ail
10 cl de vin blanc doux
30 cl de bouillon de volaille corsé
2 cuil. à soupe de graisse d'oie

Beurre d'herbes :
100 g de beurre cru
50 g d'ail
1/2 bouquet de cerfeuil
1/2 bouquet de persil
1/2 bouquet d'estragon
Sel de Guérande
Poivre concassé

• Plumer, brûler, vider les palombes et les désosser en crapaudine* par le dos. Réserver au réfrigérateur.

Préparation du beurre d'herbes
• Éplucher et blanchir* les gousses d'ail.
• Laver et sécher les herbes puis les ciseler.
• Malaxer le beurre avec l'ail blanchi, le sel de Guérande, le poivre concassé et les herbes ciselées. Réserver au froid.

• Préparer un bon feu 1 h avant de griller les palombes, les braises doivent être bien rouges et la grille brûlante.
• Éplucher les 2 gousses d'ail.
• Concasser les os de palombes, dans une cocotte les faire colorer lentement avec la graisse d'oie, ajouter les gousses d'ail écrasées. Dégraisser puis mouiller* avec le vin blanc et le bouillon de volaille, laisser cuire à couvert à feu très doux pendant 1 h 30.
• Saler et poivrer les palombes. Les poser sur les braises côté peau en prenant soin de ne pas « ferrer » la viande afin d'éviter le quadrillage noir, amer et malsain, ni laisser la grillade prendre feu, arroser si besoin votre braise. Cuire 3/4 de temps côté peau et 1/4 de temps côté chair : les palombes doivent être saignantes avec la peau croustillante. Faire griller les tranches de ventrèche.
• Dresser les palombes sur un plat, disposer le beurre d'herbes sur les palombes bien poivrées et décorer de ventrèche craquante.
• Filtrer le jus, rectifier l'assaisonnement. Verser en saucière.
• Accompagner d'une belle assiette de pommes allumettes.

Avec ce puissant gibier le plus subtil et intense cépage Pinot noir de la Côte-de-Nuits est de rigueur. Le minéral Clos-de-La-Roche excellera mais un Morey-Saint-Denis bien choisi ne trahira pas.

Salmis de palombes et « escauton » de maïs

Le salmis de palombes (pigeon ramier migrateur chassé traditionnellement dans le Sud-Ouest), est le plat emblématique de nos familles où l'on pousse la gourmandise jusqu'à le conditionner en conserve afin d'en manger à l'improviste en toute saison. On le réalise avec les palombes les plus âgées qui ne méritent pas le gril ou la broche mais qui, grâce à un vin capiteux, développent une grande richesse de goût.

Pour rester dans les habitudes locales, impossible d'éviter en accompagnement l'« escauton de maïs », notre polenta. Depuis cinq siècles, le maïs importé d'Amérique a trouvé chez nous sa terre de prédilection et fut très longtemps la base de l'alimentation quotidienne.

Au début du siècle, le pain de froment était encore réservé aux dimanches et jours de fête. Le reste du temps on mangeait de la « méture » (pain rustique à base de farine de maïs cuit dans des feuilles de chou) et plus souvent de l'« escauton » ; il s'agissait de farine de maïs ébouillantée et cuite très lentement que l'on servait généreusement au fond de l'assiette en ayant soin (comme pour le couscous) de pratiquer un creux au milieu pour recevoir la viande ou le poisson dans son jus.

Comme chez nos voisins italiens, il était aussi de tradition de découper l'« escauton » froid en tranches puis de les griller ou de les frire, parfois salées ou parfumées de fleur d'oranger, de cannelle et de sucre.

L'« escauton » que je sers avec le salmis est moins austère car je l'enrichis de beurre cru et d'un filet d'huile d'olive.

De cette farine de maïs on fait aussi un dessert qui fait rêver les enfants : le millas, avec des œufs battus, de la peau de lait, du citron râpé, de la fleur d'oranger et du sucre.

Pour 6 personnes

Ingrédients :
4 belles palombes
100 g de gras de jambon
30 g de cèpes séchés
2 échalotes grises
1 gousse d'ail
12 brins de persil
1 citron (jus)
5 cl d'Armagnac vieux
1 noix de beurre cru
Sel, poivre du moulin

Base salmis :
80 g de ventrèche de porc (poitrine de porc)
1 pied de porc cuit
2 bouteilles de riche vin rouge tendance cépage Merlot (Saint-Émilion, Pomerol)
50 cl litre de bouillon de volaille corsé
2 morceaux de sucre
1 carré de chocolat noir
30 g de mie de pain rassise
1 oignon
2 carottes
2 blancs de poireaux
2 gousses d'ail
1 orange
1 bouquet garni

Confection du jus de salmis

• Éplucher l'oignon, les carottes, les poireaux et les gousses d'ail. Tailler l'oignon en mirepoix*. Émincer les carottes et les blancs de poireaux.
• Hacher la ventrèche de porc.
• Plumer et passer les palombes à la flamme, les vider en ayant soin de récupérer les abattis et les cous. Désosser les palombes en séparant le corps en deux en incisant de chaque côté du bréchet jusqu'au dos.
• Concasser grossièrement les carcasses ainsi que les abattis. Les mettre dans une cocotte avec la ventrèche de porc hachée afin de marquer une base de gibier (commencer à faire revenir et à colorer les morceaux de carcasses). Ajouter la mirepoix d'oignon, les carottes et les blancs de poireaux émincés. Faire suer à blond l'ensemble, à feu doux.
• Mouiller* avec les 2 bouteilles de vin rouge et le bouillon de volaille très corsé. Compléter avec le pied de porc fendu en deux, le généreux bouquet garni, les gousses d'ail écrasées, le clou de girofle, les morceaux de sucre, le carré de chocolat noir, quelques zestes d'orange, la mie de pain rassise, la noix muscade râpée et du poivre noir moulu grossièrement. Cuire cette base à 80 °C pendant 2 h 30 en prenant soin de bien écumer afin d'obtenir une réduction sirupeuse et aromatique.

Préparation de l'« escauton » de maïs

• Verser la semoule de maïs dans le mélange de lait et de fond blanc de volaille ; porter le tout à ébullition puis réduire la tem-

1 clou de girofle
1/5 de noix muscade râpée
Poivre noir du moulin

« Escauton » de maïs :
200 g de semoule fine de maïs
50 cl litre de lait entier
50 cl litre de fond blanc de volaille
5 cl d'huile d'olive
50 g de beurre cru
Sel

pérature et cuire pendant 1 h en prenant soin de remuer régulièrement avec une spatule en bois. Réserver dans une ambiance chaude.

• Au moment de servir le salmis il vous suffit de lier l'« escauton » avec un peu d'huile d'olive, du beurre cru et de saler à point. Vous pouvez le servir dans un poêlon en terre ou bien le mouler respectivement en six grosses quenelles.

Finition du salmis

• Quand le jus de salmis est filtré et dégraissé, découper les demi-palombes (partiellement désossées) en trois morceaux (la cuisse, l'aile et le milieu du filet).

• Tailler le jambon, gras et maigre, en petits lardons, le faire sauter vivement avec une noix de beurre dans une cocotte assez grande puis saisir les 24 morceaux de palombes préalablement salés et poivrés.

• Hacher les cèpes séchés. Éplucher les échalotes et la gousse d'ail. Laver et équeuter le persil. Ciseler les échalotes. Hacher le persil et l'ail. Presser le citron.

• Dégraisser* et déglacer* avec le petit verre d'Armagnac vieux, ajouter la réduction de manière à juste recouvrir les morceaux. Saler légèrement (attention au jambon), introduire le hachis de cèpes séchés et laisser mijoter à couvert, à feu doux, au moins 1 h en fonction de l'âge des palombes (la chair doit rester moelleuse).

• Au moment de servir, rectifier l'assaisonnement, ajouter les échalotes grises ciselées, l'ail et le persil hachés ainsi qu'un filet de jus de citron.

Même si le salmis de palombes paraît destiné à une alliance éternelle avec les vins du Sud-Ouest, la fréquentation d'un vin corsé de Pommard ne lui nuira pas du tout.

L'ortolan en cassolette

Ni autorisé à la chasse en France, ni vraiment protégé ailleurs, ce noble oiseau est interdit à la vente et au colportage pour des raisons électorales (quelques voix écologistes intéressent toujours les candidats...). Certains élus en privé, comme chacun sait, n'ont pas hésité à le savourer...

Nous en parlerons donc au passé. L'ortolan se mangeait engraissé, d'où son nom en gascon : *benarit* (le bien-nourri). C'est un oiseau qui a des lettres : vers 1680, le bon La Fontaine – (qui a écrit nombre de ses fables chez madame de la Sablière à l'emplacement de l'actuel Carré des Feuillants) nous parlait déjà de « reliefs d'ortolans ! » Deux siècles plus tard, Marcel Proust à son tour évoquera le bel oiseau dans *À la Recherche du temps perdu* : « Tout en buvant des Yquems que recelaient les caves des Guermantes, je savourais des ortolans... ».

Ce petit migrateur confidentiel exigeait beaucoup de précautions, tant pour sa capture que pour son élevage. Venu du nord de l'Europe il s'appelait à l'origine « bruant » et était chassé exclusivement dans le département des Landes, plus précisément dans la région de Tartas. Très friand des boules vertes (chennevie) poussant sur des pieds de chanvre, cultivés au milieu du maïs, il était attiré par les cris de congénères placés dans des petites cages. Un piège tout simple (la matole) l'emprisonnait sans le blesser. Il ne restait plus au chasseur respectueux qu'à libérer les intrus piégés à tort (mésanges, rouges-gorges, bouvreuils, pinsons, etc.) ainsi que les femelles destinées à la reproduction.

Il fallait alors confier l'oiseau au savoir expert de l'engraisseur. Ainsi, pendant vingt et un jours, dans l'intimité d'une grange obscure, l'oiseau placé en cage recevait à manger et à boire une douzaine de fois par jour. La cage était systématiquement nettoyée après chaque repas afin que l'oiseau ne picore pas des graines sales (l'oiseau était consommé avec ses entrailles). La nourriture solide de notre oiseau appelé « millade » était composée de quatre cinquièmes de panis (millet) et d'un cinquième de graines d'alpiste (pour l'appétence).

Ainsi pendant vingt et un jours, si le climat extérieur était favorable, l'oiseau ne chantait pas, mais s'autogavait. Arrivé au stade d'une élégante obésité, il était prêt pour sa dernière nuit sans eau ; au matin, on lui imposait le verre d'Armagnac du condamné et il succombait en état d'ivresse.

Il ne restait qu'à rassembler derrière les volets mi-clos d'une vieille demeure de Chalosse quelques bons amis autour d'une bouteille de vieux vin de Sauternes d'un millésime richement botrytisé*. Traditionnellement à la fin du repas, après le plat de résistance, la maîtresse de maison apportait les cassolettes grésillantes et odorantes grâce à la goutte de vieux grand Bas-Armagnac qui faisait chanter la graisse. Chaque convive recevait une grande serviette de table blanche qu'il dépliait et plaçait sur sa tête en guise d'isoloir, afin de humer la peau dorée et craquante de l'oiseau.

Fourchette, couteau et cuillère étaient bannis ; il fallait saisir l'oiseau par le bec avec ses doigts. Dès que la température paraissait supportable, on le portait aux lèvres par l'arrière, ne gardant dans les doigts que le bec. À ce moment précis, il fallait saisir vivement la serviette et la placer devant sa bouche qui devait rester parfaitement fermée. Afin de ne pas se brûler, il était recommandé de faire rouler l'oiseau dans la bouche, ce qui s'accomplissait dans le silence et le recueillement. La dégustation pouvait enfin commencer. Il suffisait alors de broyer lentement la chair, les os et les entrailles pour les réduire en fine purée avalée lentement. S'il était de grande qualité, l'oiseau laissait en bouche un goût de noisette et de foie gras truffé qui n'attendait plus qu'une gorgée de vin de Sauternes pour conduire au plaisir parfait.

Savourant cette rare persistance aromatique, la conversation pouvait reprendre évaluant les talents de l'engraisseur et ceux de la cuisinière, comparés à ceux des années passées. Et reprenait l'éternelle querelle des anciens – favorables à l'ortolan en fin de repas – et des modernes, dont je faisais partie, partisans de servir l'ortolan au début du repas, quand le palais est encore vierge.

Impossible de passer sous silence le cousin rapproché de l'ortolan, le becfigue (fauvette). Cet oiseau devenu rarissime en France, dont Brillat Savarin décrit le goût particulier avec une grande précision (ah ! cette délicate amertume), se déguste toujours au Liban. Gourmand de figues, contrairement à l'ortolan, il se consomme vidé et rôti en cassolette. Dans la grande cuisine traditionnelle libanaise on le rehausse de quelques gouttes de mélasse de grenade.

Voici la cuisson que j'avais idéalisée pour l'ortolan :
Cet oiseau se présentait dans sa nudité afin d'exhiber la couleur de sa graisse au travers de sa fine peau de soie. Seule la tête était couverte, preuve incontestable d'identité, et nécessitait au dernier moment d'être plumée ainsi que les pattes à couper.
Comme cela vous a été expliqué, cet oiseau n'était pas vidé ; par contre une intervention délicate était nécessaire. Il fallait poser l'oiseau sur le dos afin de bien repérer à la base du poitrail l'emplacement du gésier, puis à l'aide d'une aiguille plantée dans ce muscle, l'extraire en évitant de déchirer trop la peau du ventre. Compte tenu de sa voracité, le gésier était presque aussi gros que la tête et aurait été désagréable tant par la texture caoutchouteuse que pour son goût amer.
Il ne vous restait plus qu'à saler et poivrer généreusement l'oiseau avant de l'isoler dans une belle petite cassolette, blanche de préférence.
Le compte à rebours pouvait commencer, il suffisait d'introduire les cassolettes dans un four très chaud (250 °C) et de les oublier 6 à 7 min, temps idéal pour obtenir une peau dorée et craquante avec l'intérieur suffisamment cuit.
Pour finir on versait la goutte de vieux Bas-Armagnac dans chaque cassolette afin de les présenter en « chantant » (doux bruit du grésillement…).

Bécasses et bécassines « à la ficelle »

Dans nos terres depuis des générations, les bons chasseurs raffinés, accompagnés de leurs chiens complices, vouent une prédilection à ce beau gibier. Ils peuvent vous parler des heures entières de l'arrêt de leur chien avant un départ de bécasses ou d'un envol zigzaguant de bécassines.

Bécasses et bécassines sont autorisées à la vente en période de chasse dans plusieurs pays de la Communauté européenne. En France, bien que chassables, ces oiseaux sont interdits de vente et de colportage. Pourtant, nous sommes les détenteurs de nombreuses recettes que nous aimerions transmettre à nos disciples. Au pays où les fins palais sont capables de distinguer la bécasse de terre de la bécasse de bord de mer il serait judicieux que nos politiques nous autorisent une semaine par an à la cuisiner.

Comment ne pas rêver en évoquant les guirlandes de bécasses ou de bécassines (*bécades* et *bécadots* en gascon) rôtissant en hiver dans la cheminée de l'auberge familiale, sans oublier la sublime sarcelle, ce minuscule canard sauvage au vol saccadé, à la délicate chair brunâtre légèrement amère, si prisée des initiés.

Jadis, il arrivait qu'en fin de carême certains chasseurs dévots se réunissent pour manger des sarcelles prétextant qu'ils échappaient au péché car ces volatiles ne consommaient soi-disant que des poissons…

Revenons aux « longs becs » qui ont inspiré Guy de Maupassant dans les *Contes de la bécasse* : on y voit le meilleur fusil de la tablée recevoir le privilège de déguster les têtes des oiseaux. Cette recette « à la ficelle » requiert beaucoup de patience de la part du cuisinier comme du gourmet. Les oiseaux plumés et non vidés, au poitrail protégé par une pellicule de lard, sont suspendus par le cou à des ficelles fixées au manteau de la cheminée. Sous les oiseaux on dispose des tranches épaisses de pain frotté à l'ail et nourri de foie gras dans une lèchefrite. Il suffit de maintenir « le capucin » brûlant (cône de métal percé relié à un long manche) dans les braises prêt à intervenir avec du gras de jambon qui fusera en « pointes de feu » afin de favoriser le croustillant de la peau. Cette opération répétée permet de nourrir la cuisson tout en parfumant le gibier en gras et en fumée. L'officier rôtisseur, tel un harpiste, doit en permanence pincer les ficelles afin de maintenir les gibiers en rotation devant les braises. Ainsi avec patience et bonne gestion du feu, bécasses et bécassines se vident naturellement sur les rôties de pain, ce qui constituera le meilleur des accompagnements. Ce plat exceptionnel ne peut pas être préparé à l'avance et doit être servi aussitôt prêt ; il s'attend patiemment devant le feu, le verre à la main.

Chez les oiseaux échassiers migrateurs, je tiens à vous signaler le pluvier et le vanneau dont la chair n'offre pas un intérêt exceptionnel malgré le dicton : « Qui n'a pas mangé de vanneau, ne connaît pas le meilleur morceau », mais dont les œufs sont très convoités. Si les Hollandais savourent la délicatesse de l'œuf de pluvier, nos amis belges m'ont initié dans le passé à l'exceptionnel œuf de vanneau dont la consommation est prohibée de nos jours.

Pour 4 personnes

Ingrédients :

4 bécasses de terre
4 fines tranches de ventrèche (poitrine de porc)
120 g de foie gras de canard cuit
50 g de graisse d'oie
50 g de gras de vieux jambon
4 tranches de pain de campagne
Une excellente bouteille de vieux Bas-Armagnac
Quelques râpées de noix muscade
Sel, poivre noir du moulin

À grand gibier, grand vin. En Bourgogne, la Côte-de-Nuits s'impose avec les meilleurs de Vosne-Romanée et pourquoi pas les Bonnes-Mares ou le sublime Musigny. À Bordeaux, il faut choisir entre les sèveux grands vins de Graves ou les vieux Pomerol mariant truffe et violette.

• Plumer les bécasses qui auront rassis 4 ou 5 jours au frais, les passer à la flamme et ne pas les vider mais pratiquer une entaille en croix sous le croupion qui libèrera les entrailles pendant la cuisson. Protéger le poitrail avec la ventrèche tenue par deux tours de ficelle. Fixer une longue ficelle de cuisine en haut du cou de chaque volatile.
• Dans une belle cheminée de campagne qui dispose sur la façade de petits crochets fixés sur le manteau (sinon prévoir une barre à 30/35 cm du foyer), accrocher les oiseaux afin qu'ils pendent au-dessus d'une lèchefrite disposée devant les braises.
• Saupoudrer les bécasses de sel, poivre noir moulu et noix muscade, les badigeonner de graisse d'oie. Arroser régulièrement avec cette graisse fondue tombée dans la lèchefrite. Entre deux doigts rouler régulièrement chaque ficelle afin de créer un mouvement rotatif du volatile suspendu devant le feu.
• Disposer dans la lèchefrite les tranches de pain à l'aplomb de chaque oiseau afin que les entrailles cuites tombent lentement pendant la cuisson sur chaque rôtie de pain (penser à éliminer les petits estomacs caoutchouteux que l'on ne mange pas).
• Chauffer le capucin (petit cône de fonte percé à la pointe et fixé sur un long manche protecteur) dans le feu. Dès qu'il est brûlant mettre un peu de gras de jambon dans le cône, puis pratiquer à plusieurs reprises des « pointes de feu », brûlures cutanées, odorantes sur les bécasses.
• Cuire les bécasses pendant 20 à 25 min, jusqu'à obtention d'une peau croustillante et d'une chair rosée au filet.
• Ajouter sur les rôties croustillantes un peu de foie gras écrasé, une pointe de poivre et quelques gouttes d'Armagnac.
• Détacher les bécasses et les fendre en deux afin de les disposer à cheval sur les rôties de pain dans un plat très chaud. Puis flamber ce mets sur la table avec un peu d'Armagnac.

Cette cuisson délicate n'attend pas et doit être servie aussitôt.
Pour les bécassines, pratiquez de la même façon mais veillez à gérer le feu plus rapidement compte tenu de leur volume, afin de ne pas dépasser 15 min de cuisson.

Salmis d'alouettes

Depuis l'enfance je suis fasciné par le vol imprévisible de l'alouette. Ce migrateur fantasque, excessivement rapide et au chant émouvant était souvent convoité par de discrètes fermières qui s'échappaient en secret de leur cuisine afin de pouvoir, en quelques enjambées, fermer le filet (appelé pente) installé au bout de leur champ.

Et pourtant, à l'auberge familiale, c'était d'un mauvais œil que je voyais arriver les alouettes et les grives, longues et délicates à plumer à la veillée. J'avais beaucoup plus de sympathie pour ce que nous appelions « les petits » (les linots) qui nous étaient apportés plumés par douzaines, emprisonnés sur une baguette de bambou ou une tige de maïs.

Ces trois espèces d'oiseaux sont excellentes cuisinées en casserole avec un peu de ventrèche et quelques baies de genièvre. Pour ma part j'aime aussi les traiter en salmis, exercice privilégié pour l'alouette, qui développe encore mieux son fumet si subtil.

Pour 6 personnes

Ingrédients :
36 alouettes
250 g de ventrèche demi-sel cuite (poitrine de porc)
50 g de beurre
1 filet d'huile d'olive
1 cuil. à soupe de sucre en poudre
1 cuil. à soupe de farine

- Dans une casserole à couvert faire réduire lentement le vin de Banyuls de moitié (15 min).
- Plumer, passer à la flamme et vider les alouettes.
- Préparer la garniture : éplucher la carotte, l'oignon et les gousses d'ail et les tailler en petite mirepoix* ainsi que la ventrèche de porc.
- Dans une sauteuse avec le beurre et 1 filet d'huile d'olive, bien faire dorer les alouettes. Ajouter la garniture taillée en mirepoix et faire cuire à couvert sans coloration pendant 4 à 5 min. Verser la farine et la cuire légèrement pendant 3 à 4 min sans qu'elle colore. Déglacer* avec le vin de Banyuls cuit.

500 g de pommes de terre (grenailles de Noirmoutier)
30 g d'ail
1 bouquet de persil plat
20 cl de jeune vin de Banyuls (type rimatge)
30 cl de bouillon de volaille corsé
Sel, poivre du moulin

Garniture :
1 carotte
1 oignon
2 gousses d'ail
6 tranches de ventrèche (poitrine de porc)

• Ajouter le sucre en poudre et le bouillon de volaille. Couvrir et laisser cuire à feu très doux pendant 1 h 30. Rectifier l'assaisonnement pendant la cuisson.
• Mettre à cuire les grenailles de Noirmoutier avec leur peau dans de l'eau salée à feu très doux pendant 1 h environ.
• En fin de cuisson du salmis, égoutter les alouettes et la garniture en mirepoix*. Les disposer dans une cocotte pouvant aller sur la table.
• Filtrer la sauce dessus. Ajouter les grenailles épluchées et les lardons, couvrir et laisser mijoter lentement le temps de préparer la persillade.
• Laver, essuyer, équeuter et ciseler le persil. Blanchir* l'ail.
• Au moment de servir parsemer de persil plat ciselé ainsi que d'ail blanchi.

Le goût de ce subtil gibier est tellement beau qu'il faut profiter de l'occasion pour servir une de ces rares et grandes bouteilles convoitées que l'on conserve jalousement. Vin blanc, vin rouge, millésime rare, partagez et buvez puis conservez la bouteille vide signée par vos compagnons d'agapes.

Foie gras de canard en cocotte aux raisins

Dès le début des vendanges, chaque maîtresse de maison faisait sélectionner les grappes les plus dorées de raisin blanc et les suspendait sur des tiges de bambou dans le cellier afin d'obtenir pour les premiers froids les grains acides et sucrés, destinés à escorter les premiers foies de canard en cocotte.

Le foie gras ne se commercialisait qu'à partir des frimas de décembre. Chaque année dans mon village, un haut fonctionnaire retraité tenait à manger le premier foie gras de canard aux raisins cuisiné par ma grand-mère Lucie. Son rituel était de venir le manger seul, incognito, à cinq heures de l'après-midi. « Vous ne finirez pas ce beau foie ? » s'inquiétait ma grand-mère. « Ma chère Lucie, je préfère en crever que d'en laisser », répondait-il.

Je salue au passage mes amis Coussau du Relais de la poste à Magescq ; c'est leur père, chef emblématique récemment disparu, qui a imposé le foie aux raisins en grande restauration. Si j'insiste sur le foie de canard chaud, c'est que dans le Sud-Ouest les anciens n'ont jamais consommé du foie gras d'oie chaud sous quelque forme que ce fût. Ce foie d'oie chaud dégage une odeur désagréable, facile à identifier ; et de plus il est très difficile à assimiler.

Les maquignons, les jours de foire, ne s'y trompaient pas et arrivaient à l'auberge familiale avec de beaux foies de canard enveloppés dans du papier journal ; ils les confiaient à ma mère, à charge pour elle de les faire griller en tranches épaisses sur les braises.

Pour 4 personnes

Ingrédients :

1 foie gras de canard de 450 g environ, très frais, clair et souple au doigt
2 grappes de chasselas bien mûr
1/2 citron (jus)
2 g de sucre en poudre
1 cuil. à soupe de mie de pain
1 bouteille de vin de Sauternes d'une année botrytisée*
5 cl de jeune Porto type L.B.V. ou 5 cl de vin andalou Pedro Jimenez serait idéal
5 cl de jus de volaille bien concentré
1 râpée de noix muscade
Sel, poivre noir mignonnette

• Nettoyer le foie : enlever les parties vertes au contact du fiel et rincer sous un filet d'eau fraîche. Éponger et assaisonner généreusement de poivre noir mignonnette, de sel et d'un peu de muscade.
• Réduire* à couvert très lentement 1/2 bouteille de vin de Sauternes pendant 1 h 30 pour obtenir le stade sirupeux et 1/5 du volume initial.
• Préchauffer le four pour qu'il soit tiède.
• Monder* les grains de raisin et les épépiner avec la pointe d'un couteau d'office.
• Dans une cocotte, faire dorer le foie lentement, pendant 20 min environ, en l'arrosant de sa propre graisse fondue (le foie doit être croustillant à l'extérieur et rosé à l'intérieur). Au terme de la cuisson le réserver sur un plat de service dans le four tiède.
• Décanter* la graisse de cuisson, la réserver (elle sera complice d'autres mets délicieux).
• Presser le 1/2 citron.
• Laisser les sucs caramélisés et les particules de cuisson dans la cocotte et placer celle-ci sur un feu moyen ; verser le sucre, le jus de citron, la réduction de vin de Sauternes, le trait de Porto, le jus de volaille, la mie de pain, les grains de raisin préparés, une grosse pincée de poivre mignonnette et du sel. Cette préparation aigre-douce doit être « pointue » en poivre.
• Porter à ébullition puis retirer la cocotte du feu, y déposer le foie cuit entier, couvrir et servir à table avec son fumet ! On peut découper les morceaux à la cuillère ou au couteau.

Seul le foie gras de canard frais de qualité est consommable chaud et exprime toutes ses saveurs fruitées. Celui de l'oie est bien plus intéressant dans une conserve vieillie.

Pour l'accompagnement, un grand vin blanc liquoreux est bien plus favorable que le plus subtil des vins rouges. Un grand vin de Sauternes s'impose en sachant qu'une bouteille suffit pour accompagner un repas de quatre convives, compte tenu de sa richesse en arômes exotiques.

Daube de ventre de veau au vin de Jurançon

La sauce de ventre de veau préparée avec la panse, comme la sauce de gras-double de bœuf, était courante chez nous les matins froids de marché ; au village, pour la Sainte-Catherine, jour de fête, ma mère la préparait en grosse quantité dans notre auberge. Elle la servait jusque tard dans la nuit, avec en prélude des huîtres et des saucisses grillées. Son secret consistait à faire blanchir* trois fois les différents morceaux puis à les tailler en gros dés et les cuire avec la tête et la langue de veau, du jambon, des cèpes séchés et du vin doux. Je n'ai jamais oublié le fumet délicat de ce plat et je me suis employé, par la suite, à continuer cette belle histoire en la revisitant.

Pour 8 personnes

Ingrédients :
1/2 tête de veau
1 langue de veau
1 gras-double de veau
2 pieds de veau
1 crosse de jambon séché
200 g de jambon de Bayonne (1 tranche épaisse)
1 litre de jus clair de veau
2 bouteilles de vin de Jurançon doux (le vrai)
Vinaigre de vin
100 g de cèpes séchés
1 gros oignon
100 g d'échalotes grises

La veille

• Dégorger* les viandes une nuit au frais dans un grand récipient contenant de l'eau légèrement vinaigrée.

Le jour du repas

• Blanchir* séparément, langue, pieds, tête désossée, gras-double, crosse du jambon séché et rafraîchir le tout. Enlever les peaux blanches, découper la tête de veau, le gras-double et la langue en gros dés. Cette taille fera le charme de la recette qui sera harmonieuse d'aspect et variée par les différentes textures.
• Faire tremper les cèpes séchés dans de l'eau froide.
• Éplucher l'oignon, les échalotes, les carottes et l'ail. Ciseler l'oignon et les échalotes ; couper les carottes en rondelles.
• Tailler le jambon en mirepoix* (gras et maigre) et le faire sauter dans une daubière.

200 g de carottes
1 tête d'ail
1 bouquet garni
Noix muscade râpée
Quelques filaments de safran
Sel, poivre noir mignonnette

Oignons glacés :
500 g de petits oignons
60 g de beurre
12 cl de fond blanc
2 cuil. à soupe de sucre en poudre

• Ajouter les échalotes et l'oignon ciselés, l'ail écrasé et les carottes en rondelles puis la crosse de jambon entière.
• Mouiller* avec le vin de Jurançon et le jus clair de veau. Ajouter le bouquet garni, les pieds de veau, les cèpes égouttés et hachés, du sel, 1 râpée de muscade, du poivre noir mignonnette, et quelques filaments de safran.
• Cuire le tout très lentement à couvert et feu doux pendant 4 h, les viandes devant être moelleuses et le jus sirupeux. Prendre soin de dégraisser* et écumer très fréquemment.
• Préparer les oignons glacés. Confire* les petits oignons avec le beurre, le sucre et le fond blanc dans une sauteuse recouverte d'un cercle de papier sulfurisé percé d'une petite cheminée* au centre, pendant 25 min, à feu très doux, jusqu'à ce qu'ils soient légèrement caramélisés.
• Avant de servir fumant, ajouter les oignons glacés, retirer l'os de la crosse du jambon et des pieds de veau.

N'hésitez pas, ce plat développe suffisamment d'arômes en cascade pour verser l'un de nos beaux vins de Jurançon où la note minérale et citronnée joue avec le moelleux de sa vendange tardive. Si vous préférez le vin rouge choisissez un vin gourmand et complexe de Gigondas.

Lèche de veau de lait fermier à l'échalote grise,

cousinage de légumes printaniers

La lèche est une épaisse tranche de forme arrondie (rouelle) découpée dans le haut du cuisseau de veau à la hauteur du « quasi » (avec les os).

Cette viande s'accommode idéalement en mai et juin d'un mélange de jeunes légumes primeurs cuits à l'étouffée. On peut aussi savourer cette préparation toute seule que l'on appelle localement *cousinât.*
Ce mot gascon ressemblant au mot français cuisine semble plutôt puiser sa véritable origine dans le mot cousin. Les différents légumes nouveaux sont tous cueillis dans leur prime jeunesse et se retrouvent ainsi cousins, mariés par quelques lichettes de vieux jambon, un cœur de salade, un peu de jus de viande, quelques herbes et l'emprisonnement d'un couvercle.

Nos voisins basques espagnols excellent dans cette préparation qu'ils appellent *menestra de verdura* et paient une petite fortune les bébés petits pois écossés, les mini fèvettes, les carottes naissantes…

Pour 6 à 8 personnes

Ingrédients :
1 lèche de veau de lait fermier de 2,5 kg
100 g d'échalotes grises
1 bouquet de persil plat
100 g de beurre
10 cl d'huile d'olive
30 cl de bouillon de viande
1 verre de Lillet blanc
Gros sel de mer
Poivre noir

Préparation de la lèche de veau
- Préchauffer le four à 200 °C.
- Dans un plat allant au four déposer la lèche de veau, la parsemer de gros sel de mer et de poivre noir mignonnette, ajouter une grosse noix de beurre et l'huile d'olive. Enfourner pendant 45 min. Arroser fréquemment.
- À la fin de la cuisson, sortir la lèche et la laisser reposer dans un plat allant au four en ambiance chaude.
- Dégraisser* le plat de cuisson en laissant un peu de gras, déglacer* au Lillet, ajouter le bouillon de viande et le restant de beurre. Rectifier l'assaisonnement, filtrer et réserver au chaud.

Cousinage de légumes printaniers :
500 g de petits pois à écosser (extra-fins)
1 cœur de laitue
1 kg de fèvettes en gousses
2 bottes de petits oignons
1 botte de petites asperges violettes
200 g de jeunes pousses d'épinards
1 botte de petites carottes fanes
300 g de pommes de terre nouvelles (grenailles de Noirmoutier)
80 g de fines lichettes de vieux jambon (gras et maigre)
5 cl de jus clair de veau
5 cl d'huile d'olive
50 g de beurre cru
Un peu de sarriette fraîche
Quelques petites feuilles de basilic
Gros sel

• Peler et émincer les échalotes puis les rincer à l'eau.
• Laver, essuyer et équeuter le persil puis le hacher.
• Quand les pommes de terre sont bien dorées, ajouter 3 cuil. de jus de veau, les échalotes émincées, le persil haché. Remuer doucement puis réserver dans une cocotte en fonte au chaud.
• Enlever l'os central de la lèche puis tailler légèrement de biais 12 belles tranches. Les poser sur le plat de service en gardant la forme de la lèche de veau.
• Donner de généreux tours de moulin à poivre sur la viande. Accompagner du jus de veau en saucière.

Préparation du cousinage de légumes
• Écosser les petits pois, peler les carottes et les asperges (n'utiliser que les pointes). Écosser et dérober les fèvettes (si elles sont trop petites garder la peau qui donne un goût particulier). Laver le cœur de laitue et les pousses d'épinards. Retirer la première peau des petits oignons et tailler les queues.
• Dans un torchon, frotter les grenailles avec du gros sel, elles s'épluchent toutes seules.
• Dans un beau volume d'eau salée bouillante, blanchir* successivement les petits pois, les fèves, les asperges, les petits oignons, les pommes de terre et les carottes. Arrêter les diverses cuissons dans un bac avec de l'eau et de la glace. Égoutter.
• Quelques minutes avant de servir, faire suer les lichettes de jambon avec le cœur de laitue tronçonné dans une casserole à couvercle. Ajouter les différents légumes (sauf les épinards), le beurre, l'huile d'olive, la sarriette et le jus de veau. Laisser réchauffer et étuver sans oublier d'ajouter au dernier moment les épinards et les feuilles de basilic.
• Servir emprisonné sous un couvercle.

Peut-être par habitude mais de toute façon par plaisir, j'aime profiter de ce mets printanier pour goûter à la fortune de ce terroir du Médoc, du Haut-Médoc, de Moulis et de Listrac (le personnalisé Tour-Haut-Caussan, le concentré Rollan de By, l'énorme Sociando Mallet, le corsé Lestage Simon, le sèveux Cantemerle, le généreux Poujeaux, le charmeur Chasse Spleen ou le fidèle Maucaillou).

Les ris de veau aux champignons

Lors des repas de fêtes familiales cet abat noble avait sa place d'honneur entre le poisson et le rôti. Ces ris de veau de lait issu de race bazadaise ou blonde d'Aquitaine avaient un goût crémeux et une onctuosité exceptionnelle au palais. Longuement dégorgés, blanchis, libérés de leurs voiles protecteurs, les « pommes » de ris de veau entières étaient mijotées dans un jus de veau corsé, avec pointe de Madère et champignons frais émincés. À la saison, les mousserons remplaçaient les champignons de Paris et libéraient leur goût d'amande si pertinent. Les « pommes » de ris de veau étaient très cuites et devaient pouvoir se servir « à la cuillère ». Cette recette est très éloignée des escalopes croustillantes de ris de veau « minute » mais mérite grand intérêt si l'on souhaite pénétrer le goût rare du ris de veau. Si vous avez en cave un vieux grand cru de Chablis, n'hésitez pas !

Pour 4 personnes

Ingrédients :

4 noix de ris de veau de lait de préférence
100 g de jambon de Bayonne
20 cl de jus clair de veau
12 cl de vieux Madère
600 g de mousserons frais (boutons de guêtre) à défaut des petits champignons de Paris
4 échalotes grises
2 carottes

• Faire dégorger* les ris de veau 1 h sous un filet d'eau froide.
• Presser le 1/2 citron. Délayer quelques cuillerées de farine dans de l'eau froide, ajouter du sel et le jus de citron puis porter à ébullition dans une grande casserole afin de confectionner un « blanc » de cuisson.
• Y blanchir* les ris de veau pendant 6 à 8 min afin d'épurer, d'enlever l'âcreté et de faciliter l'épluchage des noix ainsi que d'empêcher la matière de noircir. Rafraîchir à l'eau glacée.
• À l'aide d'un couteau d'office dénerver et enlever les deux voiles de protection. Mettre sous presse dans une passoire (en posant une assiette avec un poids sur les ris de veau) afin d'éliminer l'éventuel reste de sang.
• Éplucher, ciseler et rincer les échalotes.

1/2 citron (jus)
1 bouquet garni
2 râpées de noix muscade
Quelques cuil. à soupe de farine
50 g de beurre clarifié*
Sel, poivre noir mignonnette

• Éplucher les carottes et les tailler en brunoise* ainsi que le jambon de Bayonne.
• Saler et fariner légèrement les noix de ris de veau. Les faire dorer avec le beurre clarifié* dans une cocotte émaillée allant au four. Ajouter l'échalote, le jambon et les carottes ciselés. Laisser colorer à blond. Dégraisser* et déglacer* avec le madère puis mouiller* avec le jus blond de veau. Ajouter du poivre noir mignonnette, la muscade râpée et le bouquet garni.
• Braiser lentement au four à 140 °C pendant 40 min en arrosant régulièrement les ris de veau.
• Pendant ce temps nettoyer les mousserons en évitant de les laver.
• Au bout des 40 min de cuisson retirer la cocotte du four, rectifier l'assaisonnement et ajouter les mousserons. Prolonger la cuisson à couvert pendant 10 min de mijotage sur le bord du fourneau.
• Servir dans la cocotte de cuisson afin d'offrir les effluves de mousserons rappelant l'amande dès que l'on soulève le couvercle.

La qualité de cette recette est liée au choix intransigeant de ris de veau d'une excellente origine, bien clairs, et à leur minutieuse préparation.

Si vous avez eu la sagesse d'oublier quelques années dans votre cave un grand cru de Chablis, le moment idéal est venu pour le mettre en valeur.

« Coustons » de porc grillés, ragoût de fèvettes

Les Américains les appellent *spare ribs* et les préparent comme les Chinois avec une tendance sucrée, voire caramélisée. Chez nous le travers de porc frais, que l'on nomme « coustons », se prépare grillé agrémenté de sel, de poivre, d'ail et de persil. Cette chair souple servant de lien entre les os est d'une texture rare et d'un goût exceptionnel.

Les fèves qui poussent dans les endroits humides, voire les marais, étaient à la base du cassoulet avant l'arrivée du haricot, liée à la découverte du Nouveau Monde.

Aujourd'hui, il est de bon ton d'écosser les fèves, de les « dérober » (enlever la peau des grains) et de servir ces petits lobes bien verts et parfois *al dente*. C'est vrai, la peau des grosses fèves est dure et donne une couleur brun foncé désagréable à la cuisson. Mais de grâce, goûtez les fèvettes avec la peau à la croque au sel avec quelques lichettes de vieux jambon et vous découvrirez leur vrai goût sauvage inimitable.

Pour accompagner les « coustons » grillés je prépare un ragoût très rapide de fèvettes avec la peau rehaussé d'un peu de jambon et de sarriette. Si vous avez la chance de vous procurer des couennes de porc confites, n'hésitez pas, protégez-vous d'un grand tablier et faites-les griller, elles s'intégreront très bien au mariage fèvettes-coustons.

Pour 4 personnes

Ingrédients :

1 kg de travers de porc fermier exclusivement
80 g de vieux jambon en petites tranches fines
2,5 kg de jeunes fèves de marais en gousses bien pleines
50 g de beurre
Huile d'olive
10 cl de bouillon de volaille
2 branches de sarriette
2 petites feuilles de laurier frais
Sel de mer, poivre noir mignonnette et poivre du moulin

• Préparer un bon feu.
• Déposer les morceaux de travers de porc sur un plat. Les saler et les poivrer généreusement avec du poivre noir écrasé dit mignonnette puis briser les feuilles de laurier frais dessus. Laisser la viande s'imprégner de l'assaisonnement.
• Écosser les fèvettes mais ne surtout pas les « dérober » (ne pas enlever la peau). Les cuire 8 à 10 min dans de l'eau bouillante salée. Arrêter la cuisson en les jetant dans de la glace.
• Faire griller les morceaux de travers de porc sur les braises bien blanches.
• Dans une cocotte, verser les fèvettes, le bouillon de volaille, le beurre, 1 filet d'huile d'olive, les feuilles de sarriette, les lichettes de vieux jambon et un peu de poivre du moulin. Couvrir et laisser étuver 10 min environ à feu doux.
• Découper le porc bien grillé entre les côtes et le servir croustillant accompagné des fèves en cocotte. Cette viande très goûteuse prélevée à la pointe du couteau, se marie parfaitement avec le côté fauve et moelleux des petites fèves gorgées de sarriette.

Pas d'hésitation, débouchez un de ces caractéristiques vins rouges de Corse dominés par le cépage « maître » Niellucio qui copine avec l'aristocratique Sciacarello et s'arrondit avec l'élégant Grenache.

Saucisse grillée et purée de fèves

Si l'omelette et le potage permettent de juger du talent d'un cuisinier ou la brioche celui d'un pâtissier, la saucisse fraîche est pour moi le test incontestable pour évaluer le niveau d'un charcutier.

Souvent considérée comme fourre-tout, elle a été galvaudée et a mal survécu à l'industrialisation.

Je me souviens des matinées de « tue-cochon » où voisins et amis au masculin, rasés de près, veste neuve, arboraient des tabliers blancs et démêlaient le ventre fumant du cochon sur une de ces grandes nappes blanches damassées bordées de la traditionnelle bande bleue.

La chaudière en cuivre pleine d'eau bouillante embuait le visage des charcutiers d'un jour qui s'affairaient dans un rituel méticuleux. Nettoyer, laver et préparer les différentes parties des boyaux relevait de la responsabilité des anciens ; nous, les « drôles » ou les « nins » (les gamins), nous avions pour mission de verser un filet d'eau chaude (mais pas trop) à la demande. Puis venait le moment de retourner les boyaux en soufflant dedans pour les plus délicats (ceux destinés à la saucisse). Ultime préparatif, plier une pousse d'osier bien souple qui enserrait le boyau retourné et permettait par traction d'enlever la moindre adhérence ou particule de gras. Il ne restait plus qu'à les rouler et les déposer dans un plat avec gros sel et vinaigre blanc. Pendant ce temps la gente féminine œuvrait à l'intérieur (au chaud…) et préparait la chair à saucisse.

Bien sûr le maigre et le gras étaient de première qualité puisque issus de porc de race rustique alimenté avec une nourriture digne d'un « rêve de cochon ». Les morceaux étaient jugés et soupesés, le bon rapport gras et maigre constant, le hachoir manuel avec la grille moyenne et son couteau très affûté se devait d'être silencieux (signe d'une bonne cadence qui permet de hacher sans déstructurer ni chauffer la viande). Le poivre noir était moulu au moment, le sel écrasé et mélangé avec la muscade, l'ail ciselé, lui, était préalablement cuit avec un peu de vin blanc.

Une fois la chair à saucisse bien mélangée, l'assaisonnement bien contrôlé et le dernier filet d'eau-de-vie ajouté, il ne restait plus qu'à embosser (introduire dans le boyau) à l'aide d'un petit entonnoir fixé sur la vis sans fin du hachoir. Puis méticuleusement, à l'aide d'un grand bol retourné, les saucisses prenaient une forme régulière ; enfin, après avoir été pincées sans être détachées, elles étaient suspendues en guirlandes sur des barres de bambou fixées au plafond. Elles commençaient à sécher et attendaient le coup de couteau fatal pour aller sur le gril ou dans le four.

Au moment des fêtes d'hiver c'était souvent le cochon entier qui était transformé en saucisses ou crépinettes parfois truffées afin de célébrer le défilé des bourriches d'huîtres.

Dans la recette qui suit j'ai voulu honorer cette superbe plante potagère complice du porc depuis la haute antiquité : la fève.

J'ai encore en mémoire les effluves d'un plat sarde composé de fèves sèches, de tête de cochon et de sarriette...

Récemment, en cueillant un panier de fèves dans mon jardin et en le posant sur le billot à la fraîcheur de la cuisine j'ai été interpellé par cette odeur folle de fleur d'oranger qui se dégageait distinctement. Décidément les fèves et leur complexité de goût ne me quittent pas.

Je trouve que ces saucisses ne sont jamais aussi bonnes qu'avec le climat hivernal, aussi l'utilisation de fèves fraîches n'est-elle pas compatible, ce qui vous permettra de goûter à la particularité des légumes secs.

Pour 6 personnes

Ingrédients :

900 g d'épaule de porc désossée et dénervée
400 g de gorge de porc
100 g de couenne de porc confite
50 g de gras de jambon
100 g d'échalotes grises
10 cl de vin blanc
30 g de sucre en poudre
10 g de beurre
2 g de muscade râpée
18 g de sel
5 g de poivre noir du moulin
1 mètre de boyau pour saucisses de Toulouse

Purée de fèves :

500 g de fèves sèches
100 g d'épinards frais
1 oignon
1 carotte
1 bouquet garni
1 bottillon de sarriette fraîche
50 g de poitrine demi-sel
1 litre de bouillon de volaille
50 g de beurre cru (pour lier la préparation)
Quelques râpées de noix muscade
Sel, poivre du moulin

La veille du repas

• Mettre les fèves à tremper dans de l'eau froide. Éplucher les échalotes et les couper en deux.

• Dans une petite casserole, déposer les moitiés d'échalotes, le vin blanc, le sucre et le beurre, recouvrir d'un papier sulfurisé et laisser cuire à feu doux 30 min ; les échalotes doivent être confites. Réserver au frais.

• Hacher (grosse grille) la viande de porc avec le gras de jambon et la couenne confite. Déposer le tout dans une grande jatte, saler, poivrer et muscader, ajouter les échalotes cuites et bien malaxer pendant 1 min jusqu'à ce que le tout soit homogène.

• Rincer le boyau sous un filet d'eau froide (extérieur et intérieur), fermer l'une des extrémités à l'aide d'une ficelle, introduire l'entonnoir à l'autre extrémité et remonter le boyau en totalité sur le tube de l'ustensile.

• Déposer la farce par petites boules dans l'entonnoir, pousser la chair dans le boyau sans trop tasser afin de ne pas faire éclater celui-ci, pincer et tordre à intervalles réguliers et ficeler à l'autre extrémité. Réserver au frais.

Le jour du repas

• Éplucher la carotte et l'oignon. Les tailler en petits dés ainsi que la poitrine demi-sel. Laver et hacher grossièrement la sarriette.

• Dans un faitout, verser le bouillon de volaille et y cuire les fèves avec l'ensemble des ingrédients, sauf les épinards, pendant 1 h au moins.

• Blanchir* les épinards puis les rafraîchir et les égoutter.

• Retirer le bouquet garni du faitout et ajouter les épinards blanchis, (ceci pour apporter une belle couleur vert tendre). Mixer le tout en purée puis lier avec le beurre cru. Réserver au chaud.

• Allumer votre gril. Piquer les saucisses en plusieurs endroits.

• Lorsque le gril est bien chaud déposer les saucisses et les cuire 15 min très doucement, elles doivent être bien colorées.

• Servir les saucisses bien chaudes accompagnées de la purée de fèves.

La diagonale de la saucisse existe, profitons de la fraîcheur et de l'exotisme d'un excellent Pinot noir d'Alsace, bien fait et riche en caractère.

Le boudin noir à la hure de porc

En arrivant à Paris, j'ai découvert un boudin dont j'ignorais l'existence, composé exclusivement de sang, de gras et d'oignon... En dépit de mes efforts de politesse, je n'ai jamais réussi à le consommer.

Chez nous, le boudin est basé sur un mélange de viandes choisies où le sang ne joue que le rôle de liant. Contrairement à ce qu'on présente en général dans les assiettes, la peau grillée doit être appétissante et mériter d'être dégustée. L'intestin de porc bien choisi et surtout bien nettoyé n'est-il pas utilisé sous la forme des différentes andouilles ainsi que dans les juteuses andouillettes « tirées à la ficelle », sans oublier le fameux « grenier médocain » (panse farcie rappelant l'andouille grossièrement hachée) ? On le retrouve aussi dans sa plus simple expression appelé alors « tricandille ». Dans cette recette d'Aquitaine, les « chaudins » (morceaux d'intestin), après avoir été nettoyés, dégorgés et ébouillantés, sont cuisinés lentement dans un court-bouillon généreusement aromatisé. Arrivés au stade d'une cuisson fondante ils sont grillés sur les sarments de vigne et servis croustillants avec pointe d'ail et persil.

Revenons à nos trois sortes de boudins déterminées par le choix du boyau de porc uniquement (oublions le boyau de bœuf...), qui est méticuleusement lavé et dégorgé. Chez les fermiers soucieux de préserver les traditions, on donne une forme circulaire (en attachant les deux extrémités) aux boudins qui sont faits soit dans du gros intestin un peu gras donnant une forme boursouflée (méritant d'être grillés), soit avec la partie plus grêle de l'intestin (boudins de plus petite taille à manger froid). La troisième variété est enfermée dans une partie de l'intestin du porc rappelant un gros cœur que nous appelons le *Boun Diou* (Bon Dieu). Cette dernière variété attendue, convoitée et respectée se mange en dernier, après avoir, comme tous les autres, séché en suspend sur une tige de bambou dans la cuisine devant la cheminée.

Personnellement, je ne savoure le boudin chaud grillé que si sa peau est bien croustillante, accompagné d'une moutarde bien choisie et surtout pas violente (style « Louit » ou violette de Brive...). Le porc étant en général sacrifié au plus froid de l'hiver on peut prolonger le plaisir du boudin fermier en conservant la préparation dans des bocaux ou boîtes de conserve que l'on sert sous forme de petites terrines.

Pour 6 à 8 personnes

Ingrédients :
1/2 tête de porc cuite (environ 1,2 kg de chair)
300 g de pieds de porc cuits désossés
250 g de couenne de porc confite
600 g de rougeurs de porc
70 cl de sang de porc frais
10 cl de vin blanc
900 g d'oignons
1/2 tête d'ail
1 bouquet garni
1/2 cuil. à café de cannelle
1/2 cuil. à café de cumin
15 g de poivre noir du moulin
35 g de sel
2 à 3 mètres de boyaux de porc bien lavés et dégorgés

• Éplucher les oignons et l'ail. Émincer les oignons. Blanchir* l'ail.
• Tailler les rougeurs de porc en petits cubes.
• Dans une casserole faire cuire, à feu doux, les dés de rougeurs de porc avec les oignons émincés et l'ail blanchi, pendant 1 h 30.
• Tailler au couteau en petits dés la tête de porc, la couenne, les pieds de porc et les ajouter en fin de cuisson. Bien mélanger en maintenant hors du feu au coin du fourneau et incorporer le vin blanc et le sang sans cesser de remuer, puis ajouter les épices et le sel. La préparation doit être bien relevée en poivre noir.
• Nouer l'extrémité d'un boyau de porc, le remplir à l'aide d'un entonnoir puis ficeler l'autre extrémité.
• Plonger les boudins en 1 fois dans de l'eau bouillante aromatisée d'un beau bouquet garni pendant 15 min. Les boudins sont cuits dès lors que la graisse en sort quand on les pique.
• Laisser refroidir au frais sur une grille.
• Servir les boudins chauds, grillés, accompagnés de moutarde pas trop forte.

Pour fêter ce sacré boudin, orgueil de nos charcuteries provinciales, il faut un grand compagnon à l'accent rocailleux et fidèle. Il existe, dans les Corbières, de grands Fitou possédant une structure de rêve.

Filet de porc confit

Pendant mon enfance le filet de porc confit (*loum* en gascon) était, tout au long de l'année, la viande précuite providence de la maîtresse de maison prise au dépourvu, l'idéal étant de bénéficier du filet prélevé dans l'échine (partie harmonieusement entrelardée) d'un vrai porc de ferme. Présentée comme un rôti, cette belle viande est salée comme l'oie grasse, piquée à l'ail et confite dans sa graisse afin de vieillir quelques mois en pot, durée nécessaire au développement d'une saveur unique. Il est toujours de bon ton de faire dorer lentement la pièce à servir après quoi, suivant l'humeur, le temps et l'envie, vous pourrez la consommer froide en tranches fines ou chaude en tranches plus épaisses. Pour accompagner cette viande rose pâle je préfère une salade croquante aux traditionnelles pommes de terre, privilégiant les cœurs de petites laitues romaines dont les feuilles sont tendres et les côtes fermes et laiteuses sous la dent. J'ai peur des salades trop remuées voire « fatiguées ». Aussi pas d'hésitation, je découpe longitudinalement la laitue romaine en quartiers que j'assaisonne en surface. On peut la croquer en saisissant le tronçon avec les doigts, ce qui procure un plaisir supplémentaire. Si vous avez accès à la « fête du cochon », profitez-en pour continuer une belle tradition liée au prélèvement de la longe du porc permettant de récupérer la colonne vertébrale dans sa totalité. Elle sera salée avec les confits, lavée et séchée puis suspendue avec boudins et saucisses. Il ne vous restera plus qu'à blanchir* et cuire ces os dans un bouillon aromatisé de légumes pour obtenir ce qu'on appelait « la soupe à l'os d'esquiau » (os du dos). Comme pour la queue de bœuf, la petite cuillère, la pointe du couteau et les doigts participeront à la dégustation sans oublier les condiments au vinaigre.

Traditionnellement on confit la longe de porc, mais personnellement je préfère la partie échine que nous appelons « charnu » et qui est très persillée chez les porcs fermiers de qualité. Concernant le confit de porc, il en est de même que pour l'oie et le canard, la température de stérilisation en bocaux ou en boîtes de conserve détruit les fibres de la viande et la texture devient sèche et farineuse. Aussi le merveilleux confit ne peut-il sortir que du pot de grès après plusieurs mois de maturation.

Pour 4 à 6 personnes

Ingrédients :
1 kg d'échine de porc
2,5 kg de saindoux
6 gousses d'ail
2 feuilles de laurier frais
1 brindille de serpolet frais
2 clous de girofle
1 prise de poivre noir écrasé
Gros sel

Quelques mois avant
(ce plat mérite d'être préparé l'hiver et mangé l'été)

• Frotter la viande avec le gros sel et le serpolet, la réserver dans un saladier recouverte de sel pendant 24 h au frais.
• Le lendemain, couper les gousses d'ail en deux et les blanchir* rapidement.
• Broyer les clous de girofle, le poivre noir et les feuilles de laurier.
• Laver l'échine de porc sous l'eau froide et l'essuyer. Pratiquer 12 incisions dans la viande salée, rouler les moitiés de gousses d'ail dans la préparation d'épices et les introduire profondément dans les entailles.
• Dans une cocotte, chauffer le saindoux à 90 °C et y confire* l'échine pendant environ 2 h (cuisson lente). Au-dessus d'un plat, piquer la viande avec une aiguille pour vérifier si elle est cuite : le jus doit être clair.
• Égoutter la viande puis la placer dans un pot en grès. Filtrer le saindoux et en recouvrir l'échine de porc. Laisser refroidir et conserver au frais en couvrant de papier sulfurisé et de papier kraft pendant 3 à 4 mois (la chair prend le merveilleux goût de confit après plusieurs mois dans le pot).

Le jour du repas

• Prélever la viande confite et la faire dorer dans une poêle avec un peu de graisse. Égoutter et laisser refroidir sur un plat puis servir en tranches fines avec une superbe salade, quelques piments et oignons au vinaigre.

Si vous tenez à servir le confit chaud, la piperade (voir Chipirons juste cuits à la plaque et piperade froide, p. 252) sera de rigueur et plus chaleureuse qu'une purée de pommes de terre.

Cette chair délicatement salée donne soif, il est judicieux de choisir un vin rouge léger et frais dont l'appellation Gaillac a le secret.

Quartier d'agneau de lait des Pyrénées cuit au four,

carottes nouvelles au cumin et cresson meunière

Pour moi, les agneaux ont une patrie : les Pyrénées. Dans mon enfance, après le carême nous mangions symboliquement le premier agneau de lait le jour de Pâques (agneau pascal). Traditionnellement, on ne laisse pas vieillir les mâles qui sont sacrifiés jeunes, n'ayant connu que le lait de leur mère. En revanche, les brebis « de réforme » sont commercialisées à l'âge de six ans sous le nom de mouton. Bien nourries, à l'inverse des mâles non castrés, elles ne développeront pas le redoutable goût de suint. Leur très belle chair rouge se consomme plutôt saignante.

Nous recherchons dans l'agneau de lait le goût merveilleux de sa peau croustillante, ainsi que le côté cartilagineux des petits os. La chair blanche et tendre est assez discrète au plan gustatif. C'est pourquoi je privilégie l'épaule et le coffre et, en particulier, la partie tendue sur l'omoplate. Sans oublier le rognon et les ris. Cette viande blanche nécessite une très longue cuisson. Je la prépare à l'avance en la frottant avec un peu d'ail, un filet d'huile d'olive et du piment d'Espelette (il souligne ce beau produit sans agresser les papilles).

L'exceptionnel marché d'Espelette, au pays basque, fournit de très beaux agneaux de lait et s'honore d'être la « capitale mondiale » du piment. À ce jour, nul ne connaît l'origine de ce piment d'Espelette. Vient-il du nouveau Monde ? De Chine ? Ou serait-il tout simplement « de la poudre de soleil » ? Comme le dit André Darraïdou, cuisiniermaire d'Espelette, son origine est aussi mystérieuse que celle du peuple basque : « On ne peut pas savoir, on en a toujours mangé et comme nous les Basques nous sommes arrivés les premiers dans ces montagnes… »

Il nous reste une belle légende racontée par Claude Labat :
Un étranger affamé et démuni est accueilli dans le village par un couple de pauvres paysans. Le foyer était mort faute de bois, la soupe était froide. « J'ai de quoi embraser la terre entière », dit l'homme qui tira de son sac de la poudre rouge. Il la répandit dans chaque assiette.
De tiède la soupe devint torride et roborative. Le bonheur était entré chez ces braves gens. Avant de repartir, pour les remercier, le voyageur leur confia quelques graines qui donnèrent naissance à la culture du piment d'Espelette.

Ainsi avec ce noble assaisonnement, j'aime relever la saveur de l'agneau mais aussi celles des crustacés, poissons blancs, viandes blanches et volailles.

Pour 6 personnes

Ingrédients :
1 casque d'agneau de lait des Pyrénées (de la naissance du collier à la selle avec les épaules) bien blanc avec les petits rognons à l'intérieur du coffre
3 bottes de carottes nouvelles
1 botte de cresson
1/2 botte d'oignons fanes
1 tête d'ail + 2 gousses d'ail
3 brins de serpolet
5 cl d'huile d'olive

• Laver le cresson, éplucher les carottes et les oignons. Ciseler les oignons. Réserver.
• Fendre le casque d'agneau en deux dans le sens de la longueur en laissant les rognons.
• Tailler les carottes en gros sifflets. Les mettre à cuire avec un peu d'eau, 1 grosse noix de beurre, le sucre et le cumin à feu doux, environ 30 min, le tout couvert de papier sulfurisé avec une petite cheminée* en son milieu.
• Préchauffer le four à 220°-240 °C.
• Éplucher et écraser les 2 gousses d'ail.
• Saler les quartiers d'agneau, les frotter avec l'ail écrasé, le piment en poudre et 1 filet d'huile d'olive ; les mettre dans un plat à rôtir en fonte et cuire au four pendant 30 à 35 min en ayant soin de bien les arroser.

50 g de beurre
1 cuil. à soupe de sucre en poudre
1 verre de vin blanc
1 cuil. à café de cumin
1 cuil. à café de piment d'Espelette
Sel

• À mi-cuisson, blanchir* les gousses d'ail restantes avec la peau et les faire rôtir dans le plat avec l'agneau. En fin de cuisson la peau doit être bien croustillante.
• Réserver l'agneau cuit au chaud (four tiède) en ajoutant les feuilles de serpolet. Dégraisser* le plat de cuisson, déglacer* avec le vin blanc, ajouter une noix de beurre. Vérifier l'assaisonnement. Filtrer.
• Juste avant de servir, enlever l'excédent de jus de cuisson des carottes. Ajouter le cresson, les oignons ciselés, 1 filet d'huile d'olive et du beurre cru. Rectifier l'assaisonnement en cumin.
• Disposer la garniture sur le plat de service. Tailler chaque quartier d'agneau en 9 morceaux avec os en ayant soin de garder toujours la peau croustillante vers le haut. Les placer sur le lit de carottes accompagné du jus d'agneau au serpolet et des gousses d'ail rôties.
• Les deux petits rognons confits dans leur graisse seront à partager comme une gourmandise.

Cette succulente viande blanche croustillante, escortée de légumes parfumés, sera en odeur de sainteté avec un beau vin rouge de Saint-Joseph, fleuron des Côtes-du-Rhône septentrionales.

« L'ambote » d'agneau de lait
recette provenant du fameux « panturon du bécut »

Ce plat caractéristique des bergers de la Lande, je l'ai mangé pour la dernière fois dans sa version originelle (« panturon » du « bécut ») chez mes tantes Alice et Adrienne à Lévignac.

Elles le confectionnaient avec la fressure et le sang de l'agneau de lait. Elles cuisaient dans une fondue d'oignons et de blancs de poireaux le cœur, la rate, le foie et les poumons préalablement blanchis au court-bouillon et taillés en petits dés. L'ensemble mijotait pendant plusieurs heures avec du vin blanc et un bouquet garni, puis était lié avec le sang, les ris et la cervelle de l'agneau. Elles le servaient sur des tranches de gros pain épaisses rôties et frottées à l'ail. Ces restes du festin de l'ogre (« le bécut ») ou plus vraisemblablement du loup ont donné naissance à un plat certes modeste mais plus confortable et plus élégant : « l'ambote d'agneau », cousin régional de la blanquette.

Pour 5 ou 6 personnes

Ingrédients :
1 fressure (foie, poumon, cœur)
1 cervelle
1 langue
Les ris d'un agneau
Le collier et les côtes découvertes
100 g de jambon sec
3 jaunes d'œufs
6 échalotes grises

• Nettoyer la cervelle et les ris (veines et voiles) puis les mettre à dégorger* dans de l'eau froide avec le cœur fendu en deux, le foie et les poumons.
• Ébouillanter et peler la langue.
• Dégraisser* le collier et les côtes découvertes avec os puis tailler en petits cubes de 2 cm de côté.
• Réserver le foie et blanchir* à l'eau salée tous les autres morceaux. Les rafraîchir et les égoutter. Tailler le cœur et la langue en petits dés et les poumons en cubes.
• Cuire ris et cervelle dans de l'eau salée vinaigrée. Réserver.

3 gousses d'ail
1 bouquet garni
1/2 bouteille de vin blanc sec de Jurançon
2 cuil. à soupe de moutarde de Dijon
1/2 cuil. à café de piment d'Espelette
1 pincée de cumin minéral et élégant
2 cuil. à soupe de raifort râpé
1/2 citron (jus)
Farine
Sel

• Éplucher et émincer les échalotes. Peler l'ail.
• Hacher le jambon (gras et maigre).
• Dans une belle cocotte émaillée faire fondre sans colorer les échalotes émincées, le jambon haché, l'ail écrasé.
• Mouiller* avec le vin blanc et ajouter les morceaux de cœur, de poumon, de côtes, de collier, de langue et le bouquet garni. Saler, pimenter, ajouter la pincée de cumin.
• Cuire très lentement, à couvert, pendant 1 h 30 à 2 h en écumant régulièrement.
• Avant de passer à table, tailler le foie en gros dés, assaisonner, fariner et faire dorer rapidement au beurre, dans une poêle.
• Presser le 1/2 citron.
• Prélever un peu de bouillon de cuisson et le verser dans un bol. Ajouter les jaunes d'œufs, la moutarde, le raifort et la moitié du jus de citron. Fouetter afin d'obtenir un beau sabayon.
• Au moment de servir, en dehors du feu, ajouter dans la cocotte les cubes de foie juste cuits, la cervelle et les ris en petits dés puis lier le jus avec le sabayon.

Ce plat d'apparence pauvre mais très complexe vous réserve des surprises côté goût et mérite un Graves rouge de Léognan.

Le gigot de brebis clouté aux anchois,
gratin « minute » de légumes d'été

Chez nous, en dépit de la proximité de l'océan, nous n'avons pas de marais salant et le sel de mine (provenant des salines de Dax, de Salies de Béarn ou de Bayonne) était soumis à l'horrible gabelle (impôt injuste à l'image de certaines fiscalités contemporaines qui nous sont chères...). Ainsi, une vieille tradition gasconne consiste à utiliser comme condiment l'exceptionnel filet d'anchois conservé dans la saumure.

Le dimanche, les tables étaient souvent à rallonge, le gigot se devait d'être généreux et permettre à chacun de choisir sa cuisson de prédilection. Seul le gigot de brebis à la chair dense et ferme, et souvent plus rouge que le jeune bœuf sans grande personnalité, à la graisse d'un blanc nacré, dure, sans odeur de suint (à l'inverse de celle des moutons non castrés ou des béliers...) autorise cette distribution. Clouté d'anchois et d'ail il supporte une longue cuisson et permet d'allier croustillant et saignant près de l'os.

Si vous le trouvez trop copieux, n'ayez crainte ! Il a de beaux restes qui s'accommodent aussi bien du chaud que du froid. Je ne résiste pas au plaisir de raconter à ce sujet une histoire vécue, qui a pour vedette (une fois n'est pas coutume) le célèbre cinéaste gourmand Claude Chabrol, complice fidèle depuis mes débuts parisiens. Il est un jour invité chez une charmante dame au dîner du samedi soir dont la pièce maîtresse est un somptueux gigot rôti à souhait. Quel bonheur, mais quelle compassion en estimant le volume du noble « reste » ! C'est décidé, il ne rentre pas chez lui ce soir-là, obligé d'assister à la deuxième séance « gigot dans tous ses états » du dimanche midi. Et là c'est l'éblouissement grâce au hachis parmentier de gigot. L'après-midi est douce et confortable, l'heure de rentrer approche mais le reste de ce merveilleux parmentier hante l'esprit de notre ami. Et la charmante fée refusant de le laisser partir le ventre creux dans le froid et la nuit, le supplie d'attendre une petite demi-heure afin de ranger sa cuisine. Elle en ressort avec de brûlantes et dorées croquettes de gigot d'agneau sur un lit de feuilles de salade croquantes et richement vinaigrées ! Notre homme craque et bon prince, il fait de la fée du gigot sa compagne de chaque instant : la dame de sa vie.

Pour 8 personnes

Ingrédients :

1 gigot de brebis de 2,8 kg à 3 kg
Un peu de graisse de gigot de brebis
8 filets d'anchois à l'huile (de qualité)
8 gousses d'ail
1/4 de citron (jus)
1/2 cuil. à café de cumin en poudre
4 ou 5 brins de serpolet
2 feuilles de laurier
Huile d'olive
Sel, poivre noir du moulin

Pour le gratin :

800 g de courgettes
800 g de tomates fermes encore un peu vertes
800 g d'aubergines
1 gousse d'ail
1 bouquet de basilic
1 cuil. à café d'origan ou de serpolet
80 g de mie de pain
50 g de parmesan râpé
1 blanc d'œuf
1 filet d'huile d'olive

• Peler et blanchir* les 8 gousses d'ail à l'eau bouillante pendant 2 à 3 min selon leur grosseur.
• Manchonner* l'os du gigot et le protéger avec une feuille de papier aluminium afin qu'il ne brûle pas.
• Préchauffer le four à 240 °C.
• Couper les gousses d'ail blanchies en deux.
• Tailler les filets d'anchois en deux et en travers.
• À l'aide d'un couteau à lame rigide mais étroite, percer 16 trous répartis équitablement dans le gigot. Donner quelques tours grossiers de moulin à poivre sur les anchois puis avec la pointe du couteau les enfiler dans les trous, pousser ensuite les demi-gousses d'ail assez profondément pour que rien ne ressorte à la cuisson. Saler, poivrer et saupoudrer délicatement de cumin, de serpolet et de feuilles de laurier émiettées l'extérieur du gigot ; le frotter avec un peu d'huile d'olive.
• Dans la lèchefrite faire fondre la graisse de brebis demandée au boucher (bien concassée) puis y placer le gigot.
• Enfourner pendant 20 min à 240 °C puis diminuer la température à 180 °C pendant 55 min au minimum.
• Pendant ce temps préparer le gratin : éplucher et blanchir* la gousse d'ail. La mixer avec la mie de pain et les feuilles de basilic, réserver cette chapelure verte et odorante.
• Laver et couper les tomates en fines tranches de 3 mm d'épaisseur.
• Laver et couper ensuite les courgettes dans la longueur en lamelles de 2 mm ; procéder de la même façon avec les aubergines (en dernier afin d'éviter qu'elles ne s'oxydent).

1 pincée de sucre en poudre
1 bonne pincée de piment d'Espelette
Sel

• Mélanger le blanc d'œuf battu, le sucre et un peu de sel.
• Sur une grande plaque de cuisson disposer du papier anti-adhésif (papier cuisson), le badigeonner d'huile d'olive et faire chevaucher des tranches de tomates avec des bandes d'aubergines et des bandes de courgettes en les liant au pinceau avec le mélange blanc d'œuf-sucre-sel. Saupoudrer le tout d'un peu de piment d'Espelette et d'origan (ou à défaut de feuilles de serpolet) avec par dessus la chapelure verte. Arroser de quelques gouttes d'une excellente huile d'olive.
• Dès que le gigot est cuit, le réserver dans une ambiance tiède sans le couvrir et enfourner le gratin pendant 20 min à 180 °C. Ne pas oublier de le saupoudrer de parmesan râpé 6 à 8 min avant la fin de la cuisson afin qu'il soit très croustillant et parfumé.
• Pour le servir le découper en 8 à 10 rectangles et les faire glisser du papier de cuisson sur le plat de service.
• Pendant que le gigot repose après cuisson et que le gratin cuit, dégraisser* la lèchefrite puis la déglacer* avec le jus du 1/4 de citron et un peu d'eau, en mélangeant à feu vif pour dissoudre les sucs de cuisson afin d'obtenir un jus à servir en saucière.
• Retirer le papier aluminium de l'os du gigot et le décorer avec une papillote ou l'emprisonner dans un manche à gigot pour le trancher devant vos invités. Couper le gigot en travers des fibres de la viande afin d'aller de la peau vers l'os, du croustillant vers le saignant, pour bien laisser apparaître les inclusions d'anchois et d'ail.
• Servir la viande de suite accompagnée des parts de gratin et de la sauce à part.

Il ne faut pas oublier que si l'on souhaite manger une viande soyeuse, fondante et savoureuse, il faut l'arroser régulièrement de jus et de graisse pendant la cuisson et surtout laisser reposer le gigot dans une ambiance tiède pendant 20 min. Un gigot ne se mange pas brûlant à la porte du four.

Compte tenu de la richesse odorante et ensoleillée de cette composition il faut déboucher un vin de Châteauneuf-du-Pape encore dans la fougue de sa jeunesse. Et pourquoi pas un riche et ténébreux Pauillac aux saveurs de havane et de cassis mûr.

Châtaignes au pot,
feuilles de figuier et anis

À la fin des vendanges, époque des palombes et des champignons, je rapportais des bois les premières châtaignes, premier sujet de dessin de la rentrée. Il était juste temps de cueillir les dernières feuilles vertes des figuiers pour tapisser le pot de cuisson. On taillait un peu de peau sur le flan de la châtaigne afin qu'elle s'enrichisse lors de la cuisson. Immergées dans de l'eau salée avec branche de fenouil et grains d'anis, elles cuisaient protégées et parfumées par les feuilles de figuier. Aux premiers froids d'automne elles réchauffaient nos poches d'écolier et à la récréation, quel bonheur de récupérer par pression des dents la chair crémeuse et parfumée ! Une fois de plus, ce fruit capricieux a besoin d'être stimulé par l'anis et l'odeur complexe du figuier pour libérer son caractère à la cuisson.

Dans le Sud-Adour le châtaignier était très répandu. Son bois servait à faire les barriques pour le vin rouge et le fruit était utilisé de la soupe au dessert sans oublier la farine… Ainsi le nom gascon *castanhé* (châtaignier) a donné des noms de familles comme Castagnet, Castagnède, Castagnos, Chastanet…

À la veillée, les adultes comparaient les mérites de leur *bourret* (vin blanc nouveau) mis en valeur par les châtaignes fumantes.

Ainsi, assis autour de la cheminée ces châtaignes vous donneront soif et vous vous surprendrez à reprendre de ce vin nouveau inachevé et heureusement peu alcoolisé.

Pour 4 ou 5 personnes

Ingrédients :

1 kg de premières châtaignes bien saines
Les dernières feuilles vertes de figuier
1 branche d'anis ou de fenouil frais
1 cuil. à bouche* de graines d'anis vert
1 belle prise de gros sel

• Utiliser un petit pot rond émaillé avec couvercle et anse, sinon un petit faitout. En tapisser l'intérieur de feuilles de figuier.
• Laver les châtaignes et à l'aide d'un couteau d'office bien tranchant, découper sans hésiter une petite tranche sur le côté (une entame) : ce sera la surface d'échange du fruit avec la cuisson.
• Disposer les châtaignes dans le pot, verser de l'eau à hauteur, ajouter le gros sel, la branche d'anis ou de fenouil frais et les graines d'anis vert. Personnellement, je n'aime pas la violence de l'anis étoilé (la badiane) qui ne flatte pas la saveur délicate de la châtaigne mais la combat.
• Cuire 1 h minimum, si vous le pouvez dans l'âtre, soit suspendu à la crémaillère, soit sur un trépied, ou à défaut sur une plaque de cuisson traditionnelle (la durée de cuisson vous laisse le temps de manger légèrement une gourmandise grillée sur les braises !).
• Égoutter les châtaignes et les servir chaudes dans un plat habillé d'une serviette.

À défaut de vin nouveau, un grand vin de Jurançon riche en cépage petit Manseng s'harmonisera avec la douce saveur des châtaignes cuites.

La confiture de figues

Au royaume des confitures de mon enfance, seules trois d'entre elles me passionnaient parce qu'on les consommait, non pas au petit-déjeuner, mais avec le merveilleux fromage blanc frais caillé : la gelée de coing puissante et dense sous le couteau, la confiture de pastèque ronde, de couleur verte marbrée, à chair blanche, préparée en gros cubes avec des écorces de citron et la confiture de petites figues vertes avec noix, citron et Rhum. Cette dernière est unique, irremplaçable et sa réalisation demande un soin attentif. Écartez les grosses figues mûres au profit des premières petites figues vertes dont la robe se nuance à peine de violet. Cueillez-les avec la queue laiteuse et n'oubliez surtout pas que confiture vient de confire*, la cuisson idéale pour conserver les aliments sans dégrader leur texture.

Si vous pouvez vous procurer un fromage frais de vache (de race rustique dans un milieu naturel), vous comprendrez le bonheur d'y associer cette confiture mélangeant les arômes de noix verte, de figue, de citron et de vieux Rhum...

Pour 4 pots

Ingrédients :
- 2 kg de petites figues presque mûres mais encore vertes (queue laiteuse)
- 1 kg de premières noix fraîches
- 3 citrons non traités

La veille

• Casser les noix, récupérer les cerneaux et retirer délicatement la peau. Laver sous un filet d'eau les figues entières, fraîches cueillies. Fendre les gousses de vanille. Découper les citrons entiers en petits cubes (pulpe et écorce).

• Mélanger dans une grande terrine tous ces ingrédients avec le sucre et la cannelle.

• Laisser macérer l'ensemble jusqu'au lendemain matin.

6 gousses de vanille
1 cuil. à café de cannelle
1 grand verre de vieux Rhum
1,5 kg de sucre

Le jour de la préparation

• Verser 30 cl d'eau dans une bassine en cuivre bien nettoyée (à défaut un contenant en inox ou émaillé). Ajouter la préparation et commencer la cuisson qui se doit d'être douce et lente afin de confire* et non de pocher* ou bouillir. Conduire cette cuisson « au sourire » (infime bouillon) en ayant soin d'écumer et de remuer adroitement avec une spatule en bois. Il est fondamental de ne jamais approcher le stade de l'ébullition pour cuire les fruits sans les déstructurer.

• Après 2 h de cuisson le sirop est bien clair et nappe la spatule. Verser le Rhum.

• Répartir en pots à confiture et protéger avec de la paraffine (éviter toute stérilisation à 100 °C qui détruirait tout votre ouvrage).

En hiver, cette confiture accompagnera traditionnellement un très bon fromage blanc de vache frais.

Un riche vin de Muscat onctueux dans le style Beaumes-de-Venise sera le compagnon idéal.

Gâteau au chocolat noir

C'était le grand dessert du dimanche, en hiver. Souvent appelé « le nègre », ce gâteau « gras-cuit » très riche en chocolat était accompagné d'une onctueuse crème jaune vanillée (compte tenu d'une longue occupation de l'Aquitaine par les *angloys*, l'appellation crème anglaise n'était pas de mise). Il devait être consommé très rapidement car il durcissait, devenait cassant et perdait son charme.

Aussi aujourd'hui, afin de préserver son onctuosité, j'ai remplacé la farine par de la poudre d'amande. Si vous aimez le chocolat noir très pur et si vous avez des difficultés à trouver de la pâte de cacao à 100 %, n'hésitez pas à utiliser un grand cru à 70 % de cacao tel le guanaja recherché par les amateurs pour son fascinant goût iodé.

Pour 6 personnes

Ingrédients :
120 g de chocolat de couverture guanaja (70 % de cacao)
120 g de pâte de cacao (100 % de cacao)
240 g de beurre en pommade*
5 œufs
300 g de sucre en poudre
100 g de poudre d'amandes
1 gousse de vanille
5 cl de Rhum brun

• Dans une casserole, faire fondre le chocolat et la pâte de cacao, ajouter le beurre pommade*.
• Séparer les blancs des jaunes.
• Mélanger les jaunes d'œufs avec 150 g de sucre en poudre jusqu'à ce qu'ils blanchissent, ajouter la poudre d'amandes, le Rhum et la vanille en grattant la gousse fendue en deux. Mélanger les deux préparations à la spatule.
• Battre les blancs en neige en ajoutant le sucre restant puis incorporer délicatement à l'autre appareil.
• Préchauffer le four à 150 °C.
• Chemiser* un moule à manqué : badigeonner de beurre fondu l'intérieur du moule, saupoudrer uniformément de sucre ou de cassonade, renverser le moule puis le taper afin d'éliminer l'excédent de sucre et ne conserver qu'une fine pellicule qui donnera un aspect croustillant au gâteau lors de la cuisson.

• Verser la préparation dans le moule et enfourner, au bain-marie, pendant environ 1 h. Contrôler la cuisson à l'aide d'une aiguille de manière à obtenir un gâteau « gras-cuit », c'est-à-dire qui reste moelleux après cuisson (vous ne devez plus avoir de traces de chocolat sur votre aiguille mais la ressortir grasse).
• Le conserver à température ambiante pour qu'il garde son moelleux.
• Au moment de servir ce gâteau, le démouler et tailler de belles tranches épaisses à l'aide d'un couteau électrique. Accompagner d'une crème anglaise à la vanille riche en jaunes d'œufs fermiers (vous pouvez mettre une douzaine de jaunes pour 1 litre de lait), servie en saucière.

Si vous n'êtes pas trop « bec sucré », ajouter une tasse de café espresso dans le chocolat fondu lors de la préparation.

Un vieux vin de Banyuls velouté, aux arômes de torréfaction, est indispensable.

Merveilles vanillées aux fraises des bois

Qu'elles s'appellent oreillettes, bugnes, bunyètes, merveilles ou chez moi *coques*, qu'elles soient frites dans l'huile d'arachide, l'huile d'olive ou la graisse d'oie, elles ont toujours fait briller de convoitise les yeux des enfants. Dès notre plus jeune âge, debout sur un chaise, nous avons découpé dans cette pâte abaissée et poudrée de farine des petits personnages, des animaux imaginaires, des poissons volants… qui, trempés dans la friture, prenaient vie grâce au maquillage du sucre glace. Ainsi dans nos campagnes, lors des multiples événements annuels qui rassemblaient familles et amis, il était fréquent de trouver une grande panière, ornée d'un beau napperon, débordante de merveilles.
À mon goût elles étaient souvent trop épaisses et parfois même un peu grasses. Je leur préférais celles plus fragiles qui « flottaient » sur de beaux compotiers ou qui étaient cachées dans de vieilles boîtes métalliques (à l'abri de l'humidité). Ces grands rectangles de pâte arachnéenne torturés de cloques, qui se brisaient sous certains doigts maladroits, étaient la fierté des maîtresses de maison gardiennes d'un héritage de recettes secrètes.

Je me suis amusé à préparer ces recettes confidentielles et ô combien différentes dans la couleur, la texture et le goût. Ainsi, après de nombreuses expériences de dégustation, j'ai pu bâtir une recette réunissant les critères de qualité que je recherchais. Compte tenu du résultat, j'ai poussé le plaisir jusqu'à en faire un vrai dessert mariant vanille et fraises des bois.

Pour 6 personnes

Ingrédients :
500 g de fraises des bois
Sucre glace

Pâte à merveilles :
500 g de farine
2 cuil. à soupe de sucre en poudre
150 g de beurre en pommade*
2 œufs
2 cuil. à soupe d'eau de fleur d'oranger
2 cuil. à soupe de Rhum
2 cuil. à soupe d'Armagnac
1 citron
1 pincée de sel
2 litres d'huile d'arachide

Crème légère vanillée :
25 cl de lait
25 cl de crème liquide
2 jaunes d'œufs
75 g de sucre en poudre
25 g de Maïzena
3 gousses de vanille

La veille

• Préparer la pâte à merveilles. Râper le zeste du citron et en exprimer le jus. Faire une fontaine avec la farine, le sel et le sucre. Verser au centre les œufs, l'eau de fleur d'oranger, les alcools et le citron (jus + zeste). Mélanger du bout des doigts et finir en pétrissant avec le beurre en pommade*.

• Lorsque la pâte est bien ferme et homogène, la déposer dans un saladier protégé d'un film alimentaire et la conserver ainsi au frais pour la nuit.

Le jour du repas

• Porter le lait à ébullition en y ajoutant les gousses de vanille fendues et grattées.

• Dans un saladier mélanger les jaunes d'œufs avec le sucre jusqu'à ce qu'ils blanchissent. Ajouter la Maïzena. Verser le lait dans le mélange puis remettre sur le feu. Faire cuire quelques minutes tout en remuant au fouet. Laisser refroidir.

• Fouetter la crème liquide en chantilly. L'incorporer très délicatement à la crème.

• Étendre la pâte avec un rouleau à pâtisserie en couche très mince. Découper en rectangles d'environ 5 cm sur 10 cm.

• Les faire frire à 140 °C. Les égoutter soigneusement.

• Disposer la moitié des merveilles sur un plat de service et les masquer de crème légère puis disposer harmonieusement les fraises des bois. Pour finir recouvrir avec les autres merveilles légèrement saupoudrées de sucre glace.

Un jeune vin de Maury très coloré, aux arômes de fraises cuites, se jouera à « merveille » de ce dessert.

Tourtière landaise aux pruneaux

Au-delà du plaisir de la déguster, la confection de la tourtière relève parfois de la sculpture d'art. J'ai toujours été fasciné par les gestes des femmes qui chez nous réussissaient à étirer la pâte jusqu'à la rendre transparente, arachnéenne. Comme le *strudel* autrichien ou la *pastilla* marocaine, la tourtière est l'ancêtre artistique de la pâte feuilletée. Autrefois, elle était souvent préparée très simplement et parfumée de fleur d'oranger et d'Armagnac avec quelques pruneaux. De nos jours elle est souvent fourrée des incontournables tranches de pommes golden. Personnellement, je l'apprécie dans sa plus simple expression et suis comblé quand, pour la servir, on doit en raison de sa fragilité la découper aux ciseaux.

Faire naître entre mes mains cette subtile pâte, la badigeonner légèrement à la plume d'oie et lui donner diverses formes afin de structurer le gâteau final sont de grands moments professionnels.

Pour 6 à 8 personnes

Pâte :
800 g de farine
1 œuf
1 pincée de sel
20 cl d'eau
2 cl d'huile

Garniture :
1 pomme
200 g de pruneaux dénoyautés
125 g de beurre

La veille

• Dans une terrine, mettre la farine en fontaine. Dans un saladier mélanger l'eau, l'huile, l'œuf entier et le sel, puis verser le tout au centre de la fontaine. Incorporer la farine peu à peu sans faire de grumeaux ; bien travailler jusqu'à ce que la pâte se décolle du fond de la terrine ; elle doit être molle et lisse.

• Pour donner l'élasticité, déposer la pâte sur une table à pâtisserie, la travailler longuement avec le poing et la paume de la main (ne fariner que lorsque la pâte colle), puis faire une boule. Huiler légèrement et laisser reposer une nuit au frais dans un saladier recouvert d'un film alimentaire.

200 g de sucre en poudre
3 g de cannelle en poudre
5 cl d'Armagnac
5 cl d'eau de fleur d'oranger

Le jour du repas

• Faire macérer les pruneaux dans l'Armagnac.

• Disposer la boule de pâte au centre d'une table recouverte d'un linge ; entre le bout des doigts, étirer la pâte petit à petit en tournant autour de la table ; l'élasticité de la pâte doit lui permettre de devenir aussi fine que du papier à cigarette (éviter toutefois qu'elle ne se troue).

• Laisser sécher la pâte 10 min

• Peler, évider et couper la pomme en fines lamelles.

• Faire fondre le beurre et ajouter l'eau de fleur d'oranger, l'Armagnac et la cannelle.

• Au bout des 10 min saupoudrer la pâte d'un peu de sucre et asperger de beurre fondu aromatisé.

• Préchauffer le four à 170 °C .

• Découper grossièrement des cercles de pâte d'un diamètre supérieur à celui de la tourtière.

• Beurrer celle-ci et superposer les couches de pâte entre lesquelles on intercalera les lamelles de pommes sucrées et les pruneaux macérés. Terminer en relevant les bords des différentes couches de pâte et en chiffonnant les couches supérieures. Saupoudrer de sucre et cuire 20 min au four.

• Démouler à chaud sur un plat à tarte et servir immédiatemment. Compte tenu de la texture arachnéenne de ce dessert, le choix d'une grande paire de ciseaux sera favorable afin de découper délicatement les parts souhaitées.

Quelques gouttes d'Armagnac flambé versées sur l'assiette de chaque convive restent une animation odorante et spectaculaire.

Ce dessert très léger n'appelle pas spécialement de vin et reste pour moi le prélude à une tasse de café brûlant.

Le millas

Ce flan à la farine de maïs, aux effluves de pruneau et de fleur d'oranger, servi encore brûlant, était pour les enfants la récompense tant attendue. Millas est le nom que l'on donne en Chalosse au maïs.
Ce dessert cousin du clafoutis en plus généreux, compte tenu de la farine de maïs, se mange tiède et mérite d'être très parfumé.

Pour 6 à 8 personnes

Ingrédients :
100 g de farine de maïs
50 g de farine de froment
50 g de poudre d'amandes
6 œufs
75 cl de crème fleurette
Beurre pour le moule
12 gros pruneaux demi-secs
200 g de sucre
50 g de miel de bruyère (bruyère Callune des Landes)
10 g de sel
8 cl de Bas-Armagnac
6 cl d'anisette Marie Brizard
6 cl d'eau de fleur d'oranger

• Dénoyauter les pruneaux, tailler la chair en petits dés, les faire macérer avec le Bas-Armagnac et le miel de bruyère.
• Séparer les blancs des jaunes.
• Blanchir* les jaunes avec le sucre, ajouter le sel, l'eau de fleur d'oranger, l'anisette et la crème fleurette.
• Fouetter les blancs en neige bien ferme.
• Préchauffer le four à 160 °C/ 170 °C.
• Dans une grande terrine faire une fontaine avec l'association des 2 farines et de la poudre d'amandes. Verser la première préparation et mélanger progressivement l'ensemble.
• Avec une écumoire incorporer les blancs d'œufs et les morceaux de pruneaux.
• Ce gâteau doit être assez épais, aussi verser le tout dans une grande tourtière généreusement beurrée ou à défaut dans un plat à gratin « chemisé* » (beurre et sucre).
• Enfourner pendant 1 h et servir tiède.

Le moment est venu de goûter un « doigt » glacé de cette curieuse boisson liquoreuse : le Pacharan dont nos amis basques ont le secret. Mais je ne sais jamais avec quoi ou avec qui le servir (macération douce et complexe mariant des baies andrinas avec une touche d'eau-de-vie anisée qui varie suivant les familles...).

Mousse au chocolat noir

Chez nous, la mousse au chocolat était noire, grasse et très riche. La qualité était plus importante que la quantité. La crème fouettée qui soit-disant allège, était bannie.

Je suis resté fidèle à cette vision enfantine et mon foie m'en sait gré. Ma mousse au chocolat noir demande le saladier et la grande cuillère. Elle se suffit à elle-même et compte tenu de sa puissance, interdit les excès.

Pour 6 personnes

Ingrédients :
500 g de chocolat noir (70 % de cacao)
200 g de beurre en pommade* (cru de préférence)
1 cuil. à café d'extrait naturel de vanille (préférer l'extrait plus concentré qui ne contient pas de sucre)

Sabayon :
4 jaunes d'œufs
5 blancs d'œufs
5 cl de Grand Marnier
100 g de sucre en poudre
100 g de sucre glace
1 pincée de sel

• Faire fondre le chocolat au bain-marie, ajouter le beurre pommade* et l'extrait de vanille. Réserver.
• Sur le bain-marie encore chaud, disposer un cul de poule ou une terrine avec les jaunes, le sucre en poudre et le Grand Marnier. Fouetter généreusement afin que le mélange blanchisse et augmente de volume jusqu'à l'obtention d'un sabayon mousseux.
• Monter les blancs en neige et les serrer avec le sucre glace (l'action d'ajouter le sucre quand les blancs sont bien montés permet de bloquer leur tenue).
• Incorporer au fouet le mélange chocolat/beurre au mélange jaunes/sucre puis, à l'aide d'une écumoire, ajouter délicatement les blancs à l'appareil.
• Dresser dans le saladier de service et réserver au réfrigérateur jusqu'au moment de servir.

Un conseil, si vous la laissez reposer 24 h, elle prendra plus d'intensité, de goût et de couleur. Compte tenu de la richesse de ce dessert une grosse quenelle par persone est suffisante.

Le moment est venu d'apprécier les valeurs d'une eau bien fraîche. Toutefois, et avec modération, vous pouvez aussi goûter aux charmes exotiques d'un vieux Rhum de bonne facture.

« Pastis » safrané et sa crème jaune

La brioche de mon enfance s'appelle *pastis bourrit* (fermenté), version régionale du kugelhopf alsacien, de la fouace aveyronnaise, des pompes, des couques et autres cramiques du Nord. Chez nous, elle était marquée par le duo infernal anis et fleur d'oranger (nostalgie de la petite bouteille bleue achetée chez le pharmacien) ; j'y ai ajouté la touche de safran qui intensifie ce mariage.

Le pastis était le dessert traditionnel des grandes réunions. Dans nos régions de l'Adour, à l'époque couverte de vignes, les blancs d'œufs étaient utilisés pour clarifier* les vins et de ce fait, les jaunes isolés étaient la base d'une crème très riche, cousine colorée de la crème anglaise, que nous appelons crème jaune car les œufs de nos fermes sont très colorés.

Pour 4 personnes

Pâte à pastis :
250 g de farine
40 g de levure de boulanger
100 g de sucre en poudre
5 g de sel
3 œufs
80 g de beurre
5 cl de lait
1 cuil. à soupe d'eau de fleur d'oranger de bonne qualité
1 cuil. à soupe de liqueur d'anis (Marie Brizard)
25 filaments de safran

La pâte à pastis

• Faire bouillir le lait, le verser sur les 25 filaments de safran réduits en poudre et laisser infuser.
• Dans une grande terrine ronde casser les œufs, ajouter le beurre fondu, le lait au safran, le sucre, le sel, les arômes et bien mélanger. Lorsque tout est bien homogène, ajouter la levure bien brisée (de manière à bien la répartir) puis verser peu à peu la farine en pétrissant jusqu'à obtention d'une belle boule de pâte ferme. Saupoudrer de farine et recouvrir la terrine d'un linge humide.
• Laisser la pâte reposer dans une ambiance assez tiède pendant environ 6 h afin que celle-ci puisse « pousser ». À 3 ou 4 reprises ne pas hésiter à aplatir la masse et refaire la boule (« pointages »).
• Préchauffer le four à 160 °C.

Crème jaune :
50 cl de lait
8 jaunes d'œufs
150 g de sucre
Sel
10 filaments de safran
1 cuil. à café d'eau de fleur d'oranger de bonne qualité

• Placer la pâte dans un moule à brioche chemisé (beurre + sucre) rempli au 2/3. Cuire au four pendant 20 à 25 min. Le pastis doit monter pendant la cuisson.

La crème jaune

• Porter le lait à ébullition avec les filaments de safran pilés.
• Mélanger les jaunes d'œufs avec le sucre et une pointe de sel jusqu'à ce qu'ils blanchissent. Verser le lait chaud tout en remuant. Remettre sur le feu. La crème est cuite lorsqu'elle nappe la cuillère.
• Ajouter l'eau de fleur d'oranger et réserver au frais.

• Servir le pastis safrané froid accompagné de la crème jaune froide.

Avec autant de complexité aromatique dans ce dessert, un vieux vin de Sauternes, de Barsac, de Sainte-Croix-du-Mont ou de Loupiac chargé de la folie orientale due à un millésime ancien riche en botrytis* s'impose.

« Pastis » en pain perdu,
confiture du « vieux garçon »

Pain perdu (rassis), brioche perdue, « pastis » perdu, ce gâteau reprend vie avec la chaleur et une nouvelle cuisson. Quant à la confiture du « vieux garçon », c'est beau, c'est bon, c'est parfumé mais aussi alcoolisé…!

Tout le monde l'aura compris, un célibataire gourmand hésite à se lancer dans les confitures ; en revanche, maîtrisant les maturités successives des divers fruits de l'été, il aura vite fait de les conserver par couches dans un grand bocal avec du sucre et de l'eau-de-vie.

Le froid venu, le temps étant aux desserts chauds, il suffira de mélanger tous ces fruits pour garder un peu d'été sur votre table.

Pour 4 personnes

Pâte à pastis :
250 g de farine
40 g de levure de boulanger
100 g de sucre en poudre
5 g de sel
3 œufs
80 g de beurre
5 cl de lait
1 cuil. à soupe d'eau de fleur d'oranger
1 cuil. à soupe de liqueur d'anis (Marie Brizard)

La confiture du vieux garçon

• Elle se prépare dès les premières cerises que l'on dispose au fond d'un grand bocal avec un peu de sucre et de l'Armagnac. Durant l'été, introduire au fur et à mesure tous les petits fruits et baies (bien fermes) en couches successives en utilisant toujours le sucre et l'alcool comme agents protecteurs. Vous obtiendrez l'automne venu un grand bocal décoratif grâce aux différentes strates de couleurs. Ce sera le moment de plonger délicatement la louche afin de mélanger et de servir cette curieuse confiture…

La veille

• Préparer la pâte à pastis : dans une grande terrine ronde casser les œufs, ajouter le beurre fondu, le lait, le sucre, le sel, les arômes

Pain perdu :
1 verre de lait
1 cuil. à café d'eau de fleur d'oranger
4 cl d'Armagnac
1 cuil. à bouche* de sucre en poudre
4 jaunes d'œufs
1 orange
50 g de beurre environ pour la cuisson

Confiture du vieux garçon :
1 bocal de confiture du vieux garçon
Armagnac encore blanc (prévoir le volume en fonction du contenant)
Sucre en poudre (en quantité suffisante afin de saupoudrer chaque couche)

et bien mélanger. Lorsque tout est bien homogène, ajouter la levure bien brisée (de manière à bien la répartir) puis verser peu à peu la farine en pétrissant jusqu'à obtention d'une belle boule de pâte ferme. Saupoudrer de farine et recouvrir la terrine d'un linge humide.
• Laisser la pâte reposer dans une ambiance assez tiède pendant environ 6 h afin que celle-ci puisse « pousser ». À 3 ou 4 reprises ne pas hésiter à aplatir la masse et refaire la boule (« pointages »).
• Préchauffer le four à 160 °C.
• Placer la pâte dans un moule à brioche chemisé (beurre + sucre) rempli au 2/3. Cuire au four pendant 20 à 25 min. Le pastis doit monter pendant la cuisson.

Le jour du repas
• Faire tremper des tranches de pastis rassis dans du lait additionné d'eau de fleur d'oranger, d'Armagnac et de sucre. Égoutter.
• Battre 4 jaunes d'œufs, les parfumer d'un zeste d'orange.
• Tremper rapidement les tranches de pain dans cette préparation et les passer à la poêle dans le beurre, les saupoudrer de sucre pour les caraméliser.
On peut aussi dresser les tranches de pain sur un plat chaud en les faisant se chevaucher, ajouter le sucre et les caraméliser au chalumeau.
• Servir accompagné de la confiture du « vieux garçon » au gré de chacun.

Ce sympathique dessert alcoolisé se suffit à lui-même mais si une petite soif de fin de repas vous tenaille, c'est le moment de déboucher une bouteille de Floc (fleur en gascon) frappée, de bonne origine. En Armagnac, le Floc est élaboré avec du mou de raisin enrichi de sa noble eau-de-vie et parfois même avec une macération de petites prunes locales.

Le russe pistaché

Depuis ma tendre enfance j'entends parler du fameux gâteau russe à la pistache dont ma grand-mère a fait ses délices jusqu'à l'âge de 94 ans. Jeune fille, me racontait-elle, elle allait savourer ce fameux gâteau vert chez le pâtissier Trinque, à Dax. L'histoire raconte qu'un autre pâtissier dacquois, du nom d'Albert Jean, aurait inventé la base de cette pâtisserie en ajoutant dans l'appareil les restes broyés de viennoiserie desséchés dans le four. Dans les ouvrages classiques du métier on retrouve toujours la recette de la « dacquoise » cousine du « fond à succès ». Dans le triangle Pau-Bayonne-Dax, de nombreux pâtissiers détiennent chacun la recette secrète, familiale. Ainsi ce gâteau peut devenir très plat, plus mou, plus sec, praliné ou pistaché, crème au beurre riche ou pauvre, rond ou carré.
Il y en a pour tous les goûts. Personnellement, je l'ai idéalisé et mémorisé à base de pistache, assez épais, mais surtout avec ce côté unique, craquant en surface et moelleux à cœur comme un macaron à l'ancienne.
Ma version de l'histoire évoque la présence des tsars à Biarritz au siècle dernier, époque à laquelle, selon moi, de jeunes cuisiniers et pâtissiers locaux ont eu la chance d'être envoyés à la cour de Russie où ils ont découvert la pistache (depuis longtemps la noisette du praliné était monnaie courante dans la région). Le mot russe ne peut pas avoir d'autre origine.

Pendant des années j'ai recherché l'accord parfait, la texture de rêve liée à la magie des températures et des temps de cuisson, sans oublier les étranges modifications produites par l'attente dans l'ambiance idéale, malheureusement toujours occultée dans les traités de pâtisserie.

Amoureux de la pistache de Sicile, j'accompagne systématiquement ce dessert d'une riche glace pistachée et, à la saison, de baies rouges macérées au vieux Kirsch (surtout pas fantaisie).

Au printemps vous pouvez aussi l'escorter d'un léger sabayon pistaché aux premières fraises. Exceptionnellement dans cette gourmandise, j'ai recours au plaisir gourmand de la crème fouettée qui apporte grâce au froid une texture plus vaporeuse au dense sabayon pistaché. Choisissez des fraises très parfumées et n'hésitez pas à les écraser à la fourchette avant de les baigner dans leur propre coulis rehaussé de quelques gouttes de vinaigre balsamique et de poivre noir écrasé.

Une fois de plus cette recette est inspirée par la tradition d'une terre vinicole génératrice de spécialités à base de jaunes d'œufs. En effet dans tous ces territoires de vigne, le collage des vins était réalisé avec des blancs d'œufs et il restait des jaunes en abondance dans les cuisines. Du richissime *zabaglione* (sabayon) italien à l'excessif *Tocino de cielo* (le « gras » du ciel) andalou gorgé de sucre et de lécithine, le symbolisme fécond du jaune d'œuf et de sa couleur de soleil demeure la base de nombreuses gâteries.

Pour 4 personnes

Biscuit :
20 g de farine
40 g de sucre en poudre
100 g de sucre glace
125 g de poudre d'amandes
60 g d'amandes effilées
5 blancs d'œufs

Crème pistachée :
100 g de beurre en pommade*

3 jours avant le repas

- Battre les blancs en neige avec le sucre en poudre. Ajouter délicatement à la spatule, sans battre, le mélange poudre d'amandes, sucre glace et farine.
- Préchauffer le four entre 160 °C et 180 °C.
- Beurrer 2 cercles de la taille voulue, les garnir avec l'appareil sur 1 cm d'épaisseur à l'aide d'une corne. Saupoudrer d'amandes effilées et cuire pendant 40 min environ.
- Laisser refroidir le biscuit puis le protéger dans du film alimentaire (afin d'éviter l'humidité) et mettre à rassir dans le réfrigérateur pendant 2 jours.

100 g de pistaches vertes émondées
50 g de pâte de pistache (à acheter dans une boutique de produits orientaux ou sinon mixer 1/2 pistache 1/2 sucre en ajoutant quelques gouttes d'extrait de pistache)

Pour 100 à 120 g de crème pâtissière :
8 cl de lait
1 œuf
20 g de sucre en poudre
8 g de Maïzena
1 goutte d'extrait naturel de vanille

La veille du repas

• Préparer la crème pâtissière : dans une terrine fouetter tous les ingrédients. Puis cuire dans une casserole 4 à 5 min à ébullition en fouettant pour empêcher la crème d'attacher au fond. Réserver en terrine en ayant soin de vanner (malaxer délicatement avec une spatule) la crème pendant qu'elle refroidit afin qu'elle soit homogène et bien lisse.
• Préparer la crème pistachée : blanchir* les pistaches émondées dans du lait, puis les concasser finement et les mélanger à la pâte de pistache, ajouter à la crème pâtissière tiède et incorporer le beurre en pommade*, en finale. Réserver au frais.

Le jour du repas

• Étaler la crème pistachée sur l'un des biscuits et recouvrir du deuxième biscuit. Réserver au froid et afin d'éviter l'humidité l'enfermer dans du film alimentaire.
• Au moment de servir découper le gâteau en pavés ou en tranches épaisses à l'aide d'un couteau électrique.
• Accompagner d'une crème glacée à la pistache et d'éclats de nougatine à la pistache ou du sabayon pistaché aux fraises (voir la recette suivante).

Afin de souligner les charmes du goût pistaché, un vin de Chypre se recommande, un vieux vin de Marsala s'impose et un vin rare de l'île de Panteleria vous permettra de croiser le bonheur.

Sabayon pistaché aux premières fraises

Pour 5 ou 6 personnes

Ingrédients :
700 g de fraises pajaro
6 jaunes d'œufs
20 cl de crème fleurette
300 g de sucre en poudre
250 g de pistaches décortiquées
10 cl de Kirsch

• À l'aide d'un robot réduire les pistaches en poudre grossière ; en réserver 50 g pour la décoration.
• Laver soigneusement les fraises, les égoutter, les équeuter et couper la valeur de 500 g en quatre.
• Dans le bol du mixeur, verser 100 g de sucre, 5 cl de kirsch et les 200 g de fraises entières. Broyer jusqu'à obtention d'un coulis puis verser sur les morceaux de fraises et laisser macérer.

Préparation du sabayon
• Au bain-marie et dans un bol en inox (cul de poule), fouetter les 6 jaunes d'œufs, 200 g de sucre et 5 cl d'eau jusqu'à ce que le mélange blanchisse et devienne parfaitement lisse. Continuer de fouetter pendant quelques minutes encore jusqu'à obtention d'un sabayon mousseux et homogène. Retirer du feu et arrêter la cuisson en versant 5 cl de Kirsch et les 200 g de poudre de pistaches, mélanger délicatement. Laisser refroidir.
• Fouetter les 20 cl de crème fleurette et les incorporer au sabayon froid avec délicatesse.

• Prendre des mazagrans en verre, à défaut de beaux verres anciens à pied et disposer dans le fond 3 grosses cuillerées de fraises et de coulis puis verser une belle couche de sabayon. Ajouter alternativement une couche de chaque préparation et parsemer la surface de pistache en poudre.
• Laisser prendre le tout au réfrigérateur quelques heures.

Si les premières fraises pajaro sont très douces, ajouter au coulis quelques gouttes de citron ou de vieux vinaigre.

Omelette soufflée au vieux Rhum

Dans le passé le vieux Rhum, lié au commerce florissant du port de Bordeaux, a toujours fait bon ménage avec notre Armagnac. Plus charmeur et fruité au vieillissement, notre produit du sucre de canne s'intégrait spontanément à l'omelette aux blancs montés du dessert, qui n'attendait plus qu'une allumette pour réchauffer les soirées froides de l'hiver.

Si vous ne craignez pas une fin de repas généreuse, n'hésitez pas à enrichir cette omelette de petits cubes de banane poêlés et flambés.

Pour 4 personnes

Ingrédients :
5 œufs
Beurre pour cuisson
4 biscuits à la cuillère
85 g de sucre en poudre
Sucre glace
Sel
1 cl d'extrait naturel de vanille
1 cl d'eau de fleur d'oranger
8 cl d'un excellent vieux Rhum
1 petite goutte de vinaigre d'alcool

Cette recette se déguste en hiver accompagnée d'un rare vieux Rhum.

• Séparer les jaunes des blancs. Dans un bol à l'aide d'un fouet blanchir* les jaunes avec 80 g de sucre en poudre, l'extrait de vanille, l'eau de fleur d'oranger et 1 pincée de sel.
• Couper les biscuits à la cuillère en petits morceaux et les imbiber de vieux Rhum.
• Monter les blancs en neige avec la petite goutte de vinaigre d'alcool et 1/2 pincée de sel. Quand ils commencent à être fermes, les bloquer avec le sucre en poudre restant.
• Avec une écumoire incorporer lentement les blancs dans les jaunes.
• Chauffer un tisonnier (ou une tige de métal) au feu.
• Allumer le four à température moyenne pour réchauffer un beau plat de service.
• Dans une grande poêle, beurrée généreusement, cuire l'appareil comme une omelette ordinaire. Avant de la replier en forme de chausson, répartir les morceaux de biscuits imbibés de Rhum.
• Glisser l'omelette soufflée sur le plat chaud, saupoudrer de sucre glace et effectuer à la surface un quadrillage caramélisé à l'aide du tisonnier bien chaud. Servir de suite.

Le flambage est certes spectaculaire mais je préfère privilégier la qualité du Rhum qui sert à imbiber le biscuit et qui donnera le caractère à ce dessert devenu aquitain à l'époque des liaisons maritimes du port de Bordeaux avec les Antilles.

Les crêpes de Simone

Michel Aimé, notre boucher de Dax, est un homme heureux. Il achète viandes et volailles entre Chalosse et Pyrénées et mène son sempiternel combat auprès des gens de la terre pour faire respecter la belle tradition d'élevage et apporter ainsi à ses clients une qualité sans faille. Les tours de main de notre charcuterie locale sont gardés précieusement. Ici on peut parler saucisses, boudins, graisserons au foie gras...

Fournisseur attitré des fines fourchettes locales, notre homme au propos intransigeant s'attendrit dès que l'on parle de cuisine et de bons vins. Il nous confie : « Je ne suis pas toujours impressionné par cette cuisine de restaurant parce que ici, à la maison, Simone nous prépare une cuisine d'exception. »

Quand on a l'honneur de partager la table familiale de Simone (sur invitation de Michel), on comprend que la grande cuisine landaise existe toujours. J'ai été bercé par cette cuisine raffinée de ma maman, de mes grandes tantes de Levignac, Alice et Adrienne, de ma marraine, de mes cousines... Quel bonheur de retrouver ces préparations simples et pourtant si subtiles toujours bien maîtrisées.

Quand je vois notre cuisine caricaturée sous la forme de certains magrets de canard à la chair gluante, à la peau encore gorgée de gras et brûlée en surface, accompagnés de pommes de terre grasses à l'ail, sans oublier le spectaculaire flambage à l'Armagnac, j'ai l'impression que notre histoire a été victime de la médiatisation. C'est un peu comme l'image de notre « authentique course landaise » détournée au travers des jeux ridicules de vachettes lors des soirées d'Interville.

Je ne vais pas vous énumérer tous les chefs d'œuvre de madame Aimé (j'espère qu'elle les rassemblera dans un ouvrage pour les générations futures) mais j'ai retenu les crêpes avec une grande nostalgie. Bien sûr, il y a une astuce dans la recette mais il y a aussi la façon de les rouler en cigarettes avec un peu de vieux Rhum... Enfant je n'ai jamais eu droit à une crêpe pliée en quatre.

Pour les Français la crêpe est bretonne, même si elle se conjugue avec sarrasin (le blé noir) ; il est vrai que près de chez nous, une plage bien connue arbore le nom de Capbreton et qu'une branche maternelle de ma famille, issue de Mézos et Uza-les-Forges, porte un nom de consonance armoricaine, Bestaven. En vérité les origines de la crêpe plongent à travers les siècles dans le lointain Moyen Orient, via le Maroc où j'ai toujours été surpris par la grande variété de formes et de textures des bricks (crêpe en arabe).

Pour 8 personnes

Ingrédients :
300 g de farine
300 g de sucre en poudre
300 g de beurre
6 œufs
1 litre de lait
2 cuil. à soupe de Rhum
1 pincée de sel

• Faire fondre le beurre dans la moitié du lait puis ajouter le reste du lait froid.
• Battre les blancs d'œufs en neige.
• Dans un grand saladier, mélanger la farine, le sucre, les jaunes d'œufs, le lait et le beurre fondu. Ajouter le sel et le Rhum puis les blancs en neige.
• Laisser reposer la pâte au moins 1 h.
• Faire cuire dans une crêpière en roulant les crêpes dans la poêle.

Plutôt que le spectaculaire flambage, n'hésitez pas à utiliser généreusement du très vieux Rhum de qualité (à défaut ajouter au Rhum traditionnel quelques gouttes d'extrait naturel de vanille et d'eau de fleur d'oranger).

La crème frite

Cette recette issue de la profonde tradition occitane présente un aspect solide et massif qui se transforme sous la pression de la cuillère en une confortable crème onctueuse et coulante. Elle se laisse compléter par la rare confiture de cerises noires appelées guignes ou *mourhiques* en gascon.

Pour 4 à 6 personnes

Ingrédients :
50 cl de crème fleurette
6 jaunes d'œufs
4 œufs entiers
2 gousses de vanille bien grasses
2 cl d'eau de fleur d'oranger concentrée du Liban
2 cl d'extrait de Grand Marnier
60 g de Maïzena
75 g de sucre en poudre
1 pincée de sel

Pour mémoire :
Huile d'arachide
Farine
Poudre d'amandes
Cannelle en poudre
Sucre glace

• Dans un saladier, travailler le sucre avec les jaunes d'œufs sans oublier une bonne pincée de sel. Quand le mélange est bien blanchi, ajouter 2 œufs entiers et la Maïzena afin d'obtenir une pâte bien homogène.
• Verser la crème fleurette dans une casserole. Fendre et racler les gousses de vanille et les ajouter à la crème. Porter à ébullition.
• Verser la crème chauffée sur la première préparation, bien mélanger au fouet et cuire rapidement au bain-marie (70 °C) pendant quelques minutes sans cesser de remuer. Contrôler la cuisson en trempant une spatule et en observant le tracé du doigt sur la crème comme pour une anglaise.
• Ajouter l'eau de fleur d'oranger et l'extrait de Grand Marnier, retirer les gousses de vanille puis étaler l'appareil obtenu dans un caisson plat de pâtissier, ou à défaut un grand plateau rectangulaire à bords hauts, sur une hauteur de 1 cm, laisser prendre au froid.
• Battre les 2 œufs entiers restants dans une assiette.
• Détailler la crème « prise » au refroidissement en forme de losanges ou à l'aide d'emporte-pièces.
• Rouler les morceaux ainsi obtenus dans la farine puis les tremper dans les œufs battus et les paner avec la poudre d'amandes.
• Faire chauffer l'huile d'arachide à 180 °C. Y plonger les panés très rapidement puis les égoutter sur du papier absorbant.
• Servir ces morceaux de crème frite sur un plat brûlant après les avoir saupoudrés d'un peu de sucre glace mélangé à de la riche cannelle en poudre.

Le riz au lait crémeux

Le riz au lait de mon enfance, parfumé à la vanille et à la cannelle, n'évoque en rien les gâteaux de riz classiques que l'on trouve dans les livres de recettes. Il s'apparente plus à un laitage et se présente tout naturellement dans une belle soupière.

Choisissez un riz rond de Camargue et n'hésitez pas à le cuire suffisamment à la limite de l'éclatement.

Pour 6 personnes

Ingrédients :
200 g de riz rond
1 litre de lait cru
10 cl de crème liquide
2 ou 3 jaunes d'œufs
130 g de sucre en poudre
1 gousse de vanille

Décor :
50 g d'amandes effilées
50 g de pistaches

• Faire éclater le riz dans une casserole d'eau bouillante pendant 2 min, le rincer sous un filet d'eau froide.
• Dans la même casserole, verser le lait, la crème, le sucre et la gousse de vanille fendue. Ajouter le riz et laisser cuire à feu doux pendant 1 h 30 minimum en ayant soin de remuer régulièrement ; il faut que la préparation épaississe et que le riz reste onctueux.
• Au terme de la cuisson incorporer 2 ou 3 jaunes d'œufs, ôter la gousse de vanille et verser dans un compotier puis réserver au réfrigérateur.
• Griller les amandes effilées et concasser les pistaches.
• Au moment de servir, dresser le riz dans six petites coupelles, parsemer d'amandes et de pistaches.

Si vous le souhaitez il est possible d'accompagner le riz d'un caramel liquide.

Compte tenu de la texture crémeuse et liquide de ce dessert il n'est pas utile de prévoir une boisson d'accompagnement.

Les gros beignets de carnaval
(appelés *cruspets,* ce qui signifie peau croustillante)

Le jour de carnaval, les enfants que nous étions allaient, déguisés, de famille en famille, en quête de friandises. Le jeu consistait à découvrir l'identité des enfants. Les fermières voisines nous offraient de gros beignets tout chauds dans le but secret que nous les comparions mais surtout dans celui de nous faire lever le masque afin de nous reconnaître. Ainsi en fin d'après-midi nous rentrions repus, contrat rempli avec le mardi justement dit « gras ».

Récemment, j'ai eu le bonheur inattendu de me trouver face à un plat de ces gros beignets identiques en goût à ceux de mon enfance et curieusement dans un lieu éloigné de mes racines. Eh oui, le bonheur existe au dessus de la baie de Saint-Florent, tout près de Patrimonio, dans une ferme à Murato en Corse, où deux magiciennes, Pauline et Josiane, sont les gardiennes d'un grand savoir-faire... Merci.

Pour 6 à 8 personnes

Ingrédients :
500 g de farine
20 g de levure de boulanger
80 g de sucre en poudre
2 cuil. à bouche* de sucre vanillé
10 g de sel
250 g de beurre
Huile d'arachide pour la friture

• Dans une casserole, porter l'eau à ébullition avec le sucre, le sel, le zeste du 1/2 citron, les feuilles de laurier et le beurre. Retirer du feu, couvrir avec une assiette et laisser infuser 10 min.
• Filtrer puis verser dans une casserole à fond épais. Remettre sur le feu jusqu'à ébullition, jeter la farine tamisée en pluie et bien mélanger l'ensemble avec une spatule en bois. Baisser l'intensité du feu et faire dessécher en remuant (5 à 10 min) sur feu doux.
• Dès que la pâte est bien sèche, homogène, difficile à travailler avec la spatule et qu'elle se détache du fond de la casserole, la

10 œufs
1/2 citron (zeste)
3 feuilles de laurier frais
1 cuil. à dessert d'eau de fleur d'oranger
50 cl d'eau

Je n'avais pas envisagé de boisson accompagnant cette gourmandise. En Corse, j'ai découvert une tradition qui consiste à ouvrir le beignet et y introduire quelques gouttes d'eau-de-vie maison. Le bonheur ne s'est pas arrêté là, car dans le verre un nectar m'a été versé rappelant les vins de Paille du Jura avec une note de typicité nouvelle. L'ami Antoine Aréna renoue avec une vieille tradition locale qui consistait à faire sécher des raisins de Vermentino passerillés sur des lauzes. Le résultat des premiers essais est exceptionnel.

retirer du feu et la transvaser dans un cul-de-poule ou un grand bol en grès afin que la température tiédisse.

• Dans un bol, diluer la levure de boulanger avec l'eau de fleur d'oranger.

• Dans le cul-de-poule, incorporer un à un les œufs à la pâte, toujours avec la spatule et très lentement. Après le 5e œuf, verser la levure de boulanger diluée avec l'eau de fleur d'oranger et continuer à incorporer les œufs un à un ; la pâte devient lisse et plus souple. Couvrir le bol avec un linge humide ou du film alimentaire et attendre 1 h que le levain travaille. Quand la « pousse » est belle, effectuer un « pointage » c'est-à-dire faire retomber l'appareil en le remuant. Couvrir et laisser pousser encore 1 h. Refaire un deuxième « pointage », puis cuire les beignets.

• Chauffer un bain de friture d'huile d'arachide à 150°/ 160°C maximum.

• Prendre 2 grandes cuillères de service en métal inoxydable. Les tremper dans l'huile puis prélever une belle masse de pâte dans l'une des cuillères et façonner rapidement comme une quenelle avec l'autre cuillère. Si vous avez des difficultés avec les cuillères vous pouvez prélever de la pâte et avec un peu de farine, rouler des petites boules avec vos mains ; ce procédé permet de mettre une série en cuisson en même temps.

• Verser la quenelle ou les boules de pâte dans la friture et faire tourner avec une araignée (genre d'écumoire en fil de fer espacé en forme de toile d'araignée qui laisse passer le corps gras). La pâte doit gonfler pour former une belle boule bien dorée.

• Sortir les beignets au fur et à mesure de la cuisson, les égoutter sur du papier absorbant puis les saupoudrer de sucre vanillé. Pour contrôler la cuisson il suffit de goûter en se brûlant les doigts !

• Renouveler l'opération jusqu'à épuisement de la pâte.

• Servir très très chaud avec une compote d'abricots secs, un peu fraîche, préparée avec du miel de bruyère Callune (trésor du pays de Born dans nos Landes) et des pignons de pin, sans oublier un trait d'Armagnac.

Pour obtenir de gros beignets vides à l'intérieur, il suffit de ne pas utiliser de levure et de laisser reposer la pâte une nuit.

Les recettes de la tradition

Ce qui me passionne dans la cuisine c'est qu'elle est toujours en mouvement : quelque part entre l'art, dont elle se réclame parfois de façon excessive, et l'artisanat où certains blasés tentent de la rabaisser, elle vit ses incertitudes, ses approximations et ses triomphes comme tout artisanat d'art. À partir d'une base connue et maîtrisée (la recette) et d'un produit au mieux de sa forme, l'imagination du cuisinier peut tout faire basculer vers le bonheur ou vers la catastrophe...

Ainsi, après les difficultés de l'après-guerre et une cuisine classique trop riche, souvent répétitive, les années post-1968 virent s'imposer une autre approche des plaisirs de la table. La restauration française entra en ébullition. De nombreux jeunes couples de professionnels entreprirent de devenir restaurateurs, de révolutionner décors et assiettes, donnant naissance à un véritable élan créatif et novateur. Les idées fusèrent de toutes parts, les cuisines devinrent des creusets de réflexion entraînant cuisiniers et cuisinières du dimanche. Les critiques gastronomiques et les revues spécialisées amplifièrent ce phénomène.

Dans les années 1980, l'argent facile, les voyages lointains, favorisèrent une ouverture vers la cuisine exotique. On s'enticha de cuisine allégée, de grandes assiettes décorées, de petites quantités d'aliments savamment présentés même si les prix atteignaient parfois des sommets vertigineux. Effet négatif, on oublia souvent les bas morceaux, les abats, ... et on glissa vers une « non-cuisine » aseptisée, basée sur des filets de tout et de rien délicatement escalopés, tout à fait dans le style nippo-californien.

Les années 1990, avec la crise économique et la guerre du Golfe, nous ramenèrent à la réalité. Les budgets étant plus serrés, on revint vers le professionnalisme et vers l'authenticité des produits. Les restaurants exotiques proliférèrent, les consommateurs s'habituèrent aux morceaux plus modestes, la cuisine de transformation revint au goût du jour.

Aujourd'hui, à l'aube du troisième millénaire, je scrute l'avenir proche non sans une certaine inquiétude, mais avec optimisme.

Depuis peu, l'homme est devenu capable d'intervenir sur les constituants des cellules, de modifier le programme génétique. Chacun a entendu parler des inquiétantes mutations dues au clonage. On n'hésite pas à infléchir les habitudes millénaires des espèces animales. On accélère la croissance de certaines volailles en les élevant en batterie. Ne parlons pas des hormones administrées aux veaux, et autres animaux. Le poulet tousse et le lapin a mal au ventre. On va jusqu'à transformer des herbivores en carnivores en les alimentant à l'aide d'étranges poudres issues des déchets d'abattoirs. Résultat : l'homme hérite de virus, de prions inconnus comme ceux de la maladie de Creutzfeld-Jacob.

On parle moins des nouvelles méthodes de culture industrielle sur support de laine de roche, de la ionisation des fruits et légumes, de la commercialisation de céréales et légumes transgéniques, de l'exposition des végétaux à de très hautes pressions afin de leur assurer une plus grande longévité et une résistance accrue. Les effets sont catastrophiques. J'ai vu, sur certains marchés, des tomates traitées – j'ignore comment – ni mûres, ni pas mûres, qui ne pourrissent pas, qui ont très peu de graines et qui rebondissent comme des balles quand elles tombent par terre ! Et dire que ces produits de science-fiction sont destinés à notre estomac !

Comme ces fameux et redoutables arômes de synthèse, fabriqués en laboratoire et proposés aux industriels de la cuisine, et même à certains cuisiniers peu scrupuleux, arômes à l'origine obscure, renforçant à peu près tous les goûts, de celui du homard à celui de la vanille, en passant par la pomme de terre.

On pourrait allonger cette liste des interventions humaines dans les processus naturels et dans les préparations faisant appel au goût, à la sensibilité. Et il me semble que, dans ce domaine, on fasse régulièrement des progrès – si on peut employer ce mot – et que, économiquement, il n'y ait pas de raison pour que la recherche ralentisse. Il est bon et sain que l'homme favorise la nature mais, par pitié, qu'il n'essaye pas de la dominer et de la manipuler.

Je veux être clair. Mon inquiétude a ses limites. Je ne fais pas semblant d'ignorer ce que nous ont apporté à nous autres cuisiniers, les progrès de la science, les conquêtes de la technologie. Aujourd'hui, nous sommes en mesure de travailler des produits qui nous arrivent au meilleur de leur forme. La mise au point de la chaîne du froid, sans aucune rupture, l'accélération des transports nous permettent de mettre dans l'assiette de nos clients des produits de première fraîcheur. Je sers, au déjeuner, des champignons cueillis dans les sous-bois la veille, des truffes qui ont gardé l'odeur enivrante de la terre chaude, de jeunes et tendres perdreaux à la plume vaporeuse, des poissons de petite pêche, sortis de l'eau quelques heures plus tôt, des salades si fraîchement récoltées qu'en les coupant elles pleurent encore leur lait.

Le perfectionnement de la chaîne du froid et l'amélioration des conditions de transport ont d'ailleurs bouleversé en profondeur ce qu'on appelait jadis la grande cuisine hôtelière. On s'est débarrassé des soi-disant grandes sauces qui n'étaient le plus souvent que des cache-misères, des opérations de maquillage. On a abandonné certains flambages aseptisants – et d'une façon générale les excès de diversion. Rappelez-vous : ont disparu presque complètement des cartes de restaurants, des plats comme des rognons de veau Beaugé, flambés au Cognac sur fond de veau, le homard à l'Américaine, le bœuf Strogonoff, le steak flambé, etc. (Je me demande d'ailleurs si cette surabondance d'alcools divers dans la cuisine française ne trahissait pas, en plus d'une recherche d'habillage de luxe de produits peu sûrs, une inclination particulière de certains chefs de cuisine, travaillant dans des conditions inhumaines, qui faisaient, du même coup, leur marché personnel de Madère, de Fine Champagne, de Rhum, etc.)

La technologie nous a également apporté une maîtrise parfaite et précieuse de l'intensité et des temps de cuisson, qui vont dans le sens du respect du produit. On peut aujourd'hui programmer des cuissons à basse température – comme celles qu'utilisaient intuitivement nos grands-mères dans l'âtre, ou dans leur cuisinière : on mettait vingt-quatre heures pour cuire un civet de lièvre dans une cocotte en fonte, sans dépasser 70 ou 75 degrés. La technique nous permet désormais de recréer ces conditions idéales de cuisson. On peut aussi maintenant, grâce à une maîtrise parfaite de la température et de l'hygrométrie d'une mûrisserie à viande (1 °C), cuire de superbes viandes rouges persillées dans la phase optimum de goût et de tendreté. Le double visage du progrès technologique, ses effets heureux/malheureux, sont aussi illustrés par une inquiétante uniformisation dans les propositions de produits. L'accélération des transports dont nul ne peut nier les retombées positives en matière de cuisine, a aussi pour conséquence de mettre tout au long de l'année à notre portée des légumes ou des fruits qu'on attendait jadis saisonnièrement. On dispose maintenant, si on le souhaite, de fraises mûres douze mois sur douze, d'exceptionnelles cerises du Chili en janvier, d'aubergines du Pérou à Noël, de légumes « forcés » – comme les travaux du même nom – douze mois sur douze. On nous annonce pour demain des huîtres asexuées, sans laitance, qui auront raison des « mois sans r ». S'affranchir du rythme des saisons est, à mon avis, une erreur. Je pense qu'il faut consommer les fruits, les légumes, voire certains coquillages quand ils arrivent naturellement à maturité, période où ils offrent le plus grand et le plus riche éventail de saveur. Suivant la saison, chaque produit présente un visage particulier : le chou unique n'existe pas, il y a le chou de printemps, le chou d'hiver, d'autres encore, aux qualités différentes. La pomme de terre primeur n'a rien à voir avec la pomme de terre tardive ; qui aurait l'idée de manger la primeur en frites ? Choisir un légume ou un fruit en fonction de la saison est plus qu'un plaisir : une marque de respect et d'amour. Et vous serez récompensé dans l'assiette.

Manger de tout n'importe quand et n'importe où, c'est narguer la nature. Le consommateur sera peut être surpris mais sera-t-il satisfait ? Le cuisinier sera-t-il vraiment heureux ?

Je considère avec méfiance les progrès d'une cuisine uniformisée, banalisée, répétitive, une cuisine tendant à devenir la même partout, à tout moment. Je sais bien qu'une telle cuisine présente de grands avantages commerciaux. Elle est gagnante sur le plan du temps – et on sait que gagner du temps est devenu, hélas, un impératif. Il est plus facile de vendre un produit unique toute l'année ! N'est-ce pas la base même, la règle d'or de la désastreuse *fast-food*, la restauration uniformisée basée sur la vitesse – celle de la réalisation et celle de la consommation ?

Cette cuisine industrielle supprime les possibilités de choix, impose un repas type et a pour effet de neutraliser le goût. Sans aller aussi loin certains cuisiniers, en cherchant à plaire constamment à tout le monde, risquent de ne plus plaire à personne. À l'opposé, certains groupes agro-alimentaires en proie aux arômes de synthèse et autres déviations, conscients des risques encourus, font appel aux chefs de cuisine reconnus afin de raison garder.

Notre cuisine doit garder son unicité et son identité tout en intégrant, comme elle l'a toujours fait, des apports de produits lointains. La tomate, la pomme de terre, l'aubergine, l'ail et bien d'autres végétaux, étaient inconnus chez nous avant la découverte de l'Amérique ou de l'Asie. Et les pâtes, le chocolat, le café, les épices ont beaucoup voyagé. J'ai travaillé dans de nombreux pays, j'ai observé les mœurs culinaires et je sais depuis longtemps que contrairement à une idée reçue du siècle dernier, « il y a bon bec ailleurs qu'à Paris ».

Mais je dénonce avec force la tendance à la standardisation et à l'internationalisation parfois grotesque de la cuisine. Un nouveau style de restauration apparaît où se mêlent les inspirations méditerranéenne, asiatique, orientale, etc. Il est question d'une *world* cuisine où l'on mélange, dans le même menu, une entrée chinoise, un plat français, un dessert turc, ... Ce qui est en cause, pour moi, c'est tout simplement la survie d'une certaine culture du goût, la défense de ce plaisir que procure, même à ceux qui n'en ont pas conscience, la saveur vraie, enthousiasmante, réconfortante, du produit sublimé. Tout ce qui altère, menace les qualités des produits et les possibilités de les apprécier, de les comparer, constitue à mes yeux une grave erreur.

En quatre décennies j'ai vu se raréfier de merveilleux fruits (comme les nèfles, les coings, les petites poires de la Saint-Jean, les pommes d'anis...), de splendides et goûteux légumes (comme la sucrine, la cornette, la rougette, le pourpier, la barbe de capucin, le topinambour, l'échalote grise, le chou de Pontoise, les asperges violettes, le haricot de maïs...) des viandes (comme l'agneau de Pauillac, le bœuf de Bazas, les poulardes grasses, les chapons, le porc fermier...). Heureusement, il s'est trouvé quelques passionnés, producteurs, cuisiniers ou gourmands, pour sauver et faire revivre quelques-uns de ces trésors menacés qui honorent nos bonnes tables.

On me reproche, parfois, un attachement excessif au terroir, on a jugé sectaire mon respect du produit pur, tenu à l'abri des manipulations et des traitements de l'industrie agro-alimentaire. Je ne suis pas d'accord. Un cuisinier doit être amoureux des produits qu'il travaille. Et cet amour implique une relation directe, sensorielle, qui exclut tout intermédiaire. À lui d'en extraire la quintessence. Le cuisinier est un cueilleur et un interprète.

Vous l'avez compris, je suis partisan d'une cuisine ouverte à toutes les innovations, aux saveurs nouvelles, aux alliances originales, mais respectueuse de sa tradition. Une cuisine où la vedette n'est pas le cuisinier, mais le produit.

Tout au long de notre histoire notre façon de manger a subi des influences extérieures qui se sont avérées historiquement positives. En effet, l'ingéniosité des cuisiniers a permis d'intégrer d'autres méthodes d'élaboration, de cuisson, d'assaisonnement, de mariages, d'équilibre, puisant ainsi dans le meilleur des rites ancestraux, des coutumes et des gestes d'autres civilisations. Avec toutes ces données, le style de cuisine a évolué et parallèlement le comportement et les besoins de la société. Je peux vous affirmer que cela ne s'arrêtera pas, car nous sommes toujours en quête du meilleur et que le consommateur en « faim » de nouveauté suivra cette éternelle évolution.

Comment cuire les viandes

Nous avons une grande tradition concernant la cuisson des viandes qui est étroitement liée à la vue et au toucher. Bleue, saignante, à point, les trois degrés de cuisson d'une viande grillée ou rôtie demandent une grande précision qui nous rappelle la phrase célèbre « on devient cuisinier, on naît rôtisseur » et j'ai envie d'ajouter grillardin. À titre explicatif je vous commente les différents degrés de cuisson pour la côte de bœuf, le carré d'agneau et le rognon de veau. Je tiens à préciser que ces commentaires s'appliquent à des viandes de qualité s'inscrivant dans une parfaite maîtrise de la chaleur, du gril ou du four utilisés. La viande sera salée avant d'être grillée. Ne pas oublier de laisser reposer les pièces de bœuf (10 min) et d'agneau (5 min) après cuisson avant de les trancher dans une ambiance chaude. Dans le cas de petites pièces, les poser sur une assiette retournée, sur une plaque au-dessus du fourneau, sans contact de cuisson.

Côte de bœuf

– Bleue : Le sang ne coule pas. La viande est chaude et gluante à cœur. La progression de la cuisson se distingue parfaitement. Suivant la qualité de la viande, l'écart est très marqué. La vue et le toucher sont d'importance dans le suivi et l'évolution d'une cuisson lente.

– Saignante : La cuisson est uniforme sur toute la tranche. Le sang perle. La viande est encore juteuse et moelleuse. Dans l'absolu concernant le rapport saveur/ texture, ce stade de cuisson est idéal, garantissant la meilleure expression du goût. La viande n'est pas gluante. Pour obtenir un saignant régulier, il faut démarrer la cuisson sur la partie la plus chaude du gril pour la poursuivre de façon plus modérée afin que celle-ci soit harmonieuse. Le rapport de cuisson se situe entre 1/4 et 1/3 de plus que « bleue ».

– À point : Le sang ne coule plus. La viande présente plus de fermeté et est moins juteuse. Pour une pièce de bœuf de Chalosse, la viande conserve sa couleur, offrant un rosé uniforme. Le rapport de cuisson « à point » est 1/4 de plus par rapport à saignant.

Carré d'agneau

– Rosé : Le jus coule, la noix du filet est encore bien rose à cœur, la peau et le gras présentent un croustillant parfait. La nécessité de faire reposer la viande implique une anticipation de la cuisson. La circulation de la chaleur participe à l'assouplissement de la viande.

– À point : Le jus ne coule pas. La texture de la viande est un peu plus ferme, la cuisson uniforme. La noix est au même stade de cuisson que les muscles de couverture. La cuisson « à point » de l'agneau est plus intéressante que celle de la viande de bœuf, la chair n'étant pas sèche. Ce stade de cuisson permet également aux consommateurs peu enclins à déguster de l'agneau d'y accéder. Le rapport de cuisson « à point » est 1/3 de plus que rosé.

Rognon de veau

– À la goutte de sang : Le rognon ne doit pas être gluant mais craquant. Le sang perle au milieu, la chair du rognon étant cuite. Il y a des nuances de couleur entre le cœur et les bords qui sont plus clairs. Le rognon est servi sitôt cuit et se consomme ferme et juteux. C'est une pièce capricieuse à cuire. La vue et le toucher sont sans cesse sollicités pour une maîtrise parfaite de la cuisson.

– À point : Le sang ne coule plus. La cuisson tend vers une uniformité de coloration de la chair. En même temps que la texture de celle-ci durcit, le goût devient plus fort.

Bouillon de langoustines aux asperges vertes

Injustement mis à l'écart de la cuisine contemporaine les bouillons et les soupes fines reviennent dans l'actualité et ce n'est que justice. Si on prend soin de respecter les températures et les temps de cuisson, ces préparations souvent spontanées sont diététiques, économiques, pleines de charme et de convivialité.

Si je souligne l'importance de la température de cuisson, c'est afin de respecter au mieux ce merveilleux et fragile crustacé. Des langoustines vivantes plongées trop longtemps dans l'eau en ébullition peuvent très rapidement produire un goût d'ammoniaque désagréable et inquiétant.

Dans le Sud-Ouest, même au plus chaud de l'été, chaque repas avait son potage en fonction des opportunités de la basse-cour, du potager, de la pêche, voire de la cueillette sauvage ou de la chasse, sans oublier les fêtes familiales et saisonnières.

Dans cette recette, avant de manger les asperges et les queues de langoustines, prenez le temps de humer et de savourer cet exceptionnel bouillon, fruit du mariage de ce sapide et amer légume avec ce sucré et iodé crustacé.

Pour 4 personnes

Ingrédients :
12 belles langoustines crues
36 moules de bouchot
150 g de filet de merlu
150 g de filet de baudroie
1 botte d'asperges vertes
1 bouquet de basilic
1 poivron rouge

Bouillon :
1 tête de merlu sans les ouïes
1 carotte
1 gousse d'ail
1 bouquet garni
2 échalotes
1 verre de vin blanc sec
12 à 15 filaments de safran
1 pointe de curry en poudre
1 pincée de piment d'Espelette
Sel

Bouillon

• Éplucher la carotte, les échalotes et la gousse d'ail. Émincer la carotte et les échalotes ; fendre la tête de merlu en deux, bien la rincer.
• Dans une petite marmite contenant 1,5 litre d'eau verser le vin blanc, mettre le bouquet garni, la gousse d'ail écrasée, les échalotes et la carotte émincées, la tête de merlu et du sel. Chauffer lentement en écumant et en prenant soin de ne pas porter à ébullition (12 à 15 min).
• Filtrer le bouillon obtenu, ajouter le safran, la pointe de curry et la pincée de piment d'Espelette.

• Éplucher les asperges, les cuire à l'eau bouillante salée pendant 5 à 6 min selon leur grosseur et leur fraîcheur (vérifier la cuisson à l'aide d'un couteau d'office dont la pointe doit pénétrer sans forcer dans la chair de la queue de l'asperge) ; réserver les pointes d'asperges et tailler les queues en sifflets.
• Brûler puis retirer la peau du poivron et émincer la chair en fines lanières.
• Tailler le merlu et la baudroie en fines lames. Faire ouvrir les moules, les décortiquer et garder le jus de cuisson. Tailler les langoustines en deux, à cru.
• Laver, essuyer et équeuter le basilic.
• Dans la soupière de service, disposer le poisson cru émincé, les asperges, les moules (non ébarbées si de petite taille) et leur jus, les langoustines et les lanières de poivron rouge.
• Chauffer le bouillon et le verser brûlant dans la soupière ; parsemer de feuilles de basilic et servir avec des petites tartines grillées et de la rouille.

Bien entendu, ce bouillon clair au goût puissant n'engendre pas la soif. Aussi pouvez-vous profiter de cette occasion pour servir deux doigts d'une vive et fraîche Manzanilla au goût iodé du Guadalquivir.

Mes beignets d'aubergine

Dans les cuisines orientale et méditerranéenne, l'aubergine occupe une place à part. C'est un des rares légumes qui se suffit à lui-même en entrée, en plat froid ou chaud. C'est aussi le seul qui a donné naissance à une recette turque légendaire : l'aubergine de l' « imam évanoui » (imam bayildi).

À l'occasion d'un récent voyage à Istanbul, j'ai recueilli trois versions différentes de cette légende. Dans la première, l'imam (prêtre) s'évanouit de bonheur après avoir goûté les beignets à l'huile d'olive qu'on lui présente ; dans la seconde version, après avoir dégusté le plat avec ravissement, il s'enquiert de la quantité d'huile d'olive (produit très rare en Turquie aux siècles passés) utilisée ; la réponse le fait défaillir... d'avarice. La dernière interprétation est plus religieuse : à l'annonce de l'abondance d'huile d'olive requise pour obtenir des beignets de cette qualité, l'imam réalise soudain que toute sa réserve est passée dans la cuisine et qu'il n'a plus de combustible pour les lampes rituelles de la mosquée, Dieu pardonnera-t-il cette offense ? La terreur divine s'empare de lui et il s'évanouit.

Cette recette est devenue chez nous une garniture classique connue sous le nom de « Bayaldi ». Personnellement j'aime beaucoup l'aubergine frite en beignet.

Dans les années 1970, un fournisseur gourmet et connaisseur m'indiqua une curieuse adresse de restaurant. Le dimanche suivant, réservation prise, nous voilà sur les routes de l'Essonne en quête d'une petite localité près d'Arpajon, cachée dans la végétation estivale : café de village à l'ancienne, comptoir, apéro du dimanche, joueurs bruyants de baby-foot rivalisant avec le vieux flipper, et l'homme en blanc, le cuisinier de cette histoire. Nous nous présentons et nous nous retrouvons isolés dans une grande arrière-salle où notre chef a implanté sa « cuisine cabane ». Notre cinquantenaire sent le grand professionnel avec le côté timide et sauvage des cuisiniers formés à l'ancienne. Il nous impose un menu qui s'avère excellent et pourtant en décalage total avec l'environnement. Avec le léger retard qui laisse à la volaille rôtie le temps de s'exprimer, notre maître queue nous apporte sur une serviette un buisson de beignets d'aubergine de rêve, blonds et croustillants.

Fin de repas avec compliments et remerciements. Ce cuisinier vivait déjà en osmose avec son potager et sa basse-cour et avouait devoir ses connaissances du métier à un long passage dans les cuisines du célèbre restaurant Chez Point à Vienne. Personnellement, c'était la première fois que je mangeais des beignets d'aubergine aussi bien maîtrisés.

Aussi, toujours insatisfait par les différentes pâtes à beignet issues de recettes classiques et ne souhaitant pas verser dans le style *tempura* japonisant, j'ai cherché pendant plusieurs années la façon d'obtenir le croustillant et le moelleux, sans la malédiction du gras.

Si vous aimez le melon chaud, n'hésitez pas à le servir en beignets en utilisant cette même pâte.

Pour 6 personnes

Ingrédients :
1 kg d'aubergines de petite taille
100 g de farine de blé
100 g de fécule de pommes de terre
10 g de levure de boulanger
10 cl d'eau tiède
6 cl d'eau
2 jaunes d'œufs
20 cl de crème fraîche
1 pincée de curry de qualité
Huile d'arachide pour friture
Sel

Sauce tomate aigre-douce :
50 g de sucre en poudre
50 g de concentré de tomate
50 g de vinaigre d'alcool
1 pointe de piment d'Espelette
5 g de sel

• Mélanger la farine, les 10 cl d'eau tiède et la levure de boulanger afin d'obtenir un levain bien poussé. Réserver pendant 1 h.
• Mélanger la fécule de pommes de terre avec les 6 cl d'eau, les jaunes d'œufs, le curry (assez généreusement) et le sel en quantité suffisante car l'aubergine ne sera pas salée.
• Laver et essuyer les aubergines puis enlever l'attache de la queue. Les tailler avec la peau en bâtonnets de 7 cm de long et de 2 cm de section.
• Fouetter la crème fraîche.
• Mélanger la préparation à base de fécule avec le levain et incorporer délicatement la crème fouettée ; votre pâte à frire est prête.
• Préparer la sauce aigre-douce : chauffer le sucre avec le vinaigre, le concentré de tomate, le sel et le piment d'Espelette.
• Tremper vos bâtonnets d'aubergine dans la pâte et frire à l'huile d'arachide à 180 °C.
• Servir brûlant avec, à part, la sauce aigre-douce à la tomate.

À fruit de soleil, vin de soleil. Comment choisir entre un vin blanc Corse et un vin de Bellet blanc puisque le cépage Vermentino dans l'île et le Rolle en Provence ne font qu'un ?

Tomates de juillet-août en salade

Amoureux du goût authentique des tomates de jardin et attristé par les galvaudées « tomates grappes-mozzarella » j'ai cherché à associer dans cette salade, tradition et originalité.

Pour 4 personnes

Ingrédients :

600 g de tomates olivettes de plein champ
8 jeunes piments verts de jardin
1 échalote grise
10 brins de basilic à petites feuilles
8 cl d'huile d'olive douce et parfumée (de préférence un grand cru de Toscane)
2 cl de vieux vinaigre de vin de Xérès
1 cuil. à café de sucre en poudre
1 cuil. à café de fleur de sel
Poivre noir du moulin

• Cueillir ou se procurer fraîchement cueillies ces merveilleuses petites tomates allongées appelées « olivettes ». Les choisir de petit calibre et tricolores. Je m'explique : bien que cette variété odorante et parfumée soit à chaire ferme, elle ne doit pas être à parfaite maturité car elle serait trop juteuse pour une salade. Il est bon qu'elle soit rouge d'un côté, jaune-orangé de l'autre avec une persistance de vert dans sa robe.

• Pratiquer une croix avec la pointe d'un couteau d'office sur chaque tomate (à l'opposé de la queue) et les plonger dans l'eau bouillante afin de les monder. Les réserver sans leur peau dans de l'eau glacée. Les tailler en quatre ou en six (suivant grosseur) longitudinalement dans un saladier.

• Peler, ciseler et rincer l'échalote sous un filet d'eau fraîche dans une petite passoire. Égoutter.

• Couper les queues des petits piments encore très tendres dont la couleur verte n'est pas encore affirmée, et dépourvus de « piquant » qui font le bonheur des jardins du Sud-Adour. Les détailler en quatre dans la longueur en ayant soin d'éliminer les graines et les petites cloisons blanches cotonneuses.

• 30 min avant le repas mélanger les morceaux de tomates, de piments, l'échalote ciselée, la fleur de sel, le sucre, le poivre noir du moulin (grossièrement moulu), le vinaigre et l'huile d'olive. Laisser macérer dans le saladier à température ambiante afin que l'osmose des saveurs soit optimale et que le jus des tomates rivalise de fraîcheur avec le goût subtil d'une grande huile d'olive rappelant curieusement l'odeur instantanée du pédoncule de la tomate fraîchement cueillie.

• Au moment de servir, verser la salade et son jus dans un beau plat rond creux, parsemer de petites et pertinentes feuilles de basilic et trancher un sérieux pain de campagne qui embaume le froment.

Il ne vous reste plus qu'à verser un vin blanc frais et onctueux digne des Côtes-du-Rhône septentrionales dans l'esprit d'un Saint-Joseph.

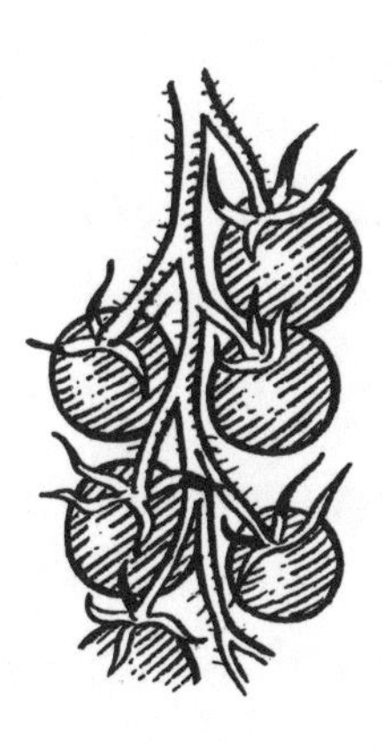

Gratin d'araignée de mer aux pointes d'asperges

Avec les bouquets et la langoustine royale, l'araignée de mer fait partie pour moi du triplé gagnant des crustacés.

Sa chair, difficile à extraire, est d'une finesse extrême, consommée froide avec une mayonnaise ou cuisinée !

Près du port de Saint-Sébastien, j'avais pris l'habitude d'amener des amis chez Alberto à l'heure de l'apéritif, le temps de grignoter quelques *percebes* (opernes en français), mollusques en forme de petits doigts noirs au goût iodé et fumé, et de laisser rafraîchir une bouteille d'Ygay blanc. Ensuite, la maman nous apportait une araignée de mer farcie et brûlante que nous partagions. Je n'en ai jamais goûté d'aussi savoureuse et je pense que son secret était lié au bouillon frais de « mouillement » prélevé dans le *ttoro* (merveilleuse soupe de poisson locale).

Dans ma recette, j'ai essayé de respecter l'authenticité de ce crustacé que vous pourrez déguster brûlant à la petite cuillère comme à Saint-Sébastien, dans la rue Firmin Calbeton où fleurissent les comptoirs croûlants sous les *tapas*. D'après mon ami « Océan » (José An diminutif de José Antonio), expert en *chiquitos* (volume minimal d'un verre à vin), cette rue est la mieux climatisée au monde, le soleil et la pluie l'épargnent puisque sur 150 mètres elle abrite 40 bars.

Pour 6 personnes

Ingrédients :
6 belles araignées de 500 g (si possible femelles)
1 botte d'asperges vertes de 24 brins (1 kg)
1 bouquet de basilic
2 échalotes
50 g d'ail
Lait
20 cl de crème liquide
150 g de mie de pain rassis
Piment d'Espelette
1 râpée de noix muscade
Gros sel

À grand mets, grand vin ! Vive le bon Champagne ! Comme je ne suis pas un mordu du comptoir ni un adepte des cocktails-buffets dînatoires, je n'éprouve pas de passion pour les Champagne « en dentelle » soi-disant légers et faciles à boire. Je leur préfère les grandes cuvées vineuses dégageant une longue persistance aromatique en bouche, plus favorables à la position assise devant un mets savoureux partagé entre amis. Ces précieux vins de Champagne évoquent pour moi l'ombre d'une élégante tonnelle ou la salle à manger d'une belle demeure ouverte sur un jardin fleuri ainsi que l'arrivée odorante d'un superbe plat chaud de crustacés.

• Cuire les araignées dans un court-bouillon corsé pendant 15 min. Laisser refroidir, enlever le dessus des araignées (coques), qui servira de réceptacle pour présenter individuellement la préparation.
• Décortiquer les araignées à l'aide d'une pince et d'une curette à homard en ayant soin d'éliminer les morceaux de carapace ou de cloisons cartilagineuses. Réserver au frais la chair et le corail.
• Éplucher et blanchir* les gousses d'ail dans du lait.
• Pendant ce temps, peler les asperges et cuire la partie tendre (un bon tiers de l'asperge) dans de l'eau salée, rafraîchir dans de l'eau glacée puis égoutter et fendre les pointes en quatre afin de mieux les répartir avec la chair d'araignée.
• Éplucher et ciseler les échalotes. Les rincer et les égoutter.
• Laver, essuyer et équeuter le basilic.
• Mixer la mie de pain bien sèche avec l'ail blanchi et les feuilles de basilic.
• Dans un bol mélanger la chair et le corail des araignées, la crème liquide, les échalotes ciselées, 1/3 de la chapelure au basilic et les pointes d'asperges. Assaisonner avec un peu de sel, du piment d'Espelette et la râpée de noix muscade.
• Préchauffer le four à 200 °C.
• Bien nettoyer les carapaces vides en ayant soin de découper l'ouverture avec des ciseaux afin de respecter la forme naturelle du ventre du crustacé.
• Répartir le mélange dans les coques et parsemer la surface avec la chapelure restante.
• Caler les 6 araignées dans un plat creux contenant du gros sel et cuire 10 min au four de manière à obtenir une surface croustillante.
• Servir immédiatement.

Friture de goujons en manchons

Le matin de Pâques coïncidait avec l'ouverture de la pêche et nous courions tous au ruisseau pêcher les premiers *pitchous* (vairons), de manière à pouvoir les manger frits dans la traditionnelle omelette pascale partagée après la première messe du matin. Pour moi, les petites fritures de poissons de rivière, d'étang ou de lac (vairons, goujons, ablettes, gardons, perchettes...) constituent l'amuse-bouche idéal avec un vin blanc sec bien frais.

On peut aussi faire de très bonnes fritures avec des poissons de mer (éperlans, petites équilles et petits anchois). Contrairement à ce que j'observe souvent, ne pressez pas de jus de citron sur la friture, respectez-la, laissez lui tout son croustillant (si difficile à obtenir). À l'exemple des Asiatiques, présentez à part le jus de citron salé et pimenté dans une petite coupelle afin de se servir au fur et à mesure et selon le goût de chacun. Le secret d'une friture réussie repose sur la qualité d'une huile très fraîche de préférence d'arachide.

Si vous disposez d'un peu de temps et d'habileté, la recette suivante apporte une présentation surprenante à la friture de goujons.

Pour 4 personnes

Ingrédients :
3 douzaines de beaux goujons
1 botte de persil plat
1 citron (jus)
Farine de blé ou « tempura » (préparation sèche à base de farine de blé, de fécule, de levure et de blanc d'œuf, que l'on trouve dans les épiceries fines)
1 blanc d'œuf
Lait entier
Huile d'arachide pour la friture
1 pincée de piment d'Espelette
Sel

• Vider les goujons en les ouvrant le moins possible ; les essuyer, ne pas les laver.
• Préparer à l'aide d'une paire de ciseaux des bandes de papier d'aluminium de 3 cm de large afin d'emprisonner la tête et la queue de chaque poisson en formant un manchon régulier de 2 cm de long à chaque extrémité.
• Plonger les goujons en manchons dans le lait froid bien salé.
• Battre le blanc d'œuf.
• Laver et essuyer le persil puis retirer les tiges.
• Badigeonner les sommités de persil de blanc d'œuf battu avec un pinceau, puis les saupoudrer de farine de blé ou de « tempura ». Les secouer pour retirer l'excédent de farine et les disposer séparément sur une feuille de papier sulfurisé (cette procédure vous permettra d'éviter le côté désagréable du persil « gras-frit »).
• Au moment du repas, chauffer l'huile d'arachide à 130 °C.
• Égoutter les goujons et les rouler dans la farine ou la « tempura » en prenant soin de ne pas enlever les manchons.
• Les plonger dans la friture afin d'effectuer un pochage pendant 3 min. Puis monter la température de la friture à 180 °C pour faire frire les poissons qui devront être croustillants et dorés.
• Les égoutter sur du papier absorbant.
• Faire frire le persil et pendant ce temps détacher les protections d'aluminium des goujons. Égoutter le persil sur du papier absorbant et le saler généreusement.
• Presser le citron puis le répartir dans des coupelles individuelles, ajouter du sel et la pincée de piment d'Espelette.
• Servir poissons et persil mélangés en buisson accompagnés des coupelles de jus de citron salé et pimenté (de manière à tremper la friture au fur et à mesure suivant le goût de chacun).

Cette recette permet une astuce de présentation : les poissons sont frits et dorés sur la longueur du corps, laissant têtes et extrémités des queues couleur naturelle.

En apéritif ou en entrée, c'est l'occasion de déguster l'un de ces vifs et pertinents vins de Loire sublimant le cépage Chenin, pourquoi pas un Savennières, un Montlouis sec ou un plus sauvage Jasnières.

Lapereau en compote potagère

Traditionnellement, l'été, on prépare dans le Sud-Ouest des compotes de viandes en gelée issues du pot-au-feu, dans lesquelles carottes et poireaux n'attendent qu'une vinaigrette intelligente.

La chair blanche et fondante du lapereau se prête tout particulièrement à ce genre d'exercice et n'a rien à envier au fameux jambon persillé de nos amis bourguignons.

Dans cette recette, j'ai souhaité honorer le moelleux de cette viande en respectant son discret goût suave très particulier. Soyez vigilant lors de l'achat du lapereau qui doit impérativement être d'une origine fermière garante de son goût.

N'hésitez pas à l'accompagner de groseilles à maquereau confites dans le vinaigre.

Pour 4 personnes

Ingrédients :
1 lapereau de 1,2 kg
2 pieds de porc cuits
30 cl de bouillon de viande
10 cl de vin blanc
1 botte de poireaux nouveaux
2 carottes
1 poivron rouge
1/2 citron (jus)
2 branches de menthe
1 bouquet garni

La veille du repas

• Préchauffer le four à 150 °C.
• Presser le 1/2 citron. Écraser les graines de coriandre.
• Couper le lapereau en 8 morceaux, le placer dans une cocotte allant au four, le saler et le poivrer ; ajouter les pieds de porc et le bouquet garni puis mouiller* avec le vin blanc, le bouillon et le jus de citron. Ajouter les graines de coriandre écrasées.
• Couvrir et cuire au four pendant 4 h.
• Laisser reposer 1 h puis dégraisser* à l'aide d'une petite louche à sauce.
• Laver, éplucher les poireaux (conserver le blanc et la naissance du vert) et les carottes. Fendre les poireaux. Couper les carottes

2 cuil. à soupe de graines de coriandre
Sel, poivre du moulin

Vinaigrette parfumée :
Huile de noisette
Vinaigre balsamique
10 brins de coriandre fraîche
Quelques feuilles de menthe

en rondelles cannelées. Cuire les légumes séparément dans l'eau bouillante salée puis les rafraîchir. Les égoutter.
• Brûler la peau du poivron et le couper en dés.
• Sortir les viandes de la cocotte ; désosser et couper les pieds de porc en petits dés, effilocher la chair du lapereau à l'aide d'une fourchette.
• Filtrer le jus de cuisson ; le verser dans un saladier, ajouter la menthe en feuilles, les dés de poivron et les viandes, mélanger délicatement puis rectifier l'assaisonnement.
• Dans une petite terrine rectangulaire, disposer la compote en alternant avec des rondelles de carottes et les poireaux nouveaux ; couvrir d'un papier film étirable, réserver au réfrigérateur.

Le jour du repas
• Laver, essuyer, équeuter et ciseler la coriandre fraîche et les feuilles de menthe.
• Préparer une vinaigrette parfumée avec l'huile de noisette, un peu de vinaigre balsamique, de la coriandre fraîche et un peu de menthe ciselées.
• Au moment de servir, tremper vivement le fond de la terrine dans l'eau chaude, et démouler sur le plat de service ; tailler de belles tranches à l'aide d'un couteau électrique. Servir à part la vinaigrette parfumée.

Et si on buvait un beau vin rosé de Champagne, dévoilant puissance et générosité liées au corsé Pinot noir et au fruité Pinot meunier. Prenez le temps d'admirer le jeu des petites bulles au travers de la buée naissante sur le verre.

Pâté en croûte de lièvre au foie gras

Cette recette met en jeu le gibier le plus puissant, la richesse confortable du foie gras, l'impertinence sauvage de la truffe et la sagesse du vieux Rhum. Le pâté qui les réunit tire sa signification du fait qu'il est cuit dans une croûte de pâte et non pas dans une simple terrine. Cette forme de cuisson a pour mérite d'emprisonner les différentes saveurs de la farce, le plus difficile est d'éviter que les exsudats (sucs et graisses échappés des chairs pendant la cuisson) détrempent et trouent la croûte de pâte. La solution facile consiste à effectuer la pré-cuisson des divers ingrédients de manière à les stabiliser. À mon avis cette pratique hypothèque l'amalgame spontané que l'on aime observer lors de la découpe d'un pâté.

Personnellement, je préfère cuire l'ensemble du pâté en deux temps. Tout d'abord j'effectue une demi-cuisson de la farce protégée par une crépine de porc, dans une terrine ronde. Je la laisse refroidir et reposer une nuit « chargée » (sous la pression d'un poids réparti à sa surface). Le lendemain matin, je démoule la terrine et la débarrasse des exsudats figés par le froid (qui seront réutilisés dans la gelée de présentation).

Il ne me reste plus qu'à habiller cette « terrine » en pâté avec la pâte requise en logeant le tout dans un nouveau moule adéquat. Pratiquer la deuxième partie de la cuisson sans oublier bien sûr de percer une petite cheminée* au centre du pâté (afin d'éliminer l'humidité pendant la cuisson et de pouvoir verser à froid la gelée liante).

Actuellement les beaux moules historiés et démontables sont devenus des pièces de collection, et nous sommes condamnés aux moules standards, en jouant sur les divers diamètres ou tailles. Souhaitons qu'un équipementier gourmand conçoive de nouveaux systèmes de beaux moules plus fonctionnels.

Pour 8 à 10 personnes

Farce de lièvre :
300 g de chair de lièvre
240 g de gorge de porc
80 g de foie de volaille
30 g de vieux jambon
100 g de chair de rôti de dinde
150 à 200 g de gelée charcutière corsée
1 beau foie gras de canard de 450 g environ précuit sous vide
3 cl de sang de lièvre ou de porc frais
200 g de crépine de porc
2 œufs entiers
5 cl de lait
Beurre
Sucre en poudre
Bouillon de volaille
Vinaigre blanc
3 cl de vin de Porto
3 cl de vieux Rhum
Quelques gouttes de Chartreuse
25 g de mie de pain
20 g d'échalotes
1/2 citron (jus et zestes)
50 g de pistaches
1 noix muscade râpée
7 g de sel
3 g de poivre noir
2 truffes (60 g)

Cette recette nécessite deux interventions sur deux jours.

La veille

• Saumurer le foie de volaille : le saler, le poivrer, le sucrer et le mettre dans un petit bol avec du vinaigre blanc pour le faire dégorger. Réserver au frais pendant 24 h.
• Préparer rapidement la pâte à foncer* comme une pâte brisée. Dans un cul de poule verser la farine, le beurre, le jaune d'œuf, le sucre et le sel ; travailler ensemble au batteur, puis réserver au réfrigérateur.

Préparation de la farce

• Peler et confire* les échalotes entières, dans une sauteuse, avec un peu de beurre et de sucre en poudre et du bouillon de volaille salé (à la moitié de la hauteur), le tout recouvert de papier cuisson.
• Blanchir* la gorge de porc et la rafraîchir.
• Blanchir* les pistaches. Les hacher ainsi que les truffes.
• Prélever le zeste du 1/2 citron puis en exprimer le jus.
• Tailler au hachoir, grille moyenne, toutes les viandes sauf la chair de rôti de dinde et le foie gras. Les déposer dans un grand bol, ajouter les alcools, le citron (jus et zeste), la noix muscade râpée, le sel et le poivre, finir par le sang frais, les pistaches vertes et les truffes hachées.
• Dans un mixeur, mettre la mie de pain trempée légèrement au lait, la chair de volaille, les échalotes confites et les œufs. Mixer finement, le rajouter à l'appareil précédent, puis bien mélanger l'ensemble, réserver au frais.

• Couper le foie gras cuit en 8 dans le sens de la longueur. Saler, poivrer, muscader. Réserver.
• Préchauffer le four à 120 °C.

Pâte à foncer* :
500 g de farine
250 g de beurre
2 jaunes d'œufs
(dont 1 pour le décor)
10 g sucre
10 g sel
5 cl d'eau

• Rincer la crépine, l'égoutter et la disposer sur le fond et les parois d'un moule rond à pâté (16 à 18 cm).
• Remplir de farce le moule en alternant avec 2 couches de foie gras. Rabattre la crépine en surface. Cuire au bain-marie dans le four pendant 1 h 30.
• Laisser refroidir 1 nuit au frais en pressant avec un moule de diamètre inférieur contenant du gros sel (charger).

Le jour du repas
• Préchauffer le four à 120 °C.
• Démouler le pâté froid et le dégraisser*.
• Beurrer légèrement votre moule à manqué à moins qu'il ne soit antiadhésif. Tapisser de papier sulfurisé, puis chemiser* avec la pâte en la laissant bien déborder sur les côtés. Glisser le pâté de lièvre froid à l'intérieur puis refermer le tout.
• Lustrer avec un jaune d'œuf et un pinceau, puis à l'aide d'un couteau, percer le dessus pour laisser échapper la vapeur pendant la cuisson (cheminée*). On peut aussi décorer la pâte au couteau.
• Mettre au four à 180 °C pendant environ 1 h.
• Une fois le pâté froid, verser par la cheminée de la gelée charcutière rehaussée de quelques gouttes de Chartreuse et laisser prendre au frais.
• Avant le repas, à l'aide d'un couteau électrique, tailler de belles tranches. Accompagner de quelques fruits au vinaigre (cerises, groseilles à maquereau, airelles, poires, figues, ...).

Comme tous les pâtés, celui-ci se bonifiera si vous avez la patience d'attendre 2 ou 3 jours avant de le consommer. Par contre n'oubliez pas de protéger la croûte de pâte de l'humidité avec du film alimentaire.

Le choix du vin est difficile suivant votre goût pour les tanins vifs ou les tanins fondus. Dans le premier cas, un grand vin rouge de Chinon sublimera le Cabernet franc et atteindra des sommets les grandes années ; d'autre part un vin de garde de Gigondas vous dévoilera la puissance et la douceur du Grenache au soleil.

Saumon sauvage au lard, cromesquis de riz crémeux

Jadis, dans le Sud-Adour, les ouvriers agricoles exigeaient de leurs employeurs par contrat qu'ils ne leur servent du saumon que quatre fois par semaine au maximum ! Aujourd'hui le vrai saumon sauvage est devenu rare, par contre le saumon d'élevage d'origine parfois obscure, envahit la grande distribution.

Si vous avez la possibilité de vous procurer un beau poisson sauvage et racé, à la tête pointue au ventre plat et musclé, prenez le temps de le cuisiner. Si vous le faites griller en belles darnes, la sauce béarnaise est toujours de mise quoique localement nous aimons bien la « paloise », peut-être inspirée par les occupants *anglois* qui n'est autre qu'une béarnaise à la menthe.

La chair d'un poisson de cette qualité est tellement riche qu'elle s'accommode parfaitement du lard fumé qui la protège ainsi que des herbes potagères qui parfument le riz crémeux.

Pour 6 personnes

Ingrédients :
1,5 kg de saumon frais
200 g de poitrine fumée
200 g de crépine de porc
6 feuilles de laurier fraîches
1 bouquet d'estragon
Sel, poivre du moulin

La veille

- Préparer le riz crémeux : peler et ciseler l'oignon blanc, le rincer, l'égoutter, le faire fondre dans une cocotte avec l'huile d'olive, sans coloration.
- Préchauffer le four à 150 °C.
- Rincer le riz, l'égoutter puis l'ajouter dans la cocotte pour le faire nacrer. Mouiller avec 25 cl de fond blanc et cuire avec le bouquet garni pendant 18 min au four, couvert de papier sulfurisé et d'un couvercle.

Sauce :
2 échalotes
Les queues du bouquet d'estragon
5 cl de vinaigre de vin rouge
50 cl de bon vin rouge
100 g de beurre
1 pointe de noix muscade râpée
20 grains de poivre noir

Riz crémeux :
150 g d'excellent riz du type Arborio italien
75 cl d'excellent fond blanc de volaille
5 cl d'huile d'olive
200 g de mascarpone
1 petit oignon blanc
1 bottillon de cerfeuil
1/2 bottillon d'estragon
1 bouquet garni
1/2 cuil. à moka* de piment d'Espelette

Panure :
80 g de farine
80 g de chapelure de pain de mie
1 œuf

• Sortir la cocotte du four, verser les 50 cl de fond blanc de volaille restant, le mascarpone et le piment d'Espelette. Continuer la cuisson 20 à 30 min, à découvert, sur feu doux, jusqu'à obtention d'un mélange crémeux de riz éclaté.
• Laver et ciseler les herbes.
• Laisser refroidir un peu le riz et ajouter les herbes ciselées.
• Tapisser un moule carré, ou un plateau profond à bords de 2 cm de haut, de film alimentaire. Verser le riz crémeux puis couvrir de film alimentaire et laisser prendre au froid toute la nuit.

Le jour du repas
• Préparer le saumon en filets, tailler 6 tronçons. Ouvrir chaque tronçon en deux « en portefeuille » sans séparer les morceaux.
• Blanchir* la poitrine fumée pendant 10 min puis la rafraîchir. La détailler en 12 fines tranches.
• Glisser dans chaque tronçon de saumon 4 feuilles d'estragon, 1 tranche de poitrine, saler, poivrer, refermer. Disposer dessus 1 deuxième tranche de poitrine et 1 feuille de laurier, saler, poivrer. Envelopper chaque tronçon de saumon de crépine de porc. Les placer dans un plat allant au four.
• Préchauffer le four à 180 °C.

La sauce
• Éplucher puis ciseler les échalotes et écraser les grains de poivre ; les mettre dans une casserole. Ajouter le vinaigre de vin et les queues d'estragon. Réduire* à sec puis mouiller* avec le vin. Réduire de moitié, monter au beurre (c'est-à-dire lier en jetant des parcelles de beurre cru dans la sauce en mouvement afin de la rendre d'aspect homogène) et parfumer de noix muscade râpée.

• Quand le four est chaud, faire rôtir le saumon pendant 8 min.
• Tailler de beaux bâtonnets de riz crémeux de 2 cm de section sur 7 cm de long. Les rouler dans la farine, les passer dans l'œuf battu avec soin puis dans la chapelure afin qu'ils soient rigoureusement panés.
• Plonger les bâtonnets de riz panés dans une friture d'huile d'arachide à 160 °C pendant 2 min. Les égoutter sur du papier absorbant et les saler délicatement.

• Servir le saumon accompagné de la sauce à l'estragon et des cromesquis de riz crémeux qui ont pour avantage d'emprisonner une préparation brûlante de riz parfumé presque liquide.

Ici, plus question de parler d'aquaculture, de farines suspectes ou de darnes roses et grasses au goût habituel ; nous sommes sur un produit sauvage d'exception alliant une superbe texture et une persistance rare en bouche. Un friand vin rouge de l'Yonne servi légèrement frais tel que Coulanges-la-Vineuse, Irancy ou Épineuil sera de bon aloi.

Perdreau rouge en feuille de chou tendre

Qu'il soit rouge ou gris, il est de plus en plus difficile de trouver du perdreau ayant grandi en milieu naturel dans un espace assez sauvage pour réunir les différentes graminées dont il tire son goût unique.

Ne perdez pas votre temps avec des sujets de repeuplement issus d'élevages, lâchés moins de deux mois avant l'ouverture de la chasse, et qui ont été nourris exclusivement de blé provenant de cultures intensives.

J'ai un faible pour le jeune perdreau gris chassé dès l'ouverture, appelé « pouillard », et qui reste un produit confidentiel.

Si vous avez la chance de pouvoir cuisiner un jeune oiseau frais chassé de cette qualité, de même qu'une jeune et véritable caille sauvage, pas d'hésitation, un seul traitement : une petite cocotte, un peu de ventrèche, une feuille de vigne, quelques grains de raisin, huile de noisette, beurre, sel, poivre noir et muscade… Ainsi rôti, vous profiterez pleinement du charme de cette moelleuse chair blanche très parfumée qui joue à merveille avec son jus clair légèrement « pincé ».

Amoureux de la ville de Stockholm lorsque les glaces et la neige l'enveloppent, j'ai dégusté à plusieurs reprises avec mon ami Werner Vögeli (cuisinier du roi de Suède) l'exceptionnelle perdrix des neiges chassée par les lapons. Comme le coq de bruyère, elle développe à la cuisson des saveurs balsamiques rares. Je l'ai goûtée aussi sur le cercle arctique, dans le grand nord canadien à l'occasion d'une expédition avec Paul Bocuse et Guy Savoy. Mais cette fois j'avoue avoir manqué de courage lors de la dégustation. En effet, après avoir savouré ce gibier dans une délicate sauce préparée le soir au bivouac par le chef canadien Jean-Paul Grappe, je me suis retrouvé le lendemain dans une situation plus inconfortable. Conscients du plaisir que nous avions éprouvé le soir, les trappeurs inuits nous organisèrent une chasse à la perdrix blanche. Sitôt abattu par une température de moins 60 °C, l'oiseau fumant fut plumé, vidé et parfaitement nettoyé avec de la neige. Le chef des chasseurs donna l'exemple, levant le filet sanguinolent avec son traditionnel couteau, le déchirant de ses canines acérées et le savourant les yeux mi-clos, le sang sur les lèvres... Paul Bocuse, flairant le piège, déclara que j'étais spécialiste de ce gibier et dirigea vers moi avec son merveilleux sourire, l'offrande fumante des Inuits que j'ai été contraint de refuser. Ceci, à la grande surprise de nos hôtes qui me firent remarquer que la veille nous avions consommé dans une assiette ce gibier à environ 40 °C et qu'aujourd'hui je le refusais à 30 °C (température de la perdrix qui venait d'être tuée) mais compte tenu de la température extérieure entre 50 °C et 60 °C en dessous de zéro ce perdreau cru était à 90 °C pour eux.

Sous nos climats c'est le perdreau rouge sauvage que nous cuisinons plus fréquemment. Sa chair, notamment ses cuisses, est un peu plus ferme et son goût est nettement marqué.

Dans l'esprit de la traditionnelle chartreuse de perdrix aux choux, j'ai conçu une recette respectant la texture de ce très beau gibier ; les cuisses sont préalablement fricassées et mélangées à du chou tendre, l'aile juste saisie est posée dessus avec une escalope de foie gras de canard et le tout est enveloppé dans une large feuille de chou ; l'ensemble, ainsi protégé, permet une belle cuisson moelleuse du « suprême » (le filet).

Pour 6 personnes

Ingrédients :
6 perdreaux rouges
500 g de foie gras de canard cru
250 g de crépine de porc
20 cl de bouillon de volaille
1 beau chou vert plat
400 g d'oignons
1/2 citron (jus)
60 cl de crème fleurette
50 g de beurre
5 cl d'huile d'olive
1/2 cuil. à soupe d'huile de noisette
30 g de sucre
1 râpée de noix muscade
Sel, poivre du moulin

Salmis :
60 g de vieux jambon
2 échalotes
1 carotte
1 bouquet garni
1 bouteille de vin de Sauternes

• Plumer, flamber, vider et désosser les perdreaux. Garder les suprêmes (filets).
• Peler et ciseler les échalotes. Éplucher la carotte et la tailler en brunoise* ainsi que le vieux jambon.
• Cuire les cuisses de perdreaux en salmis – le salmis permet d'obtenir un jus merveilleux au goût de perdreau et de récupérer la chair autour des os des cuisses. Dans une cocotte, faire revenir les cuisses de perdreaux avec la brunoise de jambon et de carotte, les échalotes ciselées, le bouquet garni et le vin de Sauternes. Laisser cuire lentement pendant 45 min. Dégraisser*, filtrer et réserver la sauce salmis.
• Effeuiller le chou. Plonger les feuilles dans l'eau bouillante salée, les maintenir fermes au terme de la cuisson. Les rafraîchir dans de l'eau glacée. Les égoutter puis les sécher avec du papier absorbant.
• Réserver les 12 plus jolies feuilles de chou. Émincer le restant et cuire dans une cocotte à couvert avec la crème fleurette, du sel, du poivre et la noix muscade durant 30 min, à feu doux.

La farce
• Éplucher et émincer finement les oignons puis les rincer sous un filet d'eau, les égoutter. Les cuire dans une sauteuse avec le beurre, l'huile d'olive, le sucre et 1 pincée de sel. Remuer régulièrement avec une cuillère en bois. Conduire la cuisson lentement jusqu'à obtention d'une belle couleur dorée.
• Réunir dans un saladier l'embeurrée de chou bien assaisonnée, les cuisses désossées cuites en salmis et l'émincé d'oignons confits.

Montage et finition
• Détailler le foie gras en tranches.
• Dans un même récipient, poêler successivement les tranches de foie gras, doucement, puis les suprêmes de perdreau côté peau.
• Disposer sur votre plan de travail, les 12 feuilles de chou deux par deux en les faisant se chevaucher.
• Au centre de chaque feuille de chou, répartir la farce en une couche puis déposer les tranches de foie gras et terminer par les suprêmes de perdreau.

• Jeter l'excédent de matière grasse provenant de la cuisson du foie gras et des suprêmes puis déglacer* la poêle avec le bouillon de volaille. Faire réduire* et ajouter la sauce salmis réservée, le jus de citron, l'huile de noisette de manière à obtenir un beau jus blond qui accompagnera l'ensemble.
• Préchauffer le four à 240 °C.
• Refermer délicatement chacune de ces préparations à la façon d'un petit rouleau. Puis les envelopper de crépine de porc pour un meilleur maintien à la cuisson. Les disposer sur une plaque garnie de papier sulfurisé. Les cuire au four pendant 15 à 20 min.
• Au terme de la cuisson, découper en biais et en deux chaque petit rouleau à l'aide d'un couteau électrique. Disposer sur chaque assiette puis verser le jus de perdreau.

Bien que riche en saveurs, ce gibier reste une viande blanche cuite à l'étouffée avec le confort humide du chou et appelle un vin d'une finesse remarquable et plutôt léger tel un grand Savigny-les-Beaune.

Poulet fermier en croûte de sel

C'est la rencontre inattendue de la sculpture et de la cuisine traditionnelle, alliée au plaisir bon enfant de « casser la croûte ».

Choisissez un vrai poulet qui a des formes et enrobez-le d'une pâte bien souple à base de gros sel en ayant soin de bien mouler ses contours. Vous obtiendrez une belle sculpture à la cuisson et il ne vous restera plus qu'à la casser devant vos invités et de libérer les chairs parfumées cuites à l'étouffée.

Servir avec une salade de haricots « beurre » rehaussée d'échalote et d'estragon frais. Cette variété de mange-tout jaune fraîchement cueillie est plus juteuse et onctueuse que les haricots verts.

Pour 4 personnes

Ingrédients :
1 poulet fermier
1 kg de gros sel
700 g de farine
50 à 60 cl d'eau
10 brins de romarin
1 livre de haricots « beurre » frais récoltés jeunes et fins
1 échalote grise
1 bouquet d'estragon
1 tomate verte
50 g de câpres
8 cl d'huile d'olive
1 cuil. à bouche* de vinaigre de vin
Sel, poivre du moulin

• Préchauffer le four à 160 °C.
• Mélanger la farine, le gros sel et l'eau froide. Pétrir et étaler sur le plan de travail. Saler et poivrer l'intérieur du poulet et le bourrer de romarin. Le poser sur la pâte et l'enrober hermétiquement.
• Cuire au four pendant 1 h 30.
• Pendant la cuisson, équeuter les haricots et les cuire dans de l'eau bouillante salée juste un peu plus qu'*al dente*. Éplucher l'échalote et la ciseler ainsi que l'estragon. Tailler la tomate verte en petits dés.
• Préparer une vinaigrette : mélanger le vinaigre de vin avec du sel et ajouter l'huile d'olive, du poivre, les câpres, l'échalote et l'estragon ciselés et les dés de tomate.
• Arrêter la cuisson des haricots « beurre » dans l'eau glacée, les égoutter, les couper en trois puis les assaisonner avec la sauce d'herbes sur un beau plat blanc ovale.

• Présenter le poulet en croûte de sel, devant les convives découper la carapace comme un couvercle pour faire apparaître le poulet parfaitement doré.

Si vous êtes perfectionniste, il est souhaitable de tiédir les haricots « beurre » au dernier moment juste avant de les assaisonner.

Dans ce plat tout est basé sur le moelleux de la cuisson, le simple goût pur de la volaille et les quelques notes vertes et acidulées saladières ; il est donc préférable de trouver un excellent complice pas trop envahissant : un Pinot noir d'Alsace vinifié à la bourguignonne.

Le lièvre à la mode d'Aquitaine

Cette recette est issue de la version classique du traditionnel *Lièvre à la royale* souvent rassis quelques jours, désossé, mariné, farci et braisé lentement.

Personnellement, je ne suis pas un adepte du faisandage, l'ayant mal vécu à maintes reprises. Dans ma conception, j'utilise un animal fraîchement tué, dépouillé, désossé ; je le frotte avec un peu de vieux Rhum, je le badigeonne avec une pommade d'épices et je l'oublie quelques jours dans de l'huile à une température très basse (1 °C ou 2 °C). Vous comprendrez ainsi mon mépris pour la traditionnelle marinade au vin rouge cru et sa mirepoix* de légumes qui délave les chairs et leur donne un goût dégradé de fermentation – très loin de la délicatesse du lièvre.

Ma préparation, grâce à une cuisson très lente, favorise une osmose entre le lièvre, la truffe, le foie gras et le vin de Sauternes.

Pour 6 à 8 personnes

Ingrédients :
1 lièvre de 3 kg convenablement tué
500 g de ris de veau
1 foie gras de canard entier (500 g)
100 g de jambon séché (Chalosse)
1 morceau de crosse de jambon séché
Quelques couennes de porc

La veille

• Faire dégorger* la crosse de jambon séché dans de l'eau froide, pendant 24 h.

Le jour de repas

• Dépouiller et vider le lièvre, retirer le cœur et le foie (en ayant soin d'enlever le fiel). Récupérer le sang de l'animal et le conserver avec un filet de vieux vinaigre.
• Désosser le lièvre entièrement (comme pour une ballotine de volaille) en ayant soin de percer le moins possible la deuxième peau.

500 g de crépine de porc
2 œufs
50 g de mie de pain
1 truffe de 30 g
100 g de carottes
10 échalotes grises
100 g de cèpes cuits
1 bouquet de persil
3 bouteilles de vin de Sauternes
5 cl de vieux Rhum
2 carrés de chocolat noir
10 baies de genièvre
1/4 de noix muscade râpée
2 clous de girofle
1 prise de cannelle en poudre
4 capsules de cardamome verte de Ceylan écrasées
3 g de poivre noir mignonnette
Serpolet ou fleur de thym frais
1 filet de vieux vinaigre
Moutarde forte de Dijon
Sucre en poudre
Sel

Garniture aromatique pour le fond de gibier :
3 carottes
1 oignon
1 brin de thym frais
2 feuilles de laurier
1 cuil. de baies de genièvre
6 grains de poivre noir écrasés

• Dans une marmite, préparer un fond de gibier avec la garniture aromatique, la tête, les os et la chair des jarrets concassés, le morceau de crosse de jambon, les couennes de porc. Mouiller* avec 2 bouteilles de vin de Sauternes. Cuire lentement durant au moins 2 h en écumant régulièrement.
• Réduire* en 4 fois, lentement et à couvert une demi-bouteille de vin de Sauternes afin d'obtenir une concentration sirupeuse, d'« empiler » les saveurs et de concentrer les arômes.
• Blanchir* et peler les ris de veau.
• Laver, essuyer, équeuter et ciseler le persil.
• Hacher finement le cœur, le foie du lièvre et les ris de veau, ajouter la mie de pain, les œufs, les épices, la réduction de vin de Sauternes, le vieux Rhum, le persil ciselé, le sang du lièvre et 12 g de sel.
• Hacher finement la truffe. Peler les échalotes et les émincer. Couper les cèpes en dés. Éplucher les carottes et les tailler en brunoise* ainsi que le jambon séché, gras et maigre confondus.
• Mélanger les 2/3 de la truffe hachée, la brunoise de carottes et de jambon séché, les dés de cèpes et les échalotes émincées. Faire suer l'ensemble. Ajouter ce mélange au hachis.
• Séparer les 2 lobes de foie gras et tailler le plus gros en deux dans la longueur. Juxtaposer les 3 morceaux bout à bout, les rouler dans du papier sulfurisé afin d'obtenir un rouleau uniforme de la longueur du lièvre désossé.
• Étaler le lièvre désossé, en forme de rectangle. Badigeonner les chairs avec un peu de moutarde forte, du sucre, du sel et du serpolet ou de la fleur de thym. Placer le rouleau de foie gras, débarrassé du papier sulfurisé, sur la longueur, disposer la farce autour, rouler façon ballotine. Entourer de crépine de porc pour bien donner la forme d'un cylindre et ficeler délicatement.
• Préchauffer le four à 160 °C.
• Dans une cocotte, faire dorer la ballotine de lièvre avec très peu de matière grasse dans le four. Dégraisser* puis mouiller* avec le fond de gibier et braiser lentement à 130 °C/ 140 °C pendant 3 à 4 h en ayant soin d'arroser régulièrement.
• Filtrer le fond de braisage obtenu, rectifier l'assaisonnement, lier avec le chocolat noir, ajouter le 1/3 de truffes restant.

• Servir le lièvre en belles tranches avec la sauce à part et l'accompagnement de votre choix.

Incontestablement l'exceptionnel Hermitage, cru issu de l'un de nos plus beaux terroirs, pour peu que son cépage Syrah provienne d'une vinification respectueuse et que le millésime soit assez ancien, semble le vin classique pour accompagner ce mets royal. Mais, on peut surprendre avec un vieux vin topaze de Sauternes qui saura aussi magnifiquement épouser les saveurs riches et complexes de ce plat démoniaque.

Ballottines de queue de bœuf braisée aux primeurs

Depuis toujours la queue de bœuf a été un élément savoureux de nos marmites de pot-au-feu. Sa chair bouillie qui reste moelleuse après une longue cuisson a inspiré de nombreuses recettes traditionnelles : en terrine, en gelée, à l'estragon, à la Sainte-Menehould (panée à la moutarde et mie de pain), etc.

Pour ma part, je cuis la queue de bœuf comme une daube, je la désosse à la cuillère, j'emprisonne sa chair juteuse dans des feuilles de laitue sous forme de ballottines, afin de garder les arômes délicats de la cuisson. Les légumes primeurs s'enrichissent au contact du jus riche et parfumé.

Pour 4 personnes

Ingrédients :

2 kg de queue de bœuf dégraissée
200 g de couenne de jambon
50 g de jambon de Bayonne
100 g de graisse d'oie
85 g de beurre
1 bouteille de vin de voile de nos amis de Gaillac (ou un grand vin jaune ou un merveilleux vin de Xérès)
200 g de carottes

• Blanchir* et hacher la couenne de jambon. Hacher finement le jambon de Bayonne. Réserver.
• Couper la queue de bœuf en tronçons de 4 à 5 cm d'épaisseur.
• Mettre la graisse d'oie et 20 g de beurre à fondre dans une cocotte. Lorsque le mélange est bien chaud, ajouter les tronçons de queue de bœuf côte à côte, sans les superposer. Laisser bien rissoler, à bon feu, pendant 8 à 10 min, puis les retourner. Saler et poivrer. Les faire bien dorer sur cette face encore 8 à 10 min. Retirer ensuite les tronçons de queue de bœuf et les réserver.
• Éplucher et couper en dés les carottes et les oignons. Laver et émincer le poireau. Peler les gousses d'ail. Monder* la tomate et la couper en quatre.
• Jeter l'excédent de graisse de la cocotte pour n'en conserver que 2 cuil. à soupe environ. Ajouter les dés de carottes et d'oignons, le

200 g d'oignons
100 g de poireau
1/2 tête d'ail (5 ou 6 gousses)
Les queues de champignons de la garniture
1 tomate
2 laitues
1 bouquet de persil plat
1 bouquet garni (queues du bouquet de persil, 1 morceau de branche de céleri, 3 ou 4 brins de thym, 1 feuille de laurier)
2 clous de girofle
1 râpée de noix muscade
Sel, poivre du moulin

Garniture :
8 cosses de fèves fraîches
8 brins d'asperges vertes
8 petites carottes nouvelles
4 petits navets nouveaux
150 g de petits champignons de Paris
1/2 citron (jus)
1 pincée de sucre en poudre

poireau émincé, les queues de champignons, les gousses d'ail écrasées dont on aura retiré le germe vert s'il est trop important, les couennes de jambon et le jambon hachés. Remuer bien le tout avec une spatule en bois pendant 5 à 6 min sur feu moyen. Ajouter ensuite les quartiers de tomate non épépinée et le vin rouge. Remuer et laisser partir l'ébullition.
• Remettre les tronçons de queue de bœuf dans la cocotte et glisser le bouquet garni au milieu. Ajouter les clous de girofle et la noix muscade râpée. Écumer avec une petite louche pour retirer les impuretés et la graisse qui montent à la surface.
• Couvrir la cocotte et laisser cuire à feu très doux pendant 4 h 30. Cette cuisson peut d'ailleurs se faire en deux temps, soit 2 à 3 h la veille de la dégustation et le reste du temps le lendemain.
• Lorsque la queue de bœuf est bien cuite, retirer les tronçons avec une écumoire et les laisser un peu refroidir. Les désosser avec une petite cuillère ; la chair se détache d'elle-même si elle est parfaitement cuite. Couper celle-ci en morceaux en travers des fibres de la viande. Réserver au chaud.

La sauce
• Après avoir retiré les tronçons de queue de bœuf, passer le jus de braisage au chinois. Le dégraisser* complètement avec une louche à sauce ou une cuillère puis le faire réduire* jusqu'à consistance sirupeuse. Incorporer ensuite 60 g de beurre en petits morceaux en remuant avec la cuillère en bois.

Les légumes de la garniture
• Les préparer pendant la réduction de la sauce. Écosser les fèves, éplucher et laver les autres légumes. Faire blanchir* les fèves dans une casserole d'eau bouillante salée, les égoutter dès la reprise de l'ébullition, les laisser un peu refroidir, ôter la peau. Faire cuire séparément à l'eau salée les asperges pendant 6 à 7 min selon leur taille, les carottes 7 à 8 min et les navets 5 à 6 min. Tous ces légumes doivent être cuits à point.
• Presser le 1/2 citron.
• Mettre les champignons dans une petite sauteuse avec 1 cuil. à café de jus de citron, 1 noix de beurre et le sucre en poudre. Les

L'oxtail, ce consommé d'exception à base de queue de bœuf avec son trait d'Amontillado (Jerez), a fait florès et continue d'être une référence de goût auprès des gourmets de la planète. Aussi, vénérons le fumet de cette magique queue de bœuf et offrons-lui fragrance et élégance avec un délicat Chambolle-Musigny d'un arôme exaltant. Et plus particulièrement un coup de cœur pour « Les Amoureuses », premier cru situé juste au-dessous de Musigny, à la frontière de Vougeot.

laisser cuire jusqu'à évaporation de l'eau de végétation, ils prennent alors une belle couleur blonde. Réserver tous ces légumes au chaud dans le four tiède.

Les laitues

• Couper la base du trognon, ôter les feuilles abîmées, garder les laitues entières et les laver ainsi sans abîmer les feuilles. Préparer une grande casserole d'eau bouillante salée et un saladier d'eau froide avec des glaçons. Plonger une laitue dans l'eau bouillante, appuyez dessus avec l'écumoire afin de bien l'immerger. L'égoutter dès la reprise de l'ébullition et la plonger aussitôt dans l'eau glacée afin qu'elle conserve sa belle couleur verte.
• Renouveler l'opération avec la deuxième laitue. Détacher, une à une, les feuilles les plus grandes, retirer la base de la nervure principale qui est dure puis les étaler en corolle sur un torchon propre. Préparer ainsi huit groupes de trois feuilles.

Les ballottines

• Préchauffer le four à 160 °C.
• Laver, essuyer, équeuter et ciseler le persil, l'ajouter à la viande coupée en morceaux ainsi que 3 cuil. à soupe de sauce. Mélanger bien le tout puis répartir cette préparation au centre des feuilles de laitue. Replier celles-ci pour enfermer la viande.
• Dans une cocotte ou dans un plat allant au four, verser la sauce et les légumes, ajouter délicatement les ballottines obtenues. Couvrir hermétiquement avec une feuille d'aluminium et glisser le plat dans le four pour réchauffer le tout pendant 10 à 12 min.

• Disposer les ballottines sur les assiettes chaudes. Garnir avec les légumes. Napper le fond des assiettes avec 1 à 2 cuil. à soupe de sauce. Servir chaud.

Foie de veau rôti,

pommes de terre écrasées aux oignons verts

Beauvilliers, ancêtre des restaurateurs parisiens au Palais-Royal, servait déjà le foie de veau entier rôti à la broche. Mon ami Edouard Carlier, qui a créé à Montmartre cet exceptionnel restaurant de charme à l'enseigne du même Beauvilliers, a redonné vie, dans les années 1970, au foie de veau cuit en pièce entière pour une tablée de gourmands.

Avec tout le respect dû à cette tradition, je n'hésite pas à le larder du gras rose de vieux jambon. Ce préparatif s'accomplit en général à l'aide de la lardoire (sorte de broche creuse en forme de gouttière). En l'absence de cet ustensile, j'ai trouvé une solution très facile et à mon goût plus savoureuse : je taille des lanières de 3 mm de section dans du gras de jambon, je les congèle ; je prépare des avant-trous dans le foie de veau à l'aide d'un couteau à lame fine puis j'enfile les lanières congelées dans la chair. Ce rôti tout en douceur s'accommode bien sûr d'un bon gratin de macaronis, de pommes de terre ou de cardes, mais je trouve plus judicieux de l'accompagner d'une simple pomme de terre écrasée à la fourchette, rehaussée par la provocation de l'oignon vert et la douceur d'une noix de beurre cru.

Pour 6 personnes

Ingrédients :
1 kg de foie de veau en un seul morceau
150 g de gras de vieux jambon séché ou à défaut 150 g de lard gras de porc
100 g de gras de veau (que votre boucher préféré vous offrira)

La veille

• Tailler le lard en lanières carrées de 0,5 cm de côté et de 15 cm de longueur. Les ranger ensuite au congélateur ou bien dans le compartiment à glace du réfrigérateur.

Le jour du repas

• Éplucher et hacher très finement l'oignon ainsi que la carotte et le blanc de poireau. En revanche laisser la gousse d'ail en chemise c'est-à-dire entière avec sa peau.

80 g de beurre cru
500 g de pommes de terre charlotte
2 tiges d'oignons verts
1 oignon
1 carotte
1 blanc de poireau
1 gousse d'ail
1/2 citron (jus)
5 cl de vin de Porto (facultatif)
Sel, poivre du moulin

• Sortir les lanières de lard gras du froid et larder le foie de veau dans le sens de la découpe. Saler et poivrer généreusement.
• Préchauffer le four à 180 °C.
• Hacher grossièrement le gras de veau et le répartir au fond d'une cocotte. Déposer le foie de veau et enfourner. Compter 20 min de cuisson si vous aimez le foie légèrement rosé, 25 à 30 min si vous le préférez assez cuit. Dans les deux cas, l'arroser généreusement avec le jus rendu.
• À la fin des 10 premières minutes de cuisson, ajouter dans la cocotte le hachis d'oignon, de carotte, de poireau ainsi que la gousse d'ail en chemise. Mélanger délicatement.
• Cuire les pommes de terre à la peau dans de l'eau bouillante salée ; puis les peler et les réserver au chaud.
• Une fois cuit, retirer le foie de la cocotte et le placer entre deux assiettes pour le conserver au chaud.
• Remettre la cocotte contenant le fonçage de légumes sur le feu. Ajouter le jus de citron, 5 cl d'eau et éventuellement le vin de Porto. Mélanger pour déglacer* en faisant bouillir le tout pendant 1 min. Au dernier moment, goûter et rectifier l'assaisonnement. Filtrer.
• Placer le foie de veau sur un plat, présenter la sauce à part et accompagner des pommes de terre cuites écrasées à la fourchette, rehaussées de beurre cru et des tiges d'oignons verts ciselées. Sur la table, découper le foie comme un rôti de bœuf.

Si vous avez sélectionné un foie de veau de lait bien clair à la texture ferme, le résultat après cuisson sera d'une grande élégance et d'un beau fruité avec cette légère amertume qui donne envie de se resservir. Vous pouvez penser à un jeune vin de Bourgueil ou de Saumur-Champigny, sinon une vieille bouteille séveuse d'un beau cru de Saint-Estèphe des années 1950/60 devrait trouver matière à « causer ».

Rognon de veau en cocotte,
pommes nouvelles et pousses d'épinards

Qu'il soit d'agneau, de porc ou de veau, et à condition d'être prélevé à une bonne époque de la vie de l'animal, le rognon réserve toujours une agréable surprise, avec la complicité d'une cuisson adaptée.

Le tout petit rognon d'agneau de lait bien clair doit être patiemment rôti dans sa graisse et dégusté coupé en deux avec un simple tour de moulin à poivre et une pincée de sel de mer.

Le rognon de porc souvent décrié, et à juste titre, pour son odeur forte, est très bien maîtrisé dans nos terres du Sud-Ouest. Issu d'un porc fermier, on le sale généreusement avec les viandes à confire (ainsi il dégorge complètement) et après quelques mois dans la graisse de cuisson il s'apparente à un beau galet (d'où son nom gascon *caillaou*). Il suffit alors de le servir froid en fines lamelles lors de l'apéritif pour convaincre ses détracteurs.

Le rognon de veau, incontestable vedette de la catégorie, s'accommode aussi bien du gril que de la casserole. Issu de la grande tradition gastronomique française, cet abat noble reste pour moi une source permanente d'inspiration.

En famille j'aime toujours griller, comme le faisait ma mère, des brochettes composées de rognon et foie de veau séparés par des lamelles de vieux jambon, agrémentées au dernier moment de quelques tours grossiers de moulin à poivre noir.

Pour 6 personnes

Ingrédients :
6 petits rognons de veau de lait bien clairs et d'une extrême qualité dans leur graisse
20 cl de jus de veau
200 g de beurre cru
800 g de pommes de terre roseval
500 g de jeunes pousses d'épinards
30 g d'échalotes grises
1/2 bouquet de persil plat
1/2 bouquet d'estragon
30 g d'ail
Sel de Guérande
Poivre noir mignonnette

• Dans une casserole mettre les pommes de terre non épluchées à cuire à feu doux pendant 45 min.

Préparation du beurre d'herbes
• Peler et blanchir* l'ail.
• Laver, essuyer, équeuter et ciseler le persil et l'estragon.
• Malaxer le restant du beurre (120 g) avec les herbes ciselées et l'ail blanchi. Réserver.

• Préchauffer le four à 200 °C.
• Parer la graisse des rognons en laissant environ 0,5 cm de graisse autour et prendre soin d'extraire les canaux. Rouler les rognons dans le sel et le poivre. Les mettre à cuire dans une grande sauteuse dans le four chaud pendant 15 à 20 min en les arrosant régulièrement. Contrôler la cuisson en les piquant à l'aide d'une fourchette à viande, le jus doit sortir rosé.
• Éplucher les pommes de terre, les couper en rondelles puis les réserver au chaud dans le four tiède avec 80 g de beurre cru.
• Peler, ciseler et rincer les échalotes.
• Au moment de servir, mélanger et faire tomber les pousses d'épinards quelques secondes dans le plat brûlant contenant les rondelles de pommes de terre, sans oublier quelques tours de moulin à poivre.
• Chauffer le jus de veau et le verser dans une saucière avec les échalotes ciselées.
• Tailler les rognons en quatre ou cinq rouelles épaisses. Disposer sur le plat de service les pommes de terre chaudes et les pousses d'épinards avec les rouelles de rognons de veau, étaler le beurre d'herbes sur les rognons. Accompagner du jus de veau chaud aux échalotes.

Les rognons de veau de qualité sont aussi riches en goût que les beaux gibiers à plumes et s'honoreront d'un intense Mazis-Chambertin de 6 à 8 ans d'âge subtilement parfumé sans être trop sur le fruit rouge. Vous avez aussi la possibilité d'ouvrir une bouteille de Côte-Rôtie qui a harmonieusement vieilli.

Tête de veau à la navarraise

Dès le Moyen Âge, la tête de veau « en tortue » (farcie et cuite entière dans un braisage « au blanc » condimentée avec des « herbes à tortue » : basilic, thym, laurier, sauge, romarin et marjolaine) était un grand plat traditionnel et spectaculaire. Je préfère la proposer sous une forme plus discrète et moins réaliste en lui donnant l'aspect de grosses rouelles tranchées dans une ballottine. Le charme de sa texture gélatineuse et la discrétion de son goût demandent une grande richesse dans les condiments ; je n'hésite pas à lui infliger l'acidité des câpres, le piquant du piment, le mordant du zeste de citron, la verdeur de l'olive, le parfum anisé de l'estragon et du cerfeuil sans oublier l'arrogance des cébettes (jeunes oignons verts).

Pour 8 personnes

Ingrédients :

1 tête de veau désossée bien blanche
1 langue de veau
5 œufs
100 g de câpres
150 g de piments « piquillo »
150 g d'olives vertes dénoyautées

Cuisson de la viande de veau :

150 g de farine
1 oignon
1 carotte
1 gousse d'ail
1 citron (jus)

La veille du repas

• Préparer la cuisson de la tête de veau : éplucher la carotte, l'oignon et l'ail. Écraser la gousse d'ail. Presser le citron.
• Dans un faitout, délayer la farine dans de l'eau froide, ajouter la carotte, l'oignon clouté, la gousse d'ail écrasée et le jus de citron, faire bouillir le tout sans oublier de saler. Ajouter la tête de veau avec la langue, mouiller à hauteur et recouvrir d'un linge propre ; laisser cuire 2 h à feu doux. Piquer la tête de veau à l'aide d'un couteau d'office pour vérifier la cuisson.
• Faire durcir les œufs puis les hacher.
• Couper les piments en lanières.
• Couper les olives en quatre.
• Retirer la langue, l'éplucher, la tailler en gros cubes. Mettre les dés de langue dans un cul de poule et les mélanger délicatement avec les câpres, les lanières de piments, les œufs hachés, les quartiers d'olives.

1 bouquet garni
2 clous de girofle
Sel

Vinaigrette :
20 cl de jus de veau
1 cuil. à soupe de vinaigre de Xérès
3 cuil. à soupe d'huile de sésame
1 cuil. à soupe de câpres
1 échalote
1/2 bouquet de cerfeuil
1/2 bouquet d'estragon
1/2 botte de cébettes (jeunes oignons verts)

Garniture :
500 g de carottes
500 g de céleri-rave
500 g de petites pommes de terre

• Étaler la tête de veau cuite de manière à obtenir un beau rectangle sur une feuille de papier sulfurisé. Placer la farce au centre de la tête de façon à la rouler pour obtenir un gros boudin de 12 cm de diamètre. Ficeler l'ensemble dans le papier sulfurisé, bien serré. Réserver au réfrigérateur et laisser prendre en gelée naturellement.

Le jour du repas
• Préparer la garniture : éplucher, laver les carottes, le céleri et les pommes de terre ; tailler les carottes en rondelles, le céleri en dés et les pommes de terre en quartiers. Les cuire respectivement à l'eau salée.
• Préchauffer le four à 150 °C.
• Enlever le papier sulfurisé qui entoure la tête de veau roulée. Tailler 8 belles rouelles de 2 cm d'épaisseur, les placer sur un plat pouvant passer au four. Réchauffer dans le four environ 15 min couvert de papier aluminium.
• Préparer la vinaigrette : peler et ciseler l'échalote ; laver, essuyer et ciseler le cerfeuil, l'estragon et les cébettes ; dans une casserole mélanger le vinaigre de Xérès, le jus de veau et l'huile de sésame. Chauffer et ajouter les condiments et les herbes ciselées. Saler et poivrer.
• Servir les rouelles de tête de veau nappées de vinaigrette chaude accompagnées des carottes, du céleri et des pommes de terre arrosés de la même vinaigrette.

Un vin blanc de grand cépage s'impose, surtout s'il a l'expression et la vivacité des terroirs de cette Bourgogne qui a pour nom Saint-Aubin, Mercurey, Rully et qui personnalise si bien le cépage Chardonnay.

Noisettes de brebis en fine croûte, curry de légumes

De même qu'on ne vend que de la côte de bœuf, même s'il s'agit le plus souvent de vache de réforme, vous trouverez chez votre boucher sous le nom de mouton essentiellement de la viande de brebis. En France le goût de suint de la viande de mouton mâle n'est pas du tout prisé. Les mâles sont consommés jeunes (agneau de lait, agneau broutard), alors que les femelles sont généralement réservées à la reproduction.

On ignore que toutes les grandes recettes classiques de mouton sont en réalité basées sur l'élégante chair de brebis. Comme pour le bœuf d'élevage, le mouton castré est en voie de développement en Bigorre, dans les Pyrénées.

De Toulouse à Bordeaux le puissant goût de la côtelette de brebis de réforme (6 à 8 ans) enrichi par les haricots blancs nouveaux, fait partie de nos habitudes culinaires. Dans ma recette, compte tenu du goût de cette viande, j'ai choisi de n'utiliser que le filet.
Afin de le protéger à la cuisson, je l'enrobe d'une fine croûte parfumée. Compte tenu de sa saveur soutenue, j'aime lui adjoindre le charme d'un curry délicat de jeunes légumes, conforté de fondants pois chiches. Je voue une prédilection à ce curieux pois sec, dont l'aspect cuit rappelle « un nez de veuve et un derrière de couturière ». Avec le charme d'une texture exceptionnelle, n'hésitez pas à les préparer chauds ou froids comme des haricots avec moult épices et aromates.

Pour 6 personnes

Ingrédients :
900 g de filets de brebis dénervé
20 cl de jus blond d'agneau
200 g de chapelure blanche
50 g de farine
2 œufs
100 g de beurre
5 cl d'huile d'olive
1/2 bouquet de persil
1/2 bouquet de basilic
20 g d'ail
2 branches de sarriette fraîche
1/2 citron (jus)
Sel, poivre du moulin

Curry de légumes :
25 cl de fond de volaille
20 g de Maïzena
100 g de courgettes
100 g de carottes
100 g de céleri-rave
100 g de petits pois
50 g de pommes de terre
100 g de pois chiches cuits
1 botte de cresson
1 noix de beurre
50 g de crème montée
1 jaune d'œuf
1 cuil. à café de curry
1 cuil. à café de curcuma
Sel

Curry de légumes

• Dans une casserole, faire chauffer le fond de volaille avec la Maïzena, le curry et le curcuma, bien mélanger avec un fouet puis réserver au froid.

• Éplucher et laver les carottes, les courgettes, les pommes de terre et le céleri puis, à l'aide d'une cuillère à pommes noisettes, tailler de petites billes. Cuire les légumes, sauf le cresson, séparément à l'eau bouillante salée en finissant par les petits pois ; rafraîchir tous les légumes dans de l'eau glacée, les égoutter et les réserver au réfrigérateur.

• Laver, essuyer et équeuter le persil et le basilic.

• Dans un mixeur déposer la chapelure ainsi que le basilic et le persil, laisser tourner 3 à 4 min jusqu'à ce que la chapelure prenne une couleur verte.

• Saler et poivrer les filets de brebis, les fariner, les tremper dans les œufs battus puis les rouler généreusement dans la chapelure verte.

• Préchauffer le four à 220 °C.

• Dans une sauteuse allant au four, faire chauffer l'huile d'olive et la moitié du beurre, déposer les filets de brebis et commencer la cuisson à feu très doux pour ne pas faire brûler la chapelure. Mettre au four et cuire pour obtenir une viande rosée à cœur.

• Peler et blanchir* l'ail. Ciseler la sarriette. Presser le citron.

• Dans une petite casserole verser le jus de brebis, l'ail blanchi, la sarriette ciselée, rectifier l'assaisonnement. Ajouter 1 noix de beurre et 1 filet de jus de citron en finale. Réserver au chaud sans faire bouillir.

• Dans une sauteuse verser le fond blanc au curry, chauffer légèrement, lier avec le jaune d'œuf et ajouter les légumes. Remuer délicatement puis ajouter la crème montée.

• Au moment de servir, dresser le curry de légumes dans une cocotte. Faire fondre le cresson avec un peu de sel et le beurre, le disposer au fond du plat de service ; tailler en biais les filets de brebis en 18 morceaux et les placer sur le cresson. Ajouter un peu de jus de brebis et servir le restant à part en saucière.

La viande de brebis, le basilic, le curry ont besoin d'un vin chaleureux et parfumé. Les vins du Tricastin, de Lirac, de Vacqueyras et certaines cuvées des Côtes-du-Ventoux conviendront parfaitement.

Cassoulet à ma façon

Avant l'arrivée du haricot d'Amérique au XVIe siècle, le cassoulet était cuisiné aux divers « accents » du Sud-Ouest pour les viandes mais exclusivement avec des fèves dans leur peau (fraîches en saison ou sèches en hiver). La subtilité du haricot et son confort fondant ont remplacé la fève. Malgré mes années d'études toulousaines auprès des « taste-mounjettes » (experts en dégustation du haricot local) c'est au haricot plat de maïs, appelé « tarbais », que je fais appel pour mon cassoulet.

Dans mon esprit, le cassoulet évoquera toujours la rencontre, dans mon premier restaurant, Au Trou Gascon, de deux monstres du show business : Orson Welles et Mort Shuman. Mort, un ami et un sérieux client me parlait souvent du « grand » et de son œuvre et lui vouait une énorme admiration.

Orson Welles de passage à Paris réserva une table pour motif de cassoulet… (comme beaucoup d'américains il était expert en haricots et avait une passion pour ce fameux « tarbais »).

Ce soir-là, Mort Shuman dînait dans nos murs avec des amis autour d'un cassoulet ; je lui avais promis une surprise.

Quand Orson Welles de noir vêtu rentra majestueusement avec sa canne dans notre petite salle, un curieux silence se fit et Mort, l'enfant de Brooklyn, resta les yeux écarquillés.

Quand je lui proposais de le présenter à « Citizen Kane » la timidité l'envahit et je fus obligé de le tirer par la main. À sa surprise, Orson Welles connaissait son œuvre musicale, en particulier les grandes chansons d'Elvis Presley et le serra affectueusement sur son cœur.

Les deux géants restèrent ensemble à converser un petit moment. Plus tard, Mort encore bouleversé me révéla qu'ils avaient surtout parlé des mérites et des qualités du haricot tarbais dans le cassoulet !

Concernant la présentation du cassoulet, il est recommandé d'utiliser des « cassoles », plats en terre vernissée prévus à cet effet (vous pouvez en trouver aux poteries du Lauragais). Si vous avez le bonheur de pouvoir le faire cuire très lentement dans un four à pain, vous obtiendrez une très belle peau roussie en surface qui emprisonnera tout le moelleux. De nombreux cuisiniers choisissent la facilité
en saupoudrant la surface avec de la chapelure en fin de cuisson. Personnellement je préfère, une demi-heure avant de servir, écraser quelques haricots cuits avec un peu de couenne et tartiner la surface du plat dans l'attente d'un bel aspect « chapeauté ».

Pour 6 à 8 personnes

Ingrédients :
500 g de haricots secs
1 petite épaule d'agneau bien dégraissée
150 g de couennes de porc bien dégraissées
600 g de saucisses de porc
1 crosse de jambon séché
150 g de jambon séché
6 gésiers d'oie confits
3 cuisses et 1 aile de canard confites
1 verre de vin blanc sec

Garniture aromatique :
1 oignon
2 carottes
3 gousses d'ail
1 clou de girofle
1 râpée de noix muscade

La veille

• Mettre à tremper séparément les haricots et la crosse de jambon une bonne nuit dans de l'eau.

Le jour du repas

• Blanchir* la crosse de jambon dans de l'eau pendant 30 min et réserver.
• Désosser l'épaule d'agneau puis la couper en gros cubes (si votre boucher est coopératif demandez lui de vous débiter l'épaule en sciant les os de manière à cuire les morceaux de viande sur l'os) puis les blanchir* à l'eau salée et les égoutter.
• Ébouillanter les haricots et les rafraîchir (cette action permettra de les cuire sans qu'ils éclatent).
• Éplucher l'oignon et les carottes. Ciseler l'oignon, tailler les carottes en brunoise* et écraser légèrement les gousses d'ail avec leur peau. Monder* et épépiner la tomate.
• Couper le jambon séché en dés. Découper les couennes de porc en lanières.

1 bouquet garni
1 belle tomate
Sel, poivre noir écrasé

• Chauffer une grosse cocotte en fonte et y faire rissoler les morceaux d'agneau avec leur propre graisse de parure, ajouter les lanières de couennes. Quand l'agneau arrive à la couleur dorée, ajouter la garniture : carottes, oignons, ail et jambon. Laisser légèrement caraméliser les sucs, dégraisser* et déglacer* avec le vin blanc et un bon verre d'eau.
• Préchauffer le four à 140 °C.
• Ajouter dans la cocotte les autres ingrédients de la garniture aromatique ainsi que la crosse de jambon. Verser les haricots et finir de mouiller* à hauteur, commencer à cuire sans oublier d'écumer et conduire la cuisson « au sourire » (infime bouillon).
• Pendant ce temps, cuire les confits 20 min au four, en les arrosant bien de façon à dorer la peau et faire fondre la graisse. Ajouter les saucisses pour les rôtir ainsi que les gésiers en fin de cuisson.
• Bien égoutter les confits et les saucisses de leur graisse. Découper les cuisses en deux et l'aile en six.
• Après 1 h de cuisson, ajouter aux haricots les confits, les saucisses et les gésiers. Rectifier l'assaisonnement en étant vigilant sur le sel et plutot généreux avec le poivre noir écrasé, vérifier que le jus de cuisson couvre bien les haricots et les viandes. Continuer la cuisson encore 30 min (suivant la variété du haricot).
• Servir directement dans la cocotte.

Ce plat riche et voluptueux appelle un vin rouge tannique aux accents locaux mais pas forcément quelque chose de puissant, plutôt un vin rouge vif et pertinent qui saura rafraîchir et souligner les douceurs de cette grande « osmose » odorante. Privilégiez les vins de Fronton (vignoble voisin de Toulouse) liés à la sève du cépage Négrette ; sinon les élégants vins de Buzet feront l'affaire.

Flan de poires à la chicorée

Dans mon enfance j'ai été bercé par les réclames vantant les mérites de la bénéfique chicorée, boisson prisée par les champions du tour de France et les grands-mères économes qui prétendaient améliorer le café et le rendre moins nocif. De nos jours et pour notre bonheur, le café et la chicorée ont gagné en qualité et se complètent sans se mélanger.

Cette recette n'est pas le fruit de la dégustation simultanée d'une tarte aux poires et d'un bol de chicorée mais tout simplement de l'influence de mon ami Jacques Maximin, cuisinier hors du commun avec qui j'ai eu le bonheur d'œuvrer pour les superbes croisières organisées par Henri Gault et Christian Millau. Originaire du Pas-de-Calais, berceau de la chicorée, il a poussé le vice jusqu'à candir (cristallisation lente dans un sirop de sucre concentré) les particules de chicorée, déshydratées par la torréfaction, afin de sublimer une poire farcie à la glace chicorée.

Je ne pouvais plus m'empêcher de manger la chair douce et délicate de la poire cuite sans penser à l'élégante amertume de la chicorée.

Ainsi dans cet entremets classique, la caresse de la poire passe-crassane s'encanaille avec la chicorée dans le vertige de l'eau-de-vie de poire épicée.

Pour 6 personnes

Caramel :
60 g de sucre en poudre
5 cl d'eau
1 trait de jus de citron

Appareil à flan :
1 kg de poires (passe-crassanes)
3 œufs entiers
110 g de beurre
150 g de sucre en poudre
3 graines de cardamome
1 pointe de noix muscade râpée
1 clou de girofle
1 cl d'extrait de vanille
Extrait de chicorée
5 cl d'eau-de-vie de poire

Coulis :
500 g de poires (passe-crassanes)
20 cl de crème fleurette
100 g de sucre en poudre
5 cl d'eau
5 cl d'eau-de-vie de poire
Extrait de chicorée

• Préparer un caramel blond en faisant fondre à feu doux le sucre avec l'eau et le trait de jus de citron, puis le verser dans un moule à charlotte.

Le flan

• Piler les graines de cardamome. Peler et épépiner 700 g de poires.
• Les réduire en compote avec 80 g de beurre, 100 g de sucre en poudre, le clou de girofle et les graines de cardamome pilées.
• Après cuisson mixer cette compote puis la « dessécher » à feu doux en ayant soin de remuer avec une spatule en bois. Parfumer avec la vanille, la noix muscade râpée, l'eau-de-vie de poire en finale sans oublier quelques gouttes d'extrait de chicorée.
• Peler, évider et partager en deux longitudinalement le reste des poires (300 g) et les caraméliser à feu vif avec 30 g de beurre et 50 g de sucre puis les égoutter sur un torchon. Émincer les demi-poires confites, faire un décor en rosace au fond du moule et réserver le reste.
• Préchauffer le four à 160 °C.
• Battre les 3 œufs entiers, les mélanger avec la compote froide et les poires émincées caramélisées et verser dans le moule.
• Cuire au four dans un bain-marie pendant 40 min.
• Laisser refroidir 1 nuit au frais.

Le coulis

• Peler et épépiner les poires.
• Les cuire dans un sirop préparé avec 100 g de sucre en poudre et 5 cl d'eau, pendant 5 min. Mixer le tout, refroidir.
• Dans une casserole, porter à ébullition la crème fleurette avec quelques gouttes d'extrait de chicorée, ajouter l'eau-de-vie de poire et verser dans le coulis de poire.

• Démouler le flan en ayant soin de chauffer le fond du moule et le dresser sur un compotier. Servir accompagné du coulis à la poire.

Un vin de Muscat de Rivesaltes vieux, légèrement ambré et servi à peine frais dans de beaux petits verres, accompagnera au mieux ce dessert.

Mon crumble aux abricots

L'abricot n'attend pas et ne permet pas la médiocrité. C'est l'un des fruits les plus riches à la cuisson et il exige une maturité idéale. Choisi bien mûr et non farineux, sa grande acidité appelle le sucre.

Sur les conseils de Madeleine Solignac, ma première caissière au Trou Gascon dont le mari était un fin pâtissier, je dispose les abricots dans un mélange de beurre noisette*, de cassonade et de jaunes d'œufs. Afin de conserver du caractère à ce dessert d'esprit classique, il est important d'ajouter les pertinentes amandes contenues dans les noyaux d'abricots sans oublier quelques filaments de safran répartis dans la préparation.

Pour 6 personnes

Pâte à crumble :
100 g de sucre en poudre
150 g de poudre d'amandes
125 g de farine
125 g de beurre cru
Sel

6 biscuits à la cuillère
750 g d'abricots fermes et bien mûrs
3 jaunes d'œufs
100 g de cassonade
100 g de beurre cru
20 filaments de safran
Kirsch
Sel

La veille

Préparer la pâte à crumble :
• Tailler le beurre bien froid en petits dés.
• Mélanger la poudre d'amandes, le sucre en poudre et la farine puis très rapidement sans travailler le mélange incorporer le beurre (en fraisant* avec la paume de la main sans appuyer) afin d'obtenir une pâte grossièrement sablée.
• La laisser reposer 24 h au frais.

Le jour du repas :
• Foncer* le moule à tarte avec les 2/3 de la pâte.
• Dénoyauter les abricots, casser les noyaux et récupérer les amandes, les peler et les tailler en deux. Découper les oreillons d'abricots en petits cubes.
• Écraser les biscuits à la cuillère et les imbiber légèrement de Kirsch.

• Répartir sur la pâte les morceaux d'amandes et les dés d'abricots, les filaments de safran et les biscuits écrasés et imbibés de Kirsch (ils absorberont l'excédent de jus de cuisson du fruit).
• Préchauffer le four à 220 °C/ 230 °C.
• Chauffer le beurre noisette*.
• Blanchir* les jaunes avec la cassonade et incorporer le beurre noisette. Répartir cette crème sur l'ensemble de la tarte et parsemer la surface avec des particules brisées du restant de pâte à crumble.
• Cuire au four pendant 15 min (pour bien fixer les surfaces extérieures) puis pendant 30 min en diminuant la température à 200 °C.
• Démouler chaud puis servir tiède.

Si vous mettez la main dessus, servez un vin blanc de Condrieu en vendanges tardives qui vous donnera la véritable expression de ce curieux cépage aux complexités orientales.

Les recettes originales

Je fais la cuisine telle que j'aime la manger, c'est-à-dire en m'efforçant de sublimer le produit, d'en tirer le maximum de saveur, de finesse, d'en exprimer le génie, je ne trouve pas le mot trop fort. Le cuisinier doit mettre en œuvre ses connaissances techniques (préparation, cuisson, etc.) et son imagination créatrice dans le traitement et l'accompagnement. C'est de cette façon qu'il peut remplir sa mission qui est de communiquer une émotion, de faire naître avec générosité, une sensation d'harmonie – une fête du goût.

À l'état naturel, beaucoup de produits manquent d'intérêt ou, au contraire, sont trop violents, voire agressifs. Exemple le navet cru, qui a une odeur bizarre et n'a guère d'attrait. Confit et glacé, il devient intéressant. De la betterave rouge, je n'ai jamais réussi à tirer grand chose (à part sa couleur). Je me suis épuisé à essayer de faire quelque chose avec des foies de pigeonneaux, en vain ; alors que les foies de rougets m'ont beaucoup apporté. Je citerai encore le corail des coquilles Saint-Jacques, d'aspect attirant, mais sans goût agréable. Le célèbre Curnonsky, élu prince des gastronomes au début de notre siècle, mort après la Seconde Guerre mondiale en tombant de sa fenêtre à Paris, a écrit que la grande cuisine était celle qui laissait aux choses leur goût naturel. J'ai réfléchi à cette affirmation et je pense qu'elle doit être pondérée. Notre ami Jean Delaveyne en qui la plupart des chefs reconnus aujourd'hui voient l'un des grands inspirateurs de la cuisine actuelle disait : « La cuisine c'est quand les choses correctement cuites et assaisonnées à point n'ont plus le goût de ce qu'elles avaient crues. » En effet, il faut, dans de nombreux cas, éliminer les défauts d'un produit, l'équilibrer, le mettre en valeur, en un mot, le sublimer. Peut-être parce que je suis un hédoniste, j'éprouve une véritable joie quand, par l'acte culinaire, je transforme de beaux produits. Dès que je les visualise dans un jardin, sur un marché, à la chasse, dans un bateau de pêche, un déclic se fait dans ma tête et survient l'envie de jouer avec ces produits, de les provoquer, de les adapter... Certains, pour moi, appellent l'eau, d'autres le feu, d'autres évoquent l'air d'une cuisson à la broche, la cocotte en fonte pour cuire à l'étouffée, ou la terre qui peut même servir de moule. Ce n'est pas forcément le plus beau qui m'attire. De mes origines provinciales, j'ai gardé une grande méfiance. D'instinct, je choisis et privilégie le plus authentique. Mon but est d'obtenir un mets au goût idéal, d'accès gustatif évident. Obtenir la révélation du produit peut être difficile et me pousser à mettre en œuvre des procédés culinaires complexes. Mais dès lors que je suis engagé dans cette entreprise, je n'arrête plus. Pour moi, cuisiner c'est prendre simultanément plusieurs décisions, harmoniser gestes et choix au bon moment et garder une maîtrise parfaite de l'opération pour aboutir à un concentré de bonheur.

Je suis, comme beaucoup de gens du Sud-Ouest, passionné de tauromachie et je pense souvent qu'en cuisine, comme dans l'arène, la moindre faute est aussitôt sanctionnée, même si – heureusement – les risques sont moindres en cuisine...

Cuisiner c'est aussi choisir le matériel, les ustensiles adéquats, maîtriser leur fonctionnement, respecter les températures, gérer le feu pour parvenir à la cuisson parfaite et à la texture idéale. C'est une école de patience. Deux fois par jour, à chaque service, tout recommence. C'est une remise en question permanente, un travail souvent répétitif, que certains peuvent juger fastidieux, mais qui développe l'imagination et donne naissance à des techniques de cuisine nouvelles, plus adaptées à la vie actuelle.

Le rôle de cuisinier est lié étroitement aux caprices de la nature.

À nous de décider le moment de cueillir, de ramasser – voire de tuer – quand le produit est à maturité, ayant atteint sa taille idéale, son poids idéal, afin qu'il se prête au mieux à notre travail – qui est de le mettre en valeur tout en le respectant.

Constamment à l'écoute de la nature, de ses rythmes, de ses subtiles programmations, je ne cesse jamais de rechercher de nouvelles associations, de nouvelles préparations, des recettes inédites, aptes à attirer et à surprendre les gourmets. Dès que je suis en contact, d'une façon ou d'une autre, avec un produit de caractère, mon imagination se déclenche et l'envie me prend d'en tirer quelque chose de nouveau. C'est presque un réflexe. En tout cas, c'est ma façon d'agir.

Je fonctionne toujours de la même manière. Je fais appel à ma mémoire, je plonge dans mes bases classiques, j'invoque la sagesse de la cuisine du terroir et ses repères. Ainsi instruit, et rassuré, je m'emploie à réduire au maximum les composantes de ma création. Un plat comportant trois ingrédients c'est bien, deux éléments c'est mieux et un seul c'est superbe ! Pour arriver à ce dépouillement il faut jouer sur les déclinaisons du produit en utilisant le même ingrédient combiné sous diverses cuissons. J'apprécie particulièrement les mets qui ne sont pas déstructurés en cuisine. J'ai plaisir à les présenter à la sortie du four avec leur garniture de cuisson. Comment ne pas rêver à la vue d'une volaille entière croustillante et odorante ? Découpée chichiteusement, elle n'a plus le même charme. Restons vrais et soyons fiers de nos gigots, de nos pièces de viande, de nos poissons avec la peau, la tête et la queue et oublions les filets finement escalopés et ornés d'éléments souvent inutiles !

Pour accompagner les pièces braisées ou rôties, rien de mieux que leur propre jus même si quelques gouttes de matière grasse de cuisson sont encore présentes. Elles gardent l'intégralité du goût et apportent fraîcheur et persistance aromatique. En raison de mes origines, la graisse d'oie et l'huile d'olive sont le plus souvent les complices de mes cuissons ; je n'éprouve pas beaucoup d'intérêt pour le beurre cuit. Dans ma cuisine, je n'utilise presque jamais de crème, je suis convaincu qu'elle neutralise les sauces et banalise les arômes (c'est un maquillage facile). J'aime les préparations simples qui parfois peuvent relever du génie – je pense aux salades. On doit assembler idéalement les différentes herbes et familles de salades et trouver l'assaisonnement adéquat (vinaigrette, jus, condiments) qui sera le dénominateur commun de cette composition.

Au sujet des sauces, les ouvrages spécialisés parlent toujours de fonds de sauce voire demi-glace. Je ne suis pas un adepte de ces bases anciennes : il est tellement plus simple de faire des jus, en partant des parures et des carcasses du produit de base, ou d'exprimer les goûts en faisant rissoler et en mouillant (ajout de fumet, bouillon au vin) très peu pour obtenir des jus fidèles au produit d'origine.

Pour préparer les poissons, coquillages et crustacés, les fumets seront réalisés à basse température et très rapidement afin d'éviter des goûts désagréables. Dans les deux cas, jus et fumet, il est important de les refroidir très vite. La zone de 50 °C, favorable à des évolutions bactériologiques, est très dangereuse pour les arômes (goût dégradé de vieille soupe). Et si un plat est bien cuisiné il ne sera pas meilleur réchauffé comme on le dit hélas trop souvent.

Nous avons appris à faire mariner dans du vin les gibiers, surtout à poils, puis à faire bouillir le vin. J'ai depuis fort longtemps renié ces mœurs du passé, j'aime trop le vin. Aussi ai-je pris l'habitude de frotter les chairs avec une belle eau-de-vie (Cognac ou vieil Armagnac) puis de les oindre avec une pommade d'épices adéquate, et de les laisser mariner dans de l'huile. En ce qui concerne le vin, je préfère les vins riches que je fais réduire* très lentement en quatre temps – je ne verse pas la totalité du vin dès le départ mais en quatre fois –, pour empiler les arômes, à couvert, surtout pas flambés ou bouillis. L'osmose d'un grand cru bien réduit avec un gibier, élégamment cuisiné peut donner un grand résultat.

La réussite d'un repas exceptionnel repose d'abord sur l'équilibre des quatre éléments du goût : le salé, le sucré, l'amer et l'acide. J'ajoute aussi la texture avec les contrastes du croustillant et du mou, du gélatineux et du croquant. Souvent un seul de ces éléments en petite quantité permet au plat de devenir plus vivant : grains de fleur de sel, épices rares et bien dosées, gouttes de jus de citron, vinaigres rares, vanille, zestes d'agrumes, grains de café, chocolat noir râpé…

Il est toujours agréable de retrouver sur certains mets le plaisir de croquer sous la dent le sel et le poivre. Afin de ne pas déséquilibrer l'assaisonnement de base, utiliser la fleur de sel qui sera délicate en goût sans déranger le palais. Oublier le poivre blanc et le gris (goût de soude, voire de savon suite au procédé de décorticage) et prendre du noir avec un moulin peu serré afin d'obtenir de gros éclats (rappelant le poivre mignonnette). Il apporte l'opulence du bois exotique avec moins de violence que moulu fin.

En ce qui concerne la pâtisserie, je suis toujours, inconsciemment, à la recherche de mes bonheurs d'enfant. Je n'aime pas les desserts à base de sucres cuits, ou très dépouillés. J'aime le confort des crèmes, le moelleux de la pâté briochée qui ponctue un repas.

La cuisine c'est avant tout l'imagination et la recherche. Un cuisinier ne doit jamais être totalement satisfait de ce qu'il fait, de ce qu'il crée, même s'il a le droit d'en être fier. Personnellement, je crois avoir favorisé quelques mariages originaux, ou du moins, mis en place d'heureux rapprochements. J'en ai signalé quelques-uns dans la préface. Vous en découvrirez plus avant dans ce livre. Et je n'ai pas fini d'en trouver d'autres.

Nous sommes bien d'accord. Notre cuisine survivra aux percées de la biogénétique, aux accélérations effrénées des techniques et des déplacements, au culte de la vitesse, à la confusion des genres (mélange cuisine-spectacle) et aux différentes modes. Elle continuera même de progresser. Mais sous certaines conditions.

La première est la survie des produits qui l'inspirent. La cuisine que nous aimons vivra si elle réussit à la fois à évoluer avec son temps et à s'ancrer dans ses traditions. Une exigence de plus en plus grande sera requise dans le choix du produit. Nous serons nécessairement attentifs lors des achats. Dans un avenir très proche, le client exigera de connaître l'origine de la viande, du poisson, du coquillage, du légume ou du fruit qu'il commande. C'est le problème, dont on commence à parler, de la « traçabilité ». Il ne suffira plus d'affirmer l'origine, il faudra en donner les preuves. Bientôt les détaillants afficheront l'origine de ce qu'ils vendent. Toute fraude sera réprimandée. Cette formule aura aussi l'avantage de resserrer, ou de rétablir, le contact interrompu entre producteur et consommateur. En cas de déception, on saura à qui s'adresser, en cas de grande satisfaction aussi. On se dirige vers une cuisine vérité, que je pratique personnellement depuis longtemps : je connais l'origine de toutes les viandes ou des gibiers que je sers, je sais où sont pêchés poissons ou crustacés, et je connais forêts, truffières et fermes d'où proviennent champignons, volailles et foies gras. Je ne suis jamais à court quand un client me demande la provenance de ce qu'il souhaite manger.

Une conséquence de cette morale culinaire sera la revalorisation des bas morceaux. Compte tenu de la difficulté, prévisible, d'obtenir des produits totalement mûrs, le cuisinier sera tenu de les exploiter au maximum, y compris ce qu'on méprise encore aujourd'hui, c'est-à-dire les abats, la triperie, les morceaux dits moins nobles. L'art d'accommoder les bas morceaux – de les braiser, par exemple – s'est peu à peu perdu et, à mon avis, reprendra ses droits, au grand bénéfice de la cuisine : il est évident que moins le morceau est noble, plus doit s'exercer le talent du cuisinier. La cuisine est avant tout l'art d'extraire du produit, quel qu'il soit, le maximum de saveur et de plaisir, c'est-à-dire de le sublimer.

Compte tenu de l'accès facile aux médias, aux voyages sans frontières et aux migrations de communautés lointaines, nous sommes depuis deux décennies dans une phase de renouveau de notre cuisine. *Sachons capter le talent de tous et sublimons-le...* La cuisine a toujours été une terre d'échanges, interprétons-la, remettons-la en scène en gardant et en respectant le fil conducteur du bon goût, du bon produit et des bonnes bases maîtrisées. Nous, les gourmands curieux, aimons les différentes cuisines du monde et nous voulons inconsciemment faire découvrir ces sensations nouvelles en les intégrant dans notre univers habituel. La place est plus que jamais à l'imagination, à l'interprétation, à la personnalisation, soit en deux mots à l'inventivité culinaire.

Une autre condition de survie de notre cuisine réside dans l'imagination des cuisiniers. La cuisine, je l'ai dit, doit évoluer sans cesse. Un cuisinier digne de ce nom est toujours aux aguets, à la recherche de recettes nouvelles, d'alliance de vins méconnus, de nouveaux produits authentiques, de saveurs insolites et de rapprochements originaux. La vraie cuisine repose sur le changement, l'évolution, le respect des saisons – comme la vie. Les recettes qui en sont la base ne sont pas des formules figées, mais des possibilités d'émotion saisies au bon moment et toujours susceptibles d'être modifiées. C'est l'esprit de ces recettes originales.

Truffe fraîche en salade « bon pain »

Après une éclosion quasi-mystérieuse et le charme secret de sa cueillette, ce champignon souterrain à la croissance et la maturation lentes, pare somptueusement la cuisine d'hiver.

Mais il y a truffe et truffe. Nous ne parlerons que de la *Tubèr Melanus porum*, que l'on récolte essentiellement dans le Périgord et dans les Alpes du Sud. Oublions toutes les autres variétés. Certaines années les arômes sont plus développés dans une région que dans l'autre ; il faut donc acheter les truffes avec son nez et ses yeux. Personnellement, j'aime les travailler fraîches avec toute la générosité de leur arôme ; mais compte tenu de la nécessité d'en utiliser pour des préparations particulières, j'ai recours à la conservation. Chez moi, nous stérilisons les truffes en bocaux, immergées dans de l'huile de pépins de raisin. Ceci afin de garder le maximum d'intégrité et de récupérer jus et huile richement parfumés.

Jeune stagiaire de l'école hôtelière de Toulouse, j'ai découvert dans les années soixante à l'Hôtel de Paris et du Coq Arlequin de Saint-Céré (Lot) toute la richesse de la truffe noire et sa superbe complicité avec l'œuf de poule. J'avais mission de redresser l'image de notre école, compromise par le comportement désinvolte des élèves qui m'avaient précédé.

En ce temps-là, les jours de repos en saison n'existaient pas et nous faisions plutôt trois fois 35 heures par semaine. Au travail dès 7 h du matin, mon premier geste était de remettre les restes de pain de la veille à un monsieur souriant et plein de charme qui descendait du château local en 2 CV. « Pour avoir de bons œufs, me confiait-il, il faut que les poules soient heureuses, donc bien nourries. » Cet homme au regard bleu très clair avec qui je m'entretenais chaque matin avec bonheur n'était autre que Jean Lurçat, qui avait remis la tapisserie murale d'Aubusson à la mode.

Il y a quelques années, suite à une pression amicale, j'accueillis dans les cuisines du Carré des Feuillants un jeune garçon doué et sympathique à l'accent marqué par la terre du Quercy. À ma surprise, je découvris qu'il s'agissait du fils de mes anciens maîtres de stage de Saint-Céré qui l'année suivante décrochait sa première étoile Michelin... Peu de temps après, les parents du jeune homme et madame Lurçat, veuve du célèbre artiste, vinrent goûter à ma cuisine et constatèrent avec plaisir que je n'avais pas oublié le mariage de l'œuf et de la truffe, que dans certaines occasions j'honore par un généreux soufflé.

À la fin du repas, ils m'offrirent une magnifique œuvre du Maître représentant une chouette. Depuis, accrochée dans l'entrée du Carré des Feuillants, elle accueille nos visiteurs.

J'aime décliner ce merveilleux produit au travers de menus festifs et de très nombreuses recettes ; mais je ne peux oublier les matins brumeux de récolte où l'on partage la truffe à la croque au sel avec du pain de campagne. C'est pour sublimer ces moments que j'ai mis au point cette truffe fraîche en salade « bon pain ».

Pour 4 personnes

Ingrédients :
100 g de truffe fraîche
100 g de champignons de Paris
1/2 bottillon de persil
15 cl de bouillon de volaille
12 cl d'huile d'olive douce
20 g de parmesan vieux
80 g d'excellent pain blanc rassis
Sel, poivre du moulin

• Parer les truffes afin de garder la majeure partie propice à la découpe d'harmonieuses lames. Garder les parures.
• Faire chauffer le bouillon de volaille avec 40 g de truffe écrasée (parures comprises) sous la lame d'un couteau ; verser dans un mixeur, monter à l'huile d'olive avec 10 cl, laisser refroidir.
• Tailler le pain rassis et les champignons de Paris en brunoise*.
• Laver, essuyer, équeuter et ciseler le persil.
• Dans un saladier, mettre la brunoise de pain et de champignons, 4 cuil. à soupe de persil ciselé puis l'appareil mixé. Saler, poivrer, mélanger délicatement et réserver.
• Émincer finement les 60 g de truffe fraîche restante.
• Dans un cercle de 12 cm de diamètre posé sur une assiette, disposer 15 g de truffe fraîche émincée puis râper dessus 5 g de parmesan ; répartir ensuite environ 4 cuil. à soupe de mélange au pain ; tasser légèrement puis poser une assiette dessus ; retourner les assiettes de manière à faire apparaître la truffe sur le dessus.
• Enlever le cercle et procéder de même pour les 4 assiettes.
• Avant de servir verser le filet d'huile d'olive restant sur la truffe.

Le vin qui me vient tout de suite à la bouche est issu du cépage San Giovese dans son terroir natal du Piémont surtout si le magicien de Pergola Torte l'a fait vieillir dans l'obscurité. Sinon, les Coteaux-de-Tricastin, Valréas, Gigondas etc., connaissent bien la truffe eux aussi.

Velouté de châtaigne à la truffe blanche d'Alba

(bouillon de poule faisane délicatement lié aux châtaignes et truffe râpée)

Une fois de plus, c'est la rencontre à la fin de l'année de trois produits de saison qui nous donne une harmonie de saveurs et de couleurs. Autrefois, la soupe de châtaigne était très répandue en France. Dans un premier temps, je l'ai enrichie avec le fumet de la poule faisane. Le résultat, bien que confortable, était trop discret. En effet, la châtaigne exige toujours des révélateurs : la charlotte aux marrons n'existe qu'au travers de la vanille et du Rhum, les châtaignes cuites au pot demandent d'être incisées et agrémentées de feuilles de figuier et d'anis.

J'ai d'abord proposé le velouté avec, au dernier moment, un soupçon de cardamome verte de Ceylan (la cardamome fait partie de notre cuisine depuis les croisades, notamment pour aromatiser et donner de la fraîcheur aux pâtés). Un séjour dans le Piémont m'ayant initié aux différentes variétés de truffe blanche d'Alba, le mariage s'est célébré dans ma tête. À mon retour, j'ai réalisé directement cette triple alliance.

Les peuples antiques croyaient qu'elle était « fille de l'éclair ». Très friands, les Grecs et les Romains la vénéraient pour ses qualités aphrodisiaques. Le gourmand Rossini l'appela en son temps « le Mozart des champignons ». Son terroir de prédilection est le Piémont, aux confins des collines des Langhe et du Roero qui nous donnent les grands vins d'Italie : Dolcetto, Barbera, Barbaresco, Barolo, Nebbiolo. Comme ces vins, on la trouve de cinq types différents déterminés par l'essence des arbres puisqu'elle prend naissance sur leurs racines. Ainsi, liée au saule pleureur, au chêne, au peuplier, au tilleul ou au plant de vigne, sa couleur varie du blanc parfois veiné de rose au gris cousin du marron. À l'opposé de la truffe noire, elle n'aime pas la cuisson et compte tenu de son exubérance alliacée et de son caractère minéral rappelant les hydrocarbures, il suffit de la râper au dernier moment pour révéler certains mets. Si sa noire cousine est complice des grands vins rouges de Pomerol… elle se joue à merveille d'un grand et vieux Riesling.

À propos de cette truffe blanche italienne à l'odeur d'ail sauvage avec une empreinte minérale rappelant les hydrocarbures, il est impératif de ne pas la cuire et de l'utiliser à cru, râpée sur du pain croustillant ou sur une préparation brûlante.

Pour 6 personnes

Ingrédients :

1 faisane
1 kg de châtaignes
1 truffe blanche d'Alba
Pluches* de cerfeuil
Noix muscade râpée
6 baies de genièvre
15 grains verts d'anis
1 gousse de cardamome verte
125 g de beurre cru
10 cl de crème fleurette
15 cl de crème fleurette fouettée (pour la présentation)
1 cuil. à soupe de moutarde forte de Dijon
1/2 verre à liqueur de Chartreuse
Sel, poivre noir du moulin

La veille

• Désosser les ailes de la faisane et retirer la peau, prélever les filets débarassés de la peau. Retirer les cuisses de la carcasse ; les réserver.
• Écraser les baies de genièvre, ajouter quelques bonnes râpées de noix muscade, mélanger avec la liqueur de Chartreuse et la moutarde. Avec cette préparation, badigeonner les suprêmes de faisane, saler et poivrer avec le poivre noir du moulin puis réserver au réfrigérateur.
• Éplucher tous les légumes de la garniture aromatique.
• Concasser grossièrement les cuisses ainsi que la carcasse et les abats. Dans une sauteuse les saisir avec 1 noix de beurre. Dégraisser* puis ajouter la garniture aromatique (légumes entiers). Mouiller* juste à hauteur et laisser cuire 1 h 30 à feu doux et à couvert. Dépouiller et dégraisser* de temps en temps.
• Inciser chaque châtaigne puis les cuire à l'eau salée et parfumée de grains d'anis vert pendant 20 min. Les rafraîchir puis les éplucher complètement.

Garniture aromatique :
2 carottes
2 oignons
4 gousses d'ail
1 branche de céleri
1 bouquet garni
1 clou de girofle

Le jour du repas

• Cuire les suprêmes de faisane à la vapeur dans un couscoussier pendant 20 min environ.

• Chauffer dans le four tiède des assiettes à potage, des bols ou une soupière.

• Piler la gousse de cardamome.

• Mixer la moitié des châtaignes avec le bouillon de faisane et la crème fleurette, chauffer et cuire ainsi 10 min à feu doux. Lier au beurre cru restant (environ 80 g). Rectifier l'assaisonnement en sel et poivre puis ajouter 1 pointe de cardamome pilée.

• Émincer finement les châtaignes restantes et les blancs de faisane, les disposer dans le fond de la soupière, des bols ou des assiettes à potage chaudes, puis verser le bouillon de châtaigne fumant. Déposer sur la surface du velouté de la crème fleurette fouettée sous forme de quenelles. Puis à table, râper généreusement sur la surface une belle truffe blanche du Piémont. Décorer avec quelques pluches* de cerfeuil.

Même si la soif ne vous tenaille pas avec ce velouté plutôt « garni », offrez-vous un vieux Riesling alsacien, riche en miel et cire d'abeille, favorable à la châtaigne avec aussi une belle note minérale d'hydrocarbure complice de la truffe blanche.

Bouillon aux ravioles de truffe et foie gras

Sous son nom savant de consommé simple, double et pourquoi pas triple (suivant le nombre de clarifications qui l'enrichit de substances fraîches et aromatiques), le bouillon de volaille est la grande base de multiples préparations culinaires. Quoi de plus beau, de plus pur et de plus frais qu'un œuf en gelée réalisé à partir d'un double consommé fait dans les règles, d'un œuf fermier poché et de quelques pluches* de cerfeuil ?

Servi chaud, le bouillon appelle de nombreuses garnitures souvent à base de céréales ou de champignons… ou tout simplement il est servi avec un jaune d'œuf qui éclate sous la fourchette et enrichit sa texture et sa couleur (pratique courante en Bavière).

Je n'ai pu résister à l'envie de marier truffe et foie gras à un bouillon doré et odorant. Afin d'éviter l'excédent de gras du foie gras à la surface du bouillon, j'ai eu recours aux fidèles « bonnes pâtes » et j'ai emprisonné truffe et foie gras dans de petites ravioles qui éclatent sous la dent, libérant des accords démoniaques.

Pour 4 personnes

Ingrédients :

1 litre d'excellent bouillon de volaille
1 belle truffe fraîche de 50 à 60 g
200 g de foie gras de canard cru frais et de grande qualité
1 bottillon de cerfeuil

Les ravioles

• 2 h avant minimum, mélanger le sel, le vinaigre, l'huile et les œufs, puis intégrer la farine tamisée comme pour une pâtisserie. Quand la pâte est bien lisse, former une boule et laisser reposer au frais dans un bol recouvert d'un film alimentaire.

• À l'aide d'un emporte-pièce ou d'un couteau, peler et parer* la truffe afin de lui donner une forme cylindrique. Écraser et hacher les parures et tailler finement 24 lames dans le cylindre.

Sel, poivre noir du moulin

Pâte à ravioli :
200 g de farine
2 œufs entiers
4 cl de vinaigre blanc
1 cuil. à bouche* d'huile d'olive
1 pincée de sel

• Dénerver le foie gras en tirant sur les vaisseaux sans les sectionner.
• Sur une surface fraîche et bien lisse étaler au rouleau la pâte à ravioli le plus finement possible (elle doit être transparente).
• Disposer sur la moitié de la pâte 24 petits tas composés d'une lame de truffe, de 8 g de foie gras, des parures de truffe hachée, d'1 pointe de sel fin et d'1 tour de moulin à poivre noir.
• Badigeonner avec un peu d'eau le pourtour des tas et couvrir avec la pâte restante. Appuyer délicatement avec la paume de la main afin d'enlever l'air et de faire adhérer les parties de pâte en contact. Découper avec un emporte-pièce rond de manière à obtenir 24 ravioles de 5 cm de diamètre.
• Au moment de servir, préparer généreusement des pluches* de cerfeuil. Porter le bouillon de volaille à ébullition et vérifier l'assaisonnement. Pocher* dans de l'eau bouillante salée les 24 ravioles pendant 4 min, les égoutter et les répartir dans 4 bols à consommé. Répartir les pluches de cerfeuil, verser le bouillon brûlant et servir.

Si vous disposez d'un peu plus de truffe fraîche, n'hésitez pas, taillez-la en fines lamelles que vous émincerez en très fine julienne « cheveu d'ange » avant de les poser sur la surface du bouillon fumant.

Ce bouillon garni se suffit à lui-même et vous prépare à la bouteille complice du plat qui suivra.

Œufs en cocotte au caviar d'aubergine

Depuis quelques années ce pauvre « caviar d'aubergines » en voit de toutes les couleurs. Souvent oxydé et parfois tomaté il développe un curieux goût de tabac froid mêlé d'épices rares mais éventées. Personnellement, je le préfère quand il garde tout simplement le goût d'aubergine. À la demande de Joël Robuchon, animant une série d'émissions culinaires sur TF1, j'ai réalisé plusieurs recettes à base d'aubergines. Dans celle-ci le traditionnel œuf en cocotte à la crème devient exotique grâce au charme du caviar d'aubergine.

Pour 4 personnes

Ingrédients :
3 aubergines
2 échalotes grises
1 bottillon de ciboulette
1 citron (jus)
1 noix muscade
1 prise de cumin en poudre
8 œufs
25 cl de crème fleurette
Beurre (pour les moules)
8 à 10 cl d'huile d'olive douce
Sel, poivre du moulin

- Préchauffer le four à 200 °C.
- Envelopper les aubergines dans du papier aluminium. Les cuire au four pendant 20 min. Laisser refroidir.
- Peler et ciseler les échalotes.
- Dans une cocotte faire tomber les échalotes ciselées dans un peu d'huile d'olive (suer à blond).
- Presser le citron.
- Couper les aubergines cuites en deux dans leur longueur et récupérer la chair à l'aide d'une cuillère.
- Dans une casserole, mélanger cette chair (caviar) avec les échalotes, le jus de citron, du sel, du poivre noir, du cumin et 1 râpée de noix muscade ; ajouter le reste d'huile d'olive et laisser compoter l'ensemble à couvert, à feu doux, pendant 30 à 40 min.
- Beurrer 4 ramequins, déposer dans le fond une couche de caviar d'aubergine chaud puis casser 2 œufs dans chacun des ramequins.
- Cuire au bain-marie dans le four (200 °C) pendant 6 à 8 min.
- Laver et ciseler la ciboulette.
- Faire réduire* la crème fleurette rapidement avec 1 râpée de noix muscade, du sel et la ciboulette ciselée en finale.

• Voiler chaque ramequin avec un peu de crème fleurette réduite. Servir de suite.

Ce fruit originaire de l'Inde qui ne développe son charme qu'après cuisson et assaisonnements courageux demande un vin blanc jeune rafraîchissant de caractère dans l'esprit d'un savoyard Chignin Bergeron.

Les asperges vertes de Pertuis, coulis de truffe,

croustillant d'œuf cassé

James de Coquet, fine plume de la littérature gastronomique que j'ai eu la chance d'accueillir, m'a raconté que le gourmand Fontenelle, mort centenaire, avait un faible pour les asperges accompagnées de sauce au beurre. Un de ses amis d'agape préférait les asperges à la vinaigrette ; il succomba un jour alors qu'il partageait un plat d'asperges avec Fontenelle qui, le laissant froidement la tête dans l'assiette, se tourna alors vers la cuisine en hurlant : « toutes au beurre, toutes au beurre ! »

Certaines années favorables, la fin de la récolte de la truffe coïncide avec l'arrivée des premières grosses asperges vertes du Vaucluse. Impossible de résister à cet appel : il faut les marier ! Comment ? Avec la bénédiction de l'œuf fermier.

Ne voyant aucun intérêt d'ajouter la truffe à la classique sauce mousseline, hollandaise ou maltaise (hollandaise à l'orange sanguine) j'ai décidé d'en faire un subtil coulis que j'appelle sauce noire.

La cuisson des grosses asperges à l'eau salée ne me suffisait pas, j'avais besoin de ce petit goût curieux d'asperge cuisinée à cru. Pour cela, j'ai paré l'œuf poché d'asperge crue avant de le frire à l'huile. Ainsi, nous retrouvons les grosses pointes vertes et tendres encore brûlantes escortées de la sauce noire odorante et de l'œuf croustillant d'asperge frite, qui n'attend plus que d'être cassé d'un trait de couteau pour libérer son jaune d'or liquide.

Pour 6 personnes

Ingrédients :
24 grosses asperges vertes (Pertuis)
50 g de truffe fraîche
1 litre de fond de veau
10 cl d'huile de truffe
Sel, poivre du moulin

Croustillant d'œuf cassé :
7 beaux œufs de ferme
1 botte de petites asperges
50 g de farine
25 g de chapelure
Huile d'arachide pour la friture

• Réduire* le fond de veau à glace (à consistance sirupeuse) pour obtenir 250 g.
• Couper la truffe fraîche en petits morceaux.
• Faire chauffer à couvert les morceaux de truffe, le fond de veau réduit et l'huile de truffe. Dans un mixeur déposer l'ensemble et mixer très finement de façon à obtenir une purée légèrement liquide ; rectifier l'assaisonnement. Réserver ce coulis au chaud dans un petit récipient.
• Éplucher les asperges vertes sur 5 à 7 cm. Ficeler les grosses au niveau du pied. Émincer finement les petites en biseau, les réserver.
• Casser 6 œufs dans des ramequins puis les plonger délicatement et séparément dans de l'eau frémissante vinaigrée durant 3 min environ. Les rafraîchir dans de l'eau glacée. Les égoutter, les ébarber et les réserver.
• Cuire les grosses asperges dans une grande casserole d'eau bouillante salée, 10 min environ. Contrôler la cuisson à la pointe du couteau, elles doivent être *al dente* mais cuites.
• En fin de cuisson, paner les œufs en les passant successivement dans la farine, le blanc de l'œuf restant, puis dans le mélange chapelure/asperges en biseau. Veiller à bien faire adhérer celui-ci en pressant légèrement, puis plonger les œufs dans un bain de friture à 170 °C afin d'obtenir une croûte dorée et croustillante. Les saler.
• Servir aussitôt les œufs avec les asperges vertes chaudes et le coulis de truffe tiède.

L'association de l'asperge verte et du jaune d'œuf déstabilise de nombreux vins. Il vous faudra choisir un vieux guerrier comme l'on en rencontre encore à Bordeaux du côté de Pessac ou de Léognan. Un vieux millésime de Haut-Brion blanc, de Laville-Haut-Brion, de Pape-Clément, de La Louvière ou du Domaine-de-Chevalier devrait sublimer le tout au contact du coulis de truffe.

Salade tiède de pois chiches,
poutargue et amandes fraîches

La poutargue de Martigues est, avec les épais anchois confits espagnols de Barcelone ou de Guétaria, un de mes moments de plaisir autour d'une table estivale. Ainsi les œufs de mulet salés, pressés et séchés prennent une rare couleur jaune orangé, un goût violent iodé rappelant oursin, caviar et anémone de mer et nécessitent un savant dosage ainsi que la complicité d'un support doux et confortable. Personnellement je ne vois rien de mieux que les pois chiches d'une cuisson parfaite, c'est-à-dire fermes sous la dent mais fondants dans la bouche. Si ces deux ingrédients réclament épices et saveurs orientales, j'aime tempérer ces arômes avec la douceur de l'amande fraîche et son charme laiteux.

Pour 6 personnes

Ingrédients :
100 g de poutargue (œufs de mulet séchés et pressés)
250 g de pois chiches de taille moyenne
1 kg d'amandes fraîches
1 poivron rouge
6 oignons verts
1/2 citron (jus)
1 bouquet garni
2 cuil. à café de cumin en poudre
15 cl d'huile d'olive fruitée

La veille
• Choisir une très bonne qualité de pois chiches de taille moyenne qui ne seront pas farineux après cuisson. Les faire tremper une nuit au frais dans trois fois leur volume d'eau.

Le jour du repas
• Rincer et cuire les pois chiches à l'eau salée avec le bouquet garni pendant 1 h 30. Surveiller la cuisson au frémissement sans oublier d'écumer. La chair des pois chiches doit se tenir tout en restant fondante.
• Préchauffer le four à à 160 °C.
• Casser les amandes et récupérer les fruits que vous pouvez couper en deux longitudinalement.

3 cl de sauce soja
1 cuil. à café d'eau de fleur d'oranger (du Liban)
Piment d'Espelette (selon votre goût)

• Brûler la peau du poivron : l'enfermer dans une feuille d'aluminium et le passer au four pendant 15 min. Le peler, l'épépiner et l'émincer finement.
• Placer un plat creux dans le four encore tiède pour le chauffer légèrement.
• À l'aide d'un couteau économe ou d'une râpe à truffe, effectuer des copeaux de poutargue.
• Éplucher et émincer les oignons verts en julienne puis les rincer sous un filet d'eau froide.
• Presser le 1/2 citron.
• Prélever les pois chiches tièdes de leur cuisson et les verser dans le plat creux légèrement chaud. Ajouter les poivrons émincés, le cumin, du piment d'Espelette, le jus de citron, la sauce soja, l'eau de fleur d'oranger et l'huile d'olive. Bien mélanger le tout et, au dernier moment, déposer sur la surface les amandes fraîches, les copeaux de poutargue et l'oignon émincé.
Ne pas saler, la poutargue s'en chargera généreusement.

Vous venez de réaliser une entrée riche, colorée et parfumée qui appelle, pour suivre, un beau plat de poisson afin de préserver l'harmonie du repas.

Un vin blanc de Cassis vif et iodé ou à défaut une Manzanilla sera le complice idéal de cette entrée.

Salade tiède de lentilles germées au foie d'agneau confit

Pourquoi faire germer les lentilles ? Au cours de nombreux séjours en Asie, j'ai souvent apprécié des céréales et des légumineuses germées qui font partie des plats de la sagesse. Je pourrais développer l'intérêt de l'apport évident en protéines énergétiques, je me bornerai tout simplement au plaisir de la texture sous la dent et du goût plus affirmé grâce au développement du germe.

De même au printemps, dans nos jardins du Sud-Ouest, nous nous empressons de mettre en terre l'ail et l'oignon germés qui repoussent tendres et verts et que l'on utilise sous diverses formes. « L'aillet » parfume l'agneau et le veau de lait et « l'oignoasse » cuite permet la fabuleuse omelette du même nom.

Je recommande les petites lentilles du Puy (seule appellation contrôlée en France), dont le germe n'a pas été tué industriellement, qui apportent du confort au foie d'agneau souvent un peu ferme.

En fin d'hiver, quand la truffe est au summum de son arôme n'hésitez pas en râper un peu en fin de cuisson des lentilles. C'est une idée que j'emprunte volontiers à mon ami Guy Savoy.

Pour 4 personnes

Ingrédients :
1 foie d'agneau de lait (env. 300 g)
1 belle cuil. à soupe de graisse d'oie
5 cl d'huile d'olive
200 g de lentilles vertes du Puy
1 carotte
1 oignon
1 échalote
2 gousses d'ail
1/2 citron (jus)
1/2 citron confit
1 bouquet garni
1 bottillon de ciboulette pour le décor
1 bonne prise de cumin en poudre
Sel, poivre du moulin

Saumure :
1 litre d'eau
60 g de sel
60 g de sucre
10 cl de vinaigre

La préparation de cette recette s'étale sur une semaine.

Une semaine avant le repas

• Disposer les lentilles dans une plaque sur un lit de coton imbibé d'eau (température ambiante). Surveiller l'humidité jusqu'à obtention d'une belle germination.

Deux jours avant le repas

• Mélanger les ingrédients de la saumure et porter à ébullition. Laisser refroidir.
• Dénerver le foie, enlever le voile et le couvrir de saumure puis le réserver pendant 24 h minimum au réfrigérateur.

La veille du repas

• Sortir le foie de la saumure, l'égoutter puis dans une casserole le recouvrir de graisse d'oie et le confire* avec les 2 gousses d'ail non épluchées pendant 1 bonne heure à basse température (70 / 80 °C). Le laisser refroidir. Réserver au frais.

Le jour du repas

• Éplucher la carotte et l'oignon.
• Cuire très lentement les lentilles germées avec de l'eau salée, le bouquet garni, la carotte et l'oignon, pendant 40 min.
• Sortir le foie de la graisse, l'essuyer et l'émincer finement.
• Peler, ciseler l'échalote et la rincer sous un filet d'eau fraîche.
• Presser le 1/2 citron. Hacher le 1/2 citron confit.
• Faire une vinaigrette en mélangeant le jus de citron et du sel. Ajouter l'huile d'olive, le hachis de citron confit, du cumin, du poivre, et l'échalote ciselée.
• Laver, essuyer et couper la ciboulette en bâtonnets.
• Égoutter les lentilles, les mélanger délicatement avec les tranches de foie et la vinaigrette. Décorer avec les bâtonnets de ciboulette.

Cette entrée digne d'un beau petit-déjeuner à la fourchette, que nos amis lyonnais ont baptisé mâchon, évoque pour moi ce voisin moins connu de Moulin-à-Vent, le Chenas.

Pavé d'asperges vertes au caviar,
noix de saumon mariné

Pas d'hésitation, choisissez des asperges vertes de plein champ. Évitez les nouvelles variétés d'asperges de serre qui sont tendres de la tête à la queue mais n'ont plus le goût d'asperges…

Pour le caviar allez résolument vers l'osciètre et soyez très exigeants. Cette denrée rare, donc très chère, ne doit pas s'acheter boîte fermée et yeux bandés. Demandez à votre marchand de voir, de sentir et, pourquoi pas, de goûter avant de décider.

Les grains doivent être gris, bien ronds et prêts à exploser sous la dent, sans odeur de poisson séché ; sur la langue, ils ne doivent pas produire un effet de saumure. On peut préférer un sevruga moins onéreux s'il est au mieux de sa forme. Quant au rare beluga aux gros grains noirs, son prix élevé l'éloigne de plus en plus de nos tables. À mon goût l'asperge, qui s'accommode fort bien des poissons fumés et autres saurisseries est l'alliée naturelle des œufs de poissons.

Pour 6 personnes

Ingrédients :
500 g de saumon en filet
2 bottes d'asperges vertes « balai » (de petite taille)
2 avocats
6 gros champignons de Paris
1 citron (jus)
125 g de caviar sevruga

La veille

• Mettre le filet de saumon à mariner avec le mélange sel, sucre, poivre de Cayenne, pendant 12 h au réfrigérateur.

Le jour du repas

• Dans un mixeur, broyer les feuilles de laurier, le serpolet, les graines de coriandre, l'origan et les grains de poivre noir. Réserver dans un plat de la taille du filet de saumon.
• Débarrasser le saumon de la marinade, le rincer sous un filet d'eau fraîche, bien l'éponger.

80 g de tarama extra
10 cl de crème fouettée
3 cuil. à soupe d'huile de noisette
Huile d'olive
1 cuil. à soupe de jus blond de veau
1 blanc d'œuf
10 feuilles de laurier
1/2 cuil. à moka* de coriandre en grains
1/2 bottillon de serpolet
1 cuil. à soupe d'origan
1/2 cuil. à moka* de poivre noir en grains
Sel, poivre du moulin

Marinade :
20 g de sel
20 g de sucre
1 pointe à couteau de poivre de Cayenne

Prévoir 6 cadres inox, carrés de 7 x 7 cm sur 4 cm de haut

• À l'aide d'un pinceau, lustrer le filet de saumon de blanc d'œuf puis le rouler dans le mélange d'épices et d'aromates.
• Dans une grande poêle à poisson anti-adhésive faire dorer légèrement, à feu très doux, chaque face du filet de poisson avec un peu d'huile d'olive ; réserver au frais jusqu'au moment de servir.

• Éplucher les asperges et les ficeler en trois bottes.
• Les cuire dans de l'eau bouillante bien salée. Les rafraîchir et les égoutter. Couper les pointes puis les fendre en quatre dans la longueur. Réserver. Tailler le reste des asperges en biseau d'environ 5 mm d'épaisseur.
• Presser le citron. Couper la chair des avocats en petits dés. Les citronner légèrement.
• Dans un saladier, verser les dés d'avocats, les asperges taillées en biseau, le tarama, la crème fouettée, du sel et du poivre du moulin. Mélanger délicatement et remplir les 6 cadres inox posés sur les assiettes de ce mélange. Recouvrir généreusement de caviar.
• Préparer la vinaigrette en faisant dissoudre 1 pincée de sel avec 1 filet de jus de citron. Ajouter le jus blond de veau, l'huile de noisette et du poivre.
• Éplucher les champignons et les tailler en fins bâtonnets (julienne). Ajouter les pointes d'asperges fendues. Assaisonner délicatement avec la vinaigrette. Répartir ce mélange sur les assiettes à côté des pavés.
• Retirer le cadre inox au dernier moment.
• Tailler 6 belles noix de saumon dans le sens de la largeur à l'aide d'un couteau tranche-lard (très long, à lame flexible et à bout pointu) ; les badigeonner légèrement d'huile d'olive et les disposer à côté des pavés d'asperges vertes.

Encore un conseil, remplacez l'incontournable Vodka au profit d'un vin Jaune du Jura, d'un Côtes-du-Jura ou d'un Arbois Pupillin, ou sinon d'un excellent Fino de nos amis andalous.

Endives confites à la grecque

Cette racine de chicorée cultivée dans l'obscurité, de préférence dans la terre afin de développer les caractéristiques de goût liées à une subtile amertume, se consomme habituellement soit en salade, soit cuite sous divers apprêts. Bannissez les endives insipides grandies sur l'eau, qui ont perdu leur spécificité. L'originalité de la recette qui suit vient de la préparation froide d'une endive cuite. « La grecque » est une préparation traditionnelle de la cuisine française.

Cette élégante marinade aromatisée à l'huile d'olive ne doit rien à la triste sauce tomate qui habille quelques malheureux champignons et usurpe trop souvent son nom.

Pour 4 personnes

Ingrédients :
8 belles endives
2 échalotes
100 g de carottes
1 grosse tomate
1 citron + 1/2 citron (jus)
1 brin de sarriette
1 bouquet de coriandre
8 cuil. à soupe rases de coriandre en grains
1 feuille de laurier
20 cl d'huile d'olive
10 cl de vin blanc sec
20 g de sucre en poudre
Sel, poivre noir mignonnette

• Ôter les feuilles abîmées des endives, les passer rapidement sous un filet d'eau et les essuyer ; tailler la base en enlevant au couteau un petit cône de 0,5 cm, les fendre en quatre dans le sens de la longueur.
• Peler et émincer les échalotes.
• Presser le 1/2 citron.
• Dans une cocotte, verser l'huile d'olive, ajouter les échalotes émincées, du sel, le sucre en poudre et la coriandre en grains. Faire suer sans coloration, ajouter le vin blanc et le jus du 1/2 citron ; laisser cuire 10 min en douceur.
• Monder*, épépiner et tailler la tomate en dés.
• Éplucher et couper les carottes en rondelles.
• Laver, canneler et couper le citron restant en rondelles ; les blanchir*.
• Disposer les endives dans la cocotte et ajouter les dés de tomate, les rondelles de citron blanchies et de carottes, la feuille de laurier

et le brin de sarriette, couvrir. Laisser cuire à feu doux pendant 20 à 25 min. Laisser refroidir puis réserver au réfrigérateur.

• Juste avant le dressage, vérifier l'assaisonnement, ajouter la coriandre en feuilles et le poivre noir mignonnette.

Les vins blancs à base de Sauvignon sont nombreux et friands. Évitez ceux au nez exubérant rappelant trop le bonbon anglais ou le pipi de chat. Il existe de très élégants et frais Quincy, Reuilly et Menetou-Salon.

Petits pâtés chauds de cèpes

Ah ! Ces cèpes que nous appelons tout simplement champignons tant ils sont importants dans notre cuisine du Sud-Ouest. Dans le village, chaque famille a son secret pour la cueillette et connaît le petit coin du bois (*clot* en gascon) qui offre la récolte la plus savoureuse. Les discussions sur la couleur, la taille, la texture et le parfum des cèpes sont un sujet inépuisable. Comme beaucoup d'enfants, fasciné par ce dieu champignon, j'en ai caché sous de légers branchages pour observer leur développement. Des anciens affirmaient qu'un cèpe vu par l'homme cesse de croître. Et en effet, les miens semblaient ne pas se développer. Mais mon grand-père affirmait qu'avec ses camarades de chasse, ils montaient à la palombière sans voir le moindre cèpe et qu'en redescendant quelques heures plus tard ils devaient parfois les éviter acrobatiquement au bas de l'échelle : les cèpes avaient poussé et dans des tailles différentes en quelques heures. Pour moi, le mystère subsistait…

Récemment, chez le célèbre et talentueux rugbyman, torero, tour operator dacquois Mayoune, ami du village voisin de ma maison d'enfance, j'ai constaté que ce champignon me réservait encore des surprises. Intrigué par une multitude de pots, de diverses formes en matière plastique, retournés bizarrement autour de chênes séculaires cernant la superbe vieille demeure, j'ai découvert qu'ils cachaient ou plutôt protégeaient des cèpes de toutes tailles. L'heureux propriétaire armé d'un couteau est parfois obligé d'extraire les chapeaux de cèpes qui se sont développés en prenant la forme des pots renversés. Il maîtrise le nombre de jours de croissance de chaque champignon qui annuellement trouve en cet endroit un lieu favorable à son épanouissement. Les petits cèpes mettent environ dix jours (protégés par du tue-limace) pour atteindre la taille dont rêve ce gourmand qui a la chance d'avoir une fée pour les cuisiner.

Vous trouverez beaucoup de cèpes dans mes recettes, sous diverses formes. Dans celle qui suit, j'ai voulu mettre en valeur la riche saveur des gros cèpes, à la texture souvent fragile mais au goût très riche.

Pour 6 personnes

Ingrédients :
500 g de cèpes frais bien fermes
30 g de cèpes séchés
3 échalotes
2 gousses d'ail
1/3 de bouquet de persil plat
25 cl de crème fleurette
20 g de beurre
4 œufs entiers
Huile de noix
1 cuil. à café de sucre en poudre
1/5 de noix muscade râpée
10 g de sel
3 g de poivre noir du moulin

• Éplucher et couper les échalotes en deux, les disposer dans une petite sauteuse avec le beurre, le sucre en poudre, 1 pincée de sel et de l'eau à mi-hauteur ; sur la surface mettre un papier sulfurisé percé d'un trou en son milieu ; faire cuire lentement afin de confire* les échalotes.
• Laisser tremper les cèpes séchés pendant quelques heures dans de l'eau puis les égoutter et les cuire dans la crème fleurette sans bouillir ; réserver au froid.
• Peler et blanchir* les gousses d'ail fendues en deux puis les rafraîchir.
• Laver, essuyer, équeuter et ciseler finement le persil.
• Tailler les cèpes frais (têtes et queues) en petits cubes de 5 mm de côté et les faire sauter à feu vif avec un peu d'huile de noix, jusqu'à évaporation de l'eau de végétation. Les égoutter.
• Préchauffer le four à 150 °C.
• Dans le bol d'un mixeur, verser les cèpes séchés cuits dans la crème, les gousses d'ail blanchies, les échalotes confites, les œufs, le sel, le poivre noir et la noix muscade. Mixer l'ensemble très grossièrement et mélanger dans un bol avec les cèpes frais sautés sans oublier le persil ciselé. Goûter et rectifier l'assaisonnement.
• Beurrer 6 petits moules et les garnir avec l'appareil. Cuire au four, au bain-marie, pendant 25 min en ayant pris soin de déposer une feuille de papier sulfurisé au fond de la plaque, afin d'éviter des petites bulles dans les pâtés cuits.
• Démouler avec précaution, dès la sortie du four, sur le plat de service ou les assiettes. Servir immédiatement.

Cette préparation brûlante se suffit à elle-même mais si vous souhaitez un peu plus de confort, voici deux accompagnements :
– soit un jus de persil obtenu avec du persil blanchi mixé avec du bouillon de volaille corsé, un peu d'huile de noisette et un peu de beurre cru en finale.
– soit une salade de têtes de cèpes émincées à cru et marinées avec une pointe de vinaigre balsamique, un filet d'huile d'olive, une pointe d'ail blanchi et quelques feuilles de persil.

Le cèpe est l'ami de nombreux vins puisqu'il favorise leur expression. Profitez de cette occasion pour mettre en valeur les crus bourgeois du Médoc, les multiples appellations satellites qui rivalisent de qualité sur la rive droite bordelaise.

Langoustines pimentées à la nougatine d'ail doux

La langoustine est pour moi la reine des crustacés. Petite, elle appelle le court-bouillon et la mayonnaise. Très grosse et parfois royale (on la reconnaît à sa couleur rouge aux articulations) elle doit être simplement fendue et grillée avec quelques gouttes d'huile et du piment. Maîtrisant bien son goût et sa texture ainsi que sa fragilité à la cuisson, j'ai eu l'idée de la cuire au four, d'utiliser son corail pour faire frire ses pinces, et de jouer avec le piment d'Espelette, le vin de Muscat et l'oignon vert. Concernant la nougatine d'ail, j'ai cherché à apporter une texture croustillante personnalisée par l'ail, mais facile à assimiler en m'inspirant de la sagesse chinoise qui équilibre toujours les alliacés par le gingembre (le yin et le yang).

Pour 6 personnes

Ingrédients :

30 grosses langoustines (de 200 g pièce)
10 g de levure de boulanger
50 g de farine
1 œuf
5 cl d'huile d'olive
200 g de mie de pain de mie (chapelure blanche)
Piment d'Espelette
Sel

Préparation de la nougatine

- Préchauffer le four à 150 °C.
- Éplucher et tailler l'ail en brunoise*, le blanchir* dans du lait, l'égoutter et le laisser sécher au chaud (au dessus du four par exemple).
- Tailler le gingembre en brunoise*.
- Chauffer le beurre, la crème, le sucre en poudre et 1 pincée de sel. À la première ébullition, retirer du feu en versant la farine en pluie ; ajouter l'ail blanchi, le poivre et la brunoise de gingembre.
- Cuire dans de petits moules à revêtement anti-adhésif, au four, pendant 15 min.

Nougatine :
1 tête d'ail
10 g de gingembre frais
20 cl de lait
50 g de crème fleurette
50 g de beurre
50 g de sucre en poudre
10 g de farine
10 g de poivre noir mignonnette
Sel

Vinaigrette :
6 huîtres spéciales
1 citron (jus)
30 g de gingembre frais
4 cébettes (jeunes oignons verts)
12 cl de Muscat de Rivesaltes
2 cuil. à soupe de jus blond de veau
4 cuil. à soupe d'huile de sésame

Préparation des langoustines

• Enlever les pinces et les pattes des langoustines, vider les têtes et récupérer le corail, le réserver ; puis, à l'aide de petits ciseaux couper délicatement le cartilage annulaire sous les queues des crustacés.

• Reconstituer les 24 plus belles langoustines, les poser sur le dos sur une plaque à four. Mélanger l'huile d'olive et du piment d'Espelette ; les badigeonner avec, saler. Cuire au four 6 à 7 min à 220 °C.

Préparation des 6 pinces en beignets

• Dans le bol d'un mixeur verser la chair des queues des 6 langoustines restantes, le corail des 30 langoustines, 100 g de mie de pain, un peu de sel, la levure et 1 pincée de piment d'Espelette. Déstructurer le tout en mixant rapidement afin d'obtenir une pâte homogène.

• Avec l'appareil obtenu faire 6 quenelles, les rouler dans la farine, l'œuf battu puis la chapelure blanche restante.

• Choisir les 6 plus belles pinces et les planter chacune dans une boule de farce côté articulation. Réserver au frais.

Préparation de la vinaigrette

• Dans une casserole faire réduire* le Muscat pour obtenir 2 cuil. à soupe.

• Presser le citron. Tailler le gingembre en brunoise*.

• Ouvrir les huîtres et hacher la chair.

• Émincer les cébettes et les rincer à l'eau fraîche.

• Dans une petite casserole, verser le jus de citron, l'huile de sésame, le Muscat réduit, le jus de veau, 1 cuil. à café de brunoise de gingembre et les huîtres concassées. Faire chauffer légèrement. Ajouter les cébettes émincées.

• Faire cuire les langoustines au four très chaud à 250 °C, pendant 5 à 6 min.

• Faire frire les pinces 4 min dans l'huile d'arachide à 170 °C.

• Poser les langoustines rôties sur le plat de service. Napper de vinaigrette tiède et accompagner de beaux morceaux de nougatine d'ail et des beignets bien égouttés sur du papier absorbant.

Le cépage Sauvignon peut atteindre des sommets de raffinement et d'intensité s'il est produit sur des coteaux calcaires de Sancerre, Chavignol, Pouilly-sur-Loire ; certains sous-sols riches en silex lui confèrent une rare minéralité. Pensez grand Pouilly-Fumé, grand Sancerre pour faire face à la complexité du crustacé, de l'ail, du gingembre et du Muscat.

Fricassée de melon et langoustines au safran

J'ai depuis très longtemps une dent contre le melon. En début de repas il est souvent trop sucré ; en fin de repas, il n'est plus à la hauteur. Quand la texture est bonne, le goût est absent et quand le goût est au summum la chair est parfois triste sous la dent.

Bien sûr le très bon melon au goût élégant existe, mais son choix relève du jeu de loterie. Pensant au plaisir de la traditionnelle confiture de pastèque (pas celle d'Afrique du Nord mais celle faite avec le melon d'Espagne à la belle robe verte marbrée), j'ai entrepris de cuire ce fruit, ce qui permet de faire ressortir son goût exotique à chaud. J'ai voulu lui apporter l'équilibre salé par le goût iodé mais délicat de la langoustine, le tout avec la bénédiction majestueuse du safran.

Pour 4 personnes

Ingrédients :
24 grosses langoustines
12 cl de crème fleurette
8 cl de Muscat de Rivesaltes
1 beau melon de 800 g
1 barquette de 125 g de groseilles
1 bouquet de coriandre
1 bonne prise de filaments de safran
1 pincée de piment d'Espelette
1 petite prise de curry en poudre
Sel

• Détacher les queues de langoustines des têtes, les décortiquer, les fendre en deux dans la longueur puis les réserver au froid.
• Dans un petit faitout en fonte émaillée, à l'aide d'un pilon ou d'un rouleau en buis écraser les têtes et les pinces des langoustines. Mouiller* avec le Muscat, la crème fleurette et 10 cl d'eau. Ajouter 1 petite prise de curry délicat, 1 pincée de piment d'Espelette et un peu de sel. Cuire à frémissement 10 min. Si la température est trop élevée et la durée de cuisson trop longue, même avec des langoustines vivantes, vous obtiendrez des odeurs désagréables d'ammoniaque.
• Filtrer afin d'obtenir la base de votre préparation qui doit être onctueuse, ajouter les filaments de safran pilés grossièrement. Maintenir au chaud sans bouillir.
• Laver et égrapper les groseilles.

• Peler le melon comme une pomme, le fendre et enlever les graines puis l'émincer en tranches de 3 mm d'épaisseur.
• Dans le petit faitout contenant la base safranée de langoustines, verser le melon en tranches qui cuit rapidement sans bouillir ; après 3 à 4 min ajouter les queues de langoustines et les groseilles, cuire délicatement encore 3 min.
• Laver, essuyer, équeuter et ciseler grossièrement la coriandre.
• Saupoudrer de coriandre ciselée et servir en cassolettes individuelles.

Ce mets aux couleurs et odeurs orientales réclame un jeune vin de Sauternes, quoique la vivacité de Barsac lui soit plus favorable. L'important sera de le choisir opulent et baroque avec des arômes d'agrumes, de curry et de miel sauvage.

Homard breton en bouillon glacé d'amandes fraîches

Qui n'a pas rêvé devant le bleu unique de ce beau crustacé incontestable et incontesté. Il est (relativement) plus accessible sur le marché en début d'été quand, par coïncidence, les amandes arrivent à maturité. Dans une recherche d'entrée tout en fraîcheur je réalise un bouillon glacé d'amandes parfumé d'ail nouveau qui, avec quelques crudités du jardin, met en valeur le puissant goût sauvage du homard.

Pour 6 personnes

Ingrédients :
3 homards bretons vivants de 600 g
1 kg d'amandes fraîches à casser
1 grosse tête d'ail nouveau
1 feuille de laurier
30 g de mie de pain blanc
1 verre de lait
10 cl d'huile d'olive
Piment d'Espelette ou de Cayenne
Sel

Garniture :
1 botte de radis
1 petit concombre
1 bottillon de ciboulette
1 tomate verte
80 g de petits pois frais extra-fins
6 fleurs de capucine (décor)

À préparer le matin pour le soir

• Mettre à tremper la mie de pain dans le verre de lait.
• Préchauffer le four à 120 °C.
• Cuire les 3 homards dans un court bouillon corsé en ébullition pendant 5 min. Laisser refroidir 30 min puis décortiquer la queue et les pinces. Récupérer le corail, le faire dessécher au four et le réduire* en poudre, il servira au décor.
• Filtrer 75 cl du court bouillon qui a servi à la cuisson des homards ; y ajouter les carapaces et les coffres des homards concassés et cuire 10 min. Filtrer à nouveau.
• Peler, blanchir* puis écraser la moitié de la tête d'ail.
• Casser les amandes pour récupérer les fruits. Piler les 2/3 des amandes avec l'huile d'olive.
• Verser dans le fumet obtenu, la moitié de la tête d'ail écrasée ainsi que la feuille de laurier. Ajouter la mie de pain trempée et les amandes pilées avec l'huile d'olive.
• Cuire 10 min, mixer, rectifier l'assaisonnement en sel et piment. Laisser refroidir au réfrigérateur.
• Pendant ce temps, laver les radis et les tailler en brunoise* ainsi que le petit concombre non épluché.

• Ciseler grossièrement la ciboulette.
• Monder*, épépiner et tailler la chair de la tomate verte en petits cubes.
• Écosser les petits pois, les blanchir* 6 min, puis les rafraîchir et les égoutter.
• Effiler le 1/3 des amandes fraîches restantes.
• Peler et effiler les gousses d'ail restantes. Les ébouillanter, les rafraîchir, bien les égoutter et les faire frire à l'huile d'arachide afin d'obtenir des pétales d'ail dorés (mini chips d'ail).
• À l'aide de 6 cercles à tarte ou 6 cadres inox, disposer au fond des assiettes creuses, le mélange tomates, petits pois, radis, concombre et ciboulette. Presser l'ensemble sans écraser ; enlever les cadres afin de laisser l'aspect d'une « compression » de légumes. Poser sur le dessus les rouelles de queue de homard entourées de la chair des pinces fendues en deux.
• Verser le bouillon glacé autour, décorer avec les amandes effilées, les pétales d'ail et une fleur de capucine par assiette sans oublier de saupoudrer le tout de brisures de corail desséché.

Le moment est venu de choisir entre trois bonheurs qui ont pour nom Chassagne-Montrachet, Puligny-Montrachet et Meursault. À Meursault, sans hésitation, pensez « Les Perrières », à Chassagne « Les Ruchottes » ou « Les Caillerets » et à Puligny mon cœur balance entre « Les Combettes » et « Le Cailleret ». Si un doute vous pèse et qu'un bouquet charnu, une robe d'or vert, une vigueur et une virilité peu commune pour des vins blancs vous interpellent, ouvrez une bouteille de Bâtard-Montrachet.

Homard rôti aux châtaignes

J'ai toujours pensé que les grandes cuvées de Champagne méritaient mieux que d'être servies à l'apéritif pour peu qu'elles soient issues d'un vieux et grand millésime. C'est pourquoi j'ai conçu spécialement cette recette fondée sur l'accord subtil entre la puissance iodée du homard breton et le fruité confortable et rassurant de la châtaigne. Dans le Sud-Ouest on a toujours utilisé la châtaigne au pot pour faire échec à l'acidité du vin blanc nouveau (le *bourret*) encore effervescent.

Dans cette préparation une partie des châtaignes associée au corail de homard sert de liant à la sauce et le reste, sous forme d'éclats, est utilisé en garniture.

Pour 4 personnes

Ingrédients :

2 homards bretons de 600 g (vivants)
150 g de châtaignes pelées
1 citron (jus)
120 g de beurre cru
15 cl de bouillon de volaille
1 capsule de cardamome verte
Sel, piment d'Espelette

• Cuire lentement à l'eau salée les châtaignes pelées pendant 30 à 40 min.
• Fendre dans le sens de la longueur les homards, enlever l'intérieur des têtes en prenant soin de récupérer le corail.
• Chauffer le bouillon de volaille avec la moitié des châtaignes pendant quelques minutes.
• Tailler l'autre moitié des châtaignes en petits morceaux éclatés.
• Saler et pimenter les demi-homards, les badigeonner avec la moitié du beurre en pommade*.
• Au moment du repas, préchauffer le four à 200 °C.
• Introduire les homards dans le four pendant 6 à 8 min.
• Pendant ce temps, ajouter le corail de homard et le reste de beurre dans le bouillon de volaille et châtaignes, puis mixer afin d'obtenir un coulis onctueux. Saler délicatement, ajouter du piment d'Espelette, 1 filet de jus de citron et réserver au chaud en mélangeant avec les éclats de châtaignes sans oublier la capsule

(eh oui, les petites graines sont naturellement protégées) de cardamome verte pilée.

• Sortir les homards rôtis du four, les disposer sur un plat de service et les arroser de la préparation mariant la douceur de la châtaigne et la violence iodée du crustacé.

Une belle cuvée de Champagne, riche en Blanc de blancs qui a pris quelques années de cave, vous apportera fraîcheur, intensité et onctuosité.

Crème glacée de crevettes printanière

La célèbre tomate aux crevettes de nos voisins belges (d'inspiration ibérique compte tenu de la mayonnaise) a éveillé mon intérêt pour la crevette grise. Le goût marqué de crustacé, son bel accord avec la tomate et ma passion potagère m'ont inspiré une légère entrée printanière. La base de cette recette est aussi la solution ménagère pour réaliser la sauce rapide d'un poisson à la vapeur ou au court-bouillon. Malheureusement, on ne trouve pas chez nous de crevettes grises décortiquées à la main comme à Ostende et il vous en coûtera un petit effort de travail familial...

Pour 4 personnes

Ingrédients :

400 g de crevettes grises de grosse taille Jumbo (cuites)
120 g de petits pois écossés
8 asperges vertes
4 petits oignons nouveaux
120 g de champignons de Paris
1 bouquet de cerfeuil
50 g de beurre
50 cl de crème fleurette
1 cuil. à soupe de concentré de tomate
1 râpée de noix muscade
Sel, poivre du moulin

• Séparer les têtes des queues des crevettes ; décortiquer les queues.
• Ciseler les petits oignons nouveaux.
• Nettoyer et émincer les champignons.
• Faire suer au beurre les oignons ciselés, l'émincé de champignons et les têtes des crevettes , ajouter le concentré de tomate puis la crème fleurette, poivrer et ajouter 1 pointe de noix muscade. Attention au sel en fonction des crevettes.
• Cuire lentement 10 à 12 min puis mixer, filtrer et refroidir dans un récipient contenant de l'eau et de la glace ; rectifier l'assaisonnement à froid.
• Éplucher les asperges, garder les pointes.
• Cuire rapidement et respectivement les petits pois et les pointes d'asperges à l'eau bouillante salée. Arrêter la cuisson avec de l'eau glacée afin de fixer les couleurs.
• Laver, essuyer et équeuter le cerfeuil.

• Servir froid en tasse en ajoutant dans la crème de crevettes, les queues décortiquées, les petits pois et les pointes d'asperges ainsi que des pluches* de cerfeuil.

Compte tenu des nuances vertes du puissant goût de crustacé et de la note tomatée, un vin blanc de caractère s'impose. Je pense à un vin blanc de la Côte-de-Nuits à base de Pinot Beurot ou à un délicat Tokay Pinot gris d'Alsace.

Gâteau de laitue romaine au tourteau

Épris du craquant de la laitue romaine, je n'ai pu résister à l'envie de l'enrichir par la chair exceptionnelle du gros crabe souvent trop difficile à décortiquer entre convives. Ainsi, j'ai conçu cette stratification à l'apparence d'un entremets qui peut se découper comme un club-sandwich (avec l'aide précieuse d'un couteau électrique).

Pour 4 personnes

Ingrédients :
2 beaux tourteaux de 800 g
150 g de mayonnaise
150 g de crème fraîche
1 boule de pain de campagne achetée la veille (Ø 25 à 30 cm)
1 belle laitue romaine tendre
1 bouquet de coriandre
Curry
Sel

La veille

• Cuire les tourteaux dans de l'eau salée (15 g de sel par litre d'eau) environ 12 min (on compte généralement 15 min de cuisson par kg) ; réserver au froid dans l'eau de cuisson.

Le jour du repas (1 ou 2 h avant)

• Décortiquer le crabe cuit : poser le crabe sur le dos, tordre les pinces et les pattes afin de les détacher du corps ; briser la coque des pattes et des pinces et sortir la chair à l'aide d'une curette. Pour ouvrir le crabe, enlever la queue puis séparer les deux parties en soulevant avec la pointe d'un couteau ; sortir la chair de la carapace ainsi que la matière crémeuse qui reste collée et le corail.
• Laver la salade, l'égoutter sans briser les feuilles.
• Laver, essuyer et équeuter la coriandre.
• Découper 4 tranches de pain à l'aide d'un couteau scie, horizontalement (à plat) de manière à obtenir 4 supports circulaires. À l'aide d'un cercle à tarte, (Ø 18 cm) à bords assez hauts, utilisé comme un emporte-pièce recouper les tranches de pain au même diamètre en supprimant la croûte. Les réserver.
• Battre la crème fraîche.
• Mélanger la chair de tourteau et la mayonnaise, ajouter un peu de sel, du curry (à votre goût), les feuilles de coriandre et la crème montée.

• Déposer le cercle sur le plat de service puis une tranche fine de pain, la tartiner avec l'appareil, couvrir d'une épaisseur de feuilles de romaine et tartiner à nouveau avec l'appareil; renouveler 3 fois l'opération en terminant par une belle tranche fine de pain. Retirer le cercle.

• Découper en quartiers à l'aide d'un couteau électrique. Protéger avec du film alimentaire jusqu'au moment du repas.

Avec cette entrée rafraîchissante, offrez-vous l'opportunité de goûter à un jeune vin blanc sudiste dans l'esprit du Picpoul-de-Pinet.

Chipirons juste cuits à la plaque et piperade froide

Autour du golfe de Gascogne, les calamars de petite taille sont appelés chipirons. Pour les avoir fermes et tendres et non pas mous et caoutchouteux à la cuisson, il est préférable de les choisir pêchés à l'hameçon (pêche à la turlutte). Traditionnellement ils se préparent farcis, grillés, en sauce ou en friture et, pour les puristes, cuisinés dans leur encre, adoucie par une fondue de jeunes oignons et rehaussée d'ail légèrement brûlé.

Dans la cuisine landaise traditionnelle les fines cuisinières préparent encore une délicate farce cuite composée des tentacules concassés, d'un peu de jambon, d'échalote et de persil, le tout lié avec de la mie de pain trempée dans du lait. Les chipirons entiers et farcis sont cousus à l'aide d'un fil et d'une aiguille et cuits lentement au four dans une subtile sauce à base de tomates fraîches du jardin.

Moi, j'aime aussi les servir froids en compagnie de l'estivale piperade qui, dans le Sud-Adour agrémente toutes les tables. Nos voisins basques mangent la piperade systématiquement avec une brouillade d'œufs. Je la préfère avec des œufs frits, du thon légèrement poêlé, de la morue, du poulet sauté, ou froide avec un croûton de pain. Légèrement tenue en gelée, emprisonnant un œuf poché, elle affirme sa complicité avec les chipirons brûlants parfumés de persillade ; un filet d'encre noir tiré du même chipiron permet une présentation haute en couleurs.

Pour 4 personnes

Ingrédients :

1 kg de petits chipirons (calamars) extra-frais
60 g de vieux jambon (gras et maigre)
4 œufs de ferme
250 g d'oignons rouges
150 g de poivrons rouges bien mûrs
150 g de petits piments verts de jardin ou à défaut des poivrons verts
2 gousses d'ail
300 g de tomates
1 bouquet garni
50 g de concentré de tomate
30 g de sucre
10 cl d'huile d'olive
3 cl de vinaigre
3 à 4 g d'agar-agar (ou 3 feuilles de gélatine)
Sel
Piment d'Espelette en poudre

Sauce à l'encre :

8 cl de fumet de poisson
1 pincée de Maïzena
1/2 gousse d'ail
L'encre récupérée des chipirons

• Peler et blanchir* la 1/2 gousse d'ail.
• Vider et rincer les chipirons sans oublier d'enlever les petits cartilages de la bouche dans les tentacules, égoutter le tout, récupérer les précieuses petites poches d'encre situées dans la tête et réserver au frais.
• Dans un petit mortier, ou à défaut un bol épais, écraser l'ail blanchi, ajouter la petite pincée de Maïzena et les poches d'encre récupérées, broyer jusqu'à obtention d'une pommade noire. Délayer le tout avec le fumet froid puis porter à ébullition, rectifier l'assaisonnement et réserver.

Piperade

• Préchauffer le four à 160 °C.
• Brûler la peau des poivrons rouges dans le four pendant 15 min. Les peler puis les émincer finement ainsi que les petits piments verts.
• Peler et émincer finement les oignons.
• Hacher le vieux jambon.
• Peler, blanchir* et écraser l'ail.
• Monder*, épépiner et tailler les tomates en dés.
• Faire sauter à l'huile d'olive les oignons émincés, le jambon haché, les poivrons rouges et verts émincés ; débarrasser dans une cocotte et ajouter le sucre, le vinaigre, les tomates en dés, le bouquet garni, le concentré de tomate, l'ail écrasé, du sel et du piment en poudre. Cuire l'ensemble très lentement pendant 1 h 30. Coller avec l'agar-agar et laisser refroidir.

• Pocher* les œufs, les rafraîchir, les ébarber et les égoutter.
• Utiliser 4 cercles de 6 à 8 cm de diamètre ou 4 cadres carrés en inox (à défaut utiliser de gros ramequins) pour emprisonner chaque œuf dans la piperade qui va prendre en légère gelée au froid.
• Au moment de passer à table, retirer les cercles ou cadres afin d'avoir un pavé de piperade sur l'assiette. Fendre le corps des petits chipirons en deux, les mélanger avec les tentacules, arroser d'1 filet d'huile d'olive, saler, ajouter 1 pointe de piment d'Espelette en poudre. Cuire dans une poêle brûlante ou idéale-

ment sur une plaque (plancha). Cuisson aller-retour (très rapide si le produit est très frais). Servir les chipirons à cheval sur la piperade froide, accompagner de la sauce à l'encre.

Le mot piperade vient de « piper » ou « biper » qui signifie piment. Aussi quand je vous parle de petits piments verts de jardin il faut savoir que ce sont des petits piments courants dans ma région, à la peau tendre (ne nécessitant pas d'être pelés) et peu piquants qui ont à la cuisson un goût rappelant l'asperge violette. Sachez qu'il existe les mêmes piments avec un caractère plus ardent, dans ce cas n'en utilisez qu'en très petite quantité en ayant soin de retirer les graines. Ces petits piments de jardin se vendaient précieusement à la douzaine, la mode voudrait les voir démesurément grossir afin de produire du volume et du poids. Malheureusement une fois de plus le goût n'est plus là, alors soyez vigilant dans votre choix.

Ces chipirons ainsi puissamment escortés ne laissent pas une grande marge de manœuvre quant au choix du vin. L'heure est à un vin de Jurançon sec d'exception dans l'esprit de la cuvée « Marie » de l'ami Charles Hours ou des « Casterasses » signée Jojo Bru-Baché and Co. Ils ont fait école et vous n'aurez aucun mal à trouver d'autres belles cuvées dans cette appellation.

Persillé d'anguille fumée aux asperges vertes

Pour moi, l'anguille est un des poissons les plus savoureux, en partie à cause de sa croissance très lente et de sa faculté de s'adapter à l'eau douce et à l'eau salée. À l'âge de sept ans, elle quitte nos rivières, destination la mer des Sargasses en plein océan Atlantique, choisit son sexe au gré de ses rencontres et donne naissance à une innombrable progéniture qui revient vers nous sous le nom des fameuses civelles ou pibales.

Sur les bords de l'Adour, dans mon enfance, des auberges de pêcheurs servaient systématiquement de la friture d'anguilles avant le caneton des étangs rôti.

Cette grande voyageuse est consommable sous diverses formes en fonction de sa taille donc de son âge, et mérite bien mieux que sa réputation parisienne. Dans les années 1970, l'astucieuse Mireille Forgerit dans son restaurant Les Copains (rue de Verneuil) servait une préparation en feuilletage appelée « boudin d'Adèle » dont tous les gourmands parlaient, en ignorant sa composition à base d'anguille et de brochet.

Chez moi, avant de fariner et de frire l'anguille selon le procédé traditionnel, j'ai toujours vu asperger les tronçons d'un filet de vinaigre préalablement chauffé et aromatisé d'un peu d'ail. Ce petit détail préliminaire développe complètement le goût de ce beau poisson.

Si vous flânez à Séville et particulièrement dans le bario de Santa Cruz où chaque petit restaurant est le roi de la friture, n'hésitez pas à goûter aussi la surprenante friture de *cazon*, composée de cubes de filets de poisson-chat (poisson économique de belle texture et de peu de goût) préalablement marinés dans du vinaigre de Xérès rehaussé d'ail et de cumin.

Cela fait des années que je m'emploie à faire découvrir la chair grasse et savoureuse de l'anguille, en gelée persillée, en pâté chaud, légèrement fumée, en feuilleté, en matelote et surtout en friture.

C'est en Scandinavie que j'ai mesuré l'importance culinaire de l'anguille fumée et de ses arômes. Tout naturellement, je l'associe à la bière blanche riche et levurée et à l'amertume élégante de l'asperge. Cette entrée en gelée est confortée par une sauce mousseuse froide parfumée au jus d'orange sanguine.

Pour 4 à 6 personnes

Ingrédients :
600 g de grosse anguille fumée (avec peau et tête)
1 botte d'asperges vertes assez fines
1 poivron rouge
1 poivron vert (ou jaune)
1 bouquet d'estragon
1 bouquet de persil plat

Pour la gelée :
2 échalotes
1 gousse d'ail
1 carotte
1 bouquet garni
1/2 citron
6 feuilles de gélatine (12 g)
50 cl de bière blanche
Sel, poivre noir du moulin

• Dépouiller l'anguille, réserver la tête, la peau et l'arête. Dégager la chair et la détailler en bâtonnets de la section des asperges.

Pour la gelée

• Faire réduire* la bière dans une sauteuse assez grande et couverte, le tout à feu très doux sans bouillir et en 4 fois pour « empiler » les saveurs – comme le vin, la bière ne doit jamais bouillir mais réduire jusqu'à une consistance sirupeuse et il est préférable de le faire en 4 fois lentement en ajoutant 1/4 par 1/4 afin de garder les arômes originels.
• Éplucher les échalotes, la gousse d'ail et la carotte. Émincer la carotte.
• Dans une casserole, faire chauffer 50 cl d'eau (ou fumet de poisson) ajouter les échalotes, la carotte émincée, la tête, l'arête et la peau concassées de l'anguille, la gousse d'ail écrasée et le bouquet garni. Cuire 20 min à température douce.
• Faire tremper les feuilles de gélatine dans un bol d'eau froide pour les ramollir.
• Prélever les zestes du 1/2 citron et en exprimer le jus.
• À la fin de la cuisson du fumet, le filtrer, ajouter les feuilles de

Sauce d'accompagnement :
10 cl de mayonnaise
10 cl de crème fouettée
1 orange
(sanguine en saison)

gélatine égouttées et la bière réduite de 4 fois (environ 12 cl). Goûter, assaisonner en poivre noir et rectifier en sel si besoin. Verser la moitié du jus de citron et la moitié des zestes. Laisser refroidir.

• Préchauffer le four à 160 °C.
• Éplucher les asperges, garder la partie tendre et les pointes. Les cuire dans un grand volume d'eau bouillante salée 3 à 4 min, les égoutter et rafraîchir dans la glace avec un peu d'eau (pour fixer la couleur).
• Laver le persil et l'estragon, les essuyer, les équeuter et les ciseler grossièrement.
• Brûler la peau des poivrons dans le four pendant 15 min ; récupérer la chair et détailler en fines lanières.
• Dans une terrine, disposer les ingrédients longitudinalement par couches en ayant soin de répartir les composantes harmonieusement et de verser au fur et à mesure de la gelée encore liquide mais prête à coller. Laisser prendre une nuit au froid.

La sauce d'accompagnement
• Au dernier moment lever des zestes sur l'orange, la presser. Chauffer le jus et le faire réduire* avec quelques zestes. Laisser refroidir et mélanger avec la mayonnaise et la crème fouettée.

• Découper la terrine en tranches à l'aide d'un couteau électrique. Servir la sauce à part.

Ne pas hésiter à corser l'assaisonnement à chaud car à froid la gelée supporte cet excès.

Cette entrée puissante et fraîche mérite une grande expression du Chenin de Loire sec, je pense aux millésimes récents de la célèbre Coulée de Serrant.

Les huîtres en crépinettes gourmandes

J'aime beaucoup les huîtres chaudes et leur mariage avec les produits carnés. Au bord du golfe de Gascogne on mange depuis toujours des huîtres crues avec des petites saucisses de porc (chipolatas) grillées et parfois avec des crépinettes (chair à saucisse enfermée dans la crépine de porc).

Au début des années 1970, c'était bien loin du goût parisien. J'ai donc déguisé les huîtres en habit vert (feuilles d'épinards) et je les ai incluses dans une délicate crépinette à base de ris de veau truffé. Il ne restait qu'à les faire rôtir.

Raymond Oliver, enfant de Langon, magicien du Grand Véfour et pionnier de la cuisine télévisuelle, dégustant ce plat chez moi me fit appeler et me dit avec son humour habituel : « Petit, toi, tu as réussi à faire admettre aux Parisiens l'intégration de l'huître et de la saucisse, ce que j'ai toujours essayé sans succès ! »

Pour 6 personnes

Ingrédients :
1 douzaine d'huîtres spéciales n° 1 ou n° 2 de Marennes
1 pomme de ris de veau
100 g de chair de veau
50 g de poitrine demi-sel
200 g de crépine de porc
3 blancs d'œufs
125 g de crème double
1 noix de beurre

• Tailler de très fines lamelles de truffe et réserver les 6 plus belles afin de les disposer au milieu de la crépine avant la farce, ainsi, quand la crépinette sera cuite, la lamelle de truffe apparaîtra en surface en transparence.
• Blanchir* les feuilles d'épinards.
• Ouvrir les huîtres, les retirer des coquilles, les égoutter et les envelopper par 2 dans chaque feuille d'épinard blanchie.
• Dégorger*, blanchir* et cuire la pomme de ris de veau et la poitrine demi-sel au blanc c'est-à-dire dans un court-bouillon à base d'eau et de farine légèrement citronné, cela de manière à empêcher une viande blanche de noircir lors d'une cuisson prolongée.

6 grandes feuilles d'épinards
2 échalotes
50 g de truffe
6 brins de persil plat
Sel, poivre noir du moulin

• Peler et confire* les échalotes.
• Laver, essuyer, équeuter et ciseler les brins de persil.
• Enlever le voile et le gras de la pomme de ris de veau et détailler en petits dés.
• Mixer la chair de veau, les échalotes confites et la poitrine demi-sel. Saler et poivrer en tenant compte du pouvoir iodé de l'huître pendant la cuisson.
• Incorporer les blancs d'œufs, la crème, le persil ciselé et les lamelles de truffes, puis les dés de ris de veau.
• Préchauffer le four à 180 °C.
• Après avoir bien rincé la crépine de porc, l'étaler sur le plan de travail. Déposer les 6 plus belles lamelles de truffe, puis 6 tas de farce, puis les huîtres emballées et enfin encore de la farce. Découper la crépine en 6 de manière à façonner les crépinettes.
• Les cuire vivement au four avec une noix de beurre. Elles doivent être dorées à l'extérieur et encore moelleuses à l'intérieur.
• Servir à part, pour accompagner, une dégustation d'huîtres plates de Marennes-Oléron, bien vertes.

Si un Gewurztraminer de vendanges tardives, jeune, au goût sauvage, est le bienvenu, un riche vin de Sauternes au caractère musqué s'amusera de la délicatesse du ris de veau, de l'arôme unique de la truffe et de la puissance iodée de l'huître.

Les huîtres de Marennes en chaud-froid,

gelée d'eau de mer, tartines de foie gras

Cette recette associe l'huître crue avec l'huître cuite, que beaucoup de consommateurs redoutent. C'est une erreur car pour moi, l'huître charnue cuite développe des arômes supplémentaires.

Suivant leur origine, leur élevage et leur variété, les huîtres offrent un éventail gustatif immense – de la nullité totale au grand bonheur.

Si l'on a de plus en plus de mal à retrouver le goût de noisette de nos belons, en revanche la riche saveur iodée des plates de Marennes, de Cancale voire de Prat Ar Coum rivalise avec les cousines belges de Zeeland et anglaises de Colchester.

Élevé aux huîtres creuses du bassin d'Arcachon, je voue une passion aux petites huîtres telles les « boudeuses » (à la coquille peu développée) et les « papillons » (petit calibre de spéciales) très charnues.

Pour cette recette, j'utilise les exceptionnelles huîtres spéciales de Gillardeau (Marennes Oléron) qui se déclinent idéalement.
Bien qu'appréciant un grand beurre fermier, je ne suis pas convaincu qu'il constitue sur du pain le compagnon idéal de l'huître.
Je n'hésite pas à lui substituer quelques lichettes de foie gras sur des tartines croustillantes.

Pour 6 personnes

Ingrédients :

4 douzaines de belles huîtres de Marennes (Gillardeau M2)
150 g de foie gras de canard en terrine
2 belles échalotes
12 cl de très bon vin blanc sec
6 feuilles de gélatine (12 g) ou 10 g d'agar-agar en poudre
30 cl de crème fleurette
18 beaux petits croûtons de pain
Piment d'Espelette
1 kg de varech

- Peler et ciseler les échalotes.
- Ouvrir 18 huîtres, les sortir des coquilles en ayant soin de récupérer l'eau de mer.
Les rincer légèrement à l'eau claire.
- Mettre les feuilles de gélatine à ramollir dans un bol d'eau froide (si vous n'avez pas d'agar-agar).
- Dans une casserole, mettre la chair des 18 huîtres, les échalotes ciselées, le vin blanc, la crème fleurette et 1 pointe de piment d'Espelette. Laisser cuire à feu doux sans ébullition 5 à 6 min.
- En fin de cuisson, rectifier l'assaisonnement en sel si besoin, ajouter 3 feuilles de gélatine égouttées (ou 5 g d'agar-agar), mixer puis débarrasser dans un récipient sur glace et au frais ; vous obtiendrez une crème mousseuse d'huîtres.
- Avant le repas, ouvrir les 30 huîtres restantes, les sortir de leur coquille, les réserver. Ajouter à l'eau de mer de ces huîtres celle des huîtres cuites.
- Filtrer et porter à frémissement cette eau de mer. Ajouter les 3 feuilles de gélatine égouttées restantes (ou 5 g d'agar-agar) et laisser prendre en gelée très légère sur glace.
- Rincer 30 coquilles d'huîtres vides. Les disposer sur le varech dans les assiettes de service. À l'aide d'une cuillère, déposer dans le fond de chaque huître une belle noisette de crème d'huîtres. Placer l'huître crue par dessus et napper avec l'eau de mer en gelée.
- Laisser les assiettes au frais jusqu'au moment de servir.
- Tailler le foie gras en copeaux très fins. Les poser sur des petits croûtons, ajouter un tour de moulin de poivre noir et servir en accompagnement (3 croûtons et 5 huîtres par personne).

Cet apprêt riche en intensité appelle un très beau vin blanc personnalisé, digne représentant de ce superbe cépage Sémillon qui s'épanouit entre Pessac et Léognan. Soyez vigilant : malgré un certain progrès parfois excessif, l'ensemble reste hétérogène mais si vous avez affaire à un vigneron de talent alors… cela peut être très grand !

Les oursins violets à la chair de tourteau

Habitué au confort du sable fin de l'Atlantique, mon premier contact avec la Méditerranée eut lieu à Monaco et fut marqué par l'arrivée de l'oursin dans ma vie de cuisinier. Sans rancune pour les piqûres qu'il m'infligeait, je fus sensible au charme de son corail. Séduit par sa richesse, je l'ai associé à son voisin marin et dormeur : le tourteau. Je conseille de choisir des femelles assez grosses, plus généreuses en corail et plus faciles à décortiquer.

Pour 6 personnes

Ingrédients :
30 beaux oursins violets vivants
2 tourteaux vivants (femelles) de 800 g
4 artichauts type macau ou camus de Bretagne
1 citron
Gros sel

Crème d'oursin :
1 citron (jus)
4 g d'agar-agar ou 2 feuilles de gélatine
10 cl de crème de sésame (épiceries orientales)
10 cl d'huile de noisette
10 cl de crème fleurette
1 pointe de piment d'Espelette en poudre

• Cuire les tourteaux au court-bouillon (à défaut d'eau de mer prévoir 15 g de sel par litre d'eau et 15 min de cuisson par kg).
• À l'aide d'un couteau d'office bien pointu et tranchant, araser les feuilles des artichauts au-dessus du cœur en tournant. Casser les queues au ras des feuilles de manière à arracher les parties filandreuses. Peler la base des feuilles dures sur le pourtour et le dessous. Avec une cuillère en inox enlever la partie de foin encore accrochée aux fonds et les frotter avec 1/2 citron afin d'éviter une oxydation rapide.
• Cuire les 4 fonds à l'eau bouillante salée en contrôlant la cuisson avec la pointe d'un couteau. Le fond d'artichaut doit être ferme mais cuit. Rafraîchir à l'eau glacée et réserver.
• Décortiquer les 2 tourteaux, récupérer les chairs et le corail, les réserver séparément.
• À l'aide de petits ciseaux, découper tout autour la base de chaque oursin puis récupérer les langues avec une petite cuillère (réserver les 36 plus belles langues pour la présentation). Les rincer puis les réserver au frais ainsi que le jus d'oursin filtré. Choisir les 18 plus belles coques d'oursin, les rincer à l'eau claire et les égoutter.

Crème d'oursin

• Presser le citron.

• Pocher* les langues d'oursin non réservées dans 12 cl de jus d'oursin (eau de mer récupérée) à chaud. Ajouter l'agar-agar ou la gélatine préalablement ramollie dans de l'eau froide ; mixer avec le corail de tourteau, 1/3 de jus de citron, la crème de sésame et le piment d'Espelette.

• Réserver l'appareil au frais jusqu'à obtention d'une consistance proche de celle d'une crème fraîche épaisse puis monter au mixeur avec l'huile de noisette ; laisser prendre 1 h au réfrigérateur.

• Égoutter les fonds d'artichauts, les tailler en belles lames puis les émincer en fine julienne.

• Fouetter la crème fleurette.

• Dans un saladier mélanger la chair de tourteau avec la julienne d'artichaut, la crème d'oursin émulsionnée et la crème fouettée.

• Disposer 3 coques d'oursin dans chaque assiette sur un lit de gros sel. Garnir avec la préparation puis déposer 2 langues d'oursin par coque en forme de croix.

Pas d'hésitation, servez un vin blanc de Cassis ou Palette du Château-Simone.

Chaud-froid de coquilles Saint-Jacques et céleri truffé

Tous les gourmands savent qu'une julienne de truffe fraîche représente une grande valeur ajoutée au céleri rémoulade de nos grand-mères. J'ai un faible pour le céleri et particulièrement le céleri-rave dont j'apprécie la sapidité qui donne du relief à de nombreux produits, du simple jus de tomate, du poisson délicat en passant par les viandes blanches… Dans cette recette la chair des noix de coquilles Saint-Jacques marinée à cru avec de l'huile de noisette s'enrichit au contact du céleri cuit et de la truffe.

Pour 4 personnes

Ingrédients :

4 à 5 kg (soit 20 noix) de coquilles Saint-Jacques de grosse taille
100 g de purée de céleri-rave
1 branche de céleri
50 g de truffe noire fraîche
12 cl de jus blond de veau (base réalisable avec la cuisson lente d'un braisage de veau et d'aromates)
160 g de crème fraîche
10 cl d'huile de noisette
2 cl de vinaigre balsamique
1 feuille de gélatine (2 g)

• Décoquiller les noix de Saint-Jacques et les réserver de la façon suivante :
– 6 noix escalopées en deux = 12 pièces qui seront poêlées au dernier moment.
– 8 noix découpées en fines lamelles que l'on fera mariner au dernier moment.
– 6 noix hachées délicatement à cru.
• Mettre la feuille de gélatine à ramollir dans un bol d'eau froide.
• Écraser 20 g de truffe. La cuire dans le jus clair de veau lié lentement à couvert, jusqu'à réduction de moitié, ajouter la feuille de gélatine égouttée et rectifier l'assaisonnement en sel et poivre. Laisser refroidir et incorporer 6 cl d'huile de noisette.
• Laver le céleri branche, le détailler et l'émincer en julienne puis le blanchir*. Réserver les sommités des feuilles tendres (jaune pâle).
• Préparer la vinaigrette en mélangeant le vinaigre balsamique et du sel puis ajouter l'huile de noisette restante et du poivre noir.

Quelques pousses de salades amères (endive, trévise, chicorée et roquette)
Sel, poivre du moulin

Prévoir 4 cadres en inox de 6 cm de côté ou 4 cercles de 6 cm de diamètre

• Nettoyer et mélanger les quelques pousses de salades amères avec la julienne de céleri branche.
• Disposer les 4 cadres dans chaque assiette (dans le bas à droite).
• Fouetter la crème fraîche.
• Chauffer et mélanger la purée de céleri bien assaisonnée avec le même poids de crème fouettée (100 g) et répartir dans les 4 cadres.
• Assaisonner la chair de Saint-Jacques hachée avec la vinaigrette et faire mariner les lamelles dans une assiette avec la même vinaigrette préparée à cet effet.
• Mélanger la purée de truffe avec le restant de crème fouettée et répartir sur la mousse de céleri dans les cadres.
• Couvrir avec la chair de Saint-Jacques hâchée et finir avec les lames de Saint-Jacques disposées en écailles.
• Dresser en bouquet sur chaque assiette les salades et la julienne de céleri branche et avec un pinceau, assaisonner de vinaigrette.
• Poêler les 12 rondelles de Saint-Jacques et les répartir sur les assiettes. Enlever les cadres ou cercles et râper sur les « pavés » obtenus les 30 g de truffe restante. Parsemer de sommités de céleri.

Choisissez un bon vigneron de Chassagne-Montrachet sachant marier élégance et richesse fleurie avec cette vivacité étonnante pour un vin blanc sec.

Saint-Jacques et truffe blanche d'Alba en fine galette

Dans cette recette j'ai voulu honorer le côté minéral de ce diamant blanc du Piémont. Nous sommes en présence d'une juxtaposition d'odeurs et de saveurs, certes je l'espère en harmonie, mais avec des produits à forte personnalité. Nous avons à faire face au sucré-salé et au cumin de la galette, à la douceur noisette de la Saint-Jacques marinée, au goût cuivré de la roquette, à l'amertume anisée de l'artichaut, à la note de sous-bois des champignons, au charme du parmesan et à la violence « hydrocarburée » voire aillée (odeur rappelant celles des plantes liliacées) de cette rare et démoniaque truffe blanche d'Alba.

Pour 4 personnes

Ingrédients :
10 belles noix de coquilles Saint-Jacques
60 g de truffe blanche d'Alba
100 g de salade de roquette
1 artichaut
2 grosses têtes de champignons de Paris
20 g de parmesan

Vinaigrette :
4 cl d'huile de noisette
2 cl de jus de citron
3 cl de jus de volaille
Sel, poivre noir du moulin

Confection des galettes

• Dans une petite casserole mélanger à la spatule le glucose, le beurre, la crème, le sel et le cumin en chauffant à 90 °C maximum.
• Retirer du feu puis ajouter la pectine et le sucre en poudre en mélangeant au fouet, à chaud, puis refroidir sur glace en continuant de fouetter pendant 2 à 3 min.
• Préchauffer le four à 160 °C.
• Répartir la masse dans 4 moules circulaires en Téflon en ayant soin de bien étaler (avec le dos d'une cuillère mouillée). Cuire au four pendant 7 à 8 min. Dans un premier temps laisser les galettes refroidir dans les moules sur le plan de travail. Quand elles paraissent à la bonne consistance, les démouler encore souples en les laissant dépasser d'un tiers de leur surface sur le bord de votre planche à découper. Ceci, afin de les poser à froid sur la préparation, bien raides et croustillantes avec un tiers de la surface relevé comme une visière de manière à laisser deviner l'amorce de la salade, de la Saint-Jacques et de la truffe blanche.

Galettes au cumin :
25 g de beurre
25 g de crème
3 g de cumin en grains
2 g de sucre en poudre
50 g de glucose en sirop
3 g de pectine en poudre
1,5 g de sel

• Tourner (peler à vif les contours en conservant la partie tendre de la queue, en supprimant les sommités des feuilles trop dures et en éliminant le foin de l'intérieur) et cuire le fond d'artichaut à l'eau bouillante salée (20 min), rafraîchir et tailler en brunoise*.
• Laver la roquette et la ciseler délicatement.
• Éplucher les têtes de champignon et tailler en brunoise* la partie bien blanche.
• Râper le parmesan.
• Tailler en fines lamelles les noix de Saint-Jacques et dresser en rosace sur papier sulfurisé préalablement découpé en 4 cercles de 10 cm de diamètre.
• Préparer la vinaigrette.
• Disposer 4 cercles à tarte de 10 cm de diamètre sur les 4 assiettes de service, répartir le mélange artichaut, roquette, champignon, parmesan assaisonné de la moitié de la vinaigrette.
• Avec le reste de vinaigrette badigeonner les 4 disques de lames de noix de Saint-Jacques puis les retourner sur les salades ; ôter le papier sulfurisé et badigeonner de vinaigrette l'autre côté des Saint-Jacques. Tasser l'ensemble et râper dessus la truffe blanche de manière à recouvrir.
• Enlever les cercles à tarte et servir avec les galettes relevées d'un côté posées dessus.

L'épreuve du vin relève du challenge. Un Riesling alsacien de haut niveau s'impose surtout si un long vieillissement lui a permis d'équilibrer la douceur mellifère avec les notes minérales rappelant la térébenthine. Si l'un de vos amis possède un Clos-Saint-Hune de 15 ou 25 ans, n'hésitez-pas, invitez-le…

« Hure » de raie au chou-fleur cru,
légumes au sirop de tomate

L'aile de la raie bouclée offre une texture ligneuse, d'un blanc immaculé et d'un curieux contact soyeux en bouche. Après un respectueux pochage il est très facile de récupérer les chairs afin d'exploiter le pouvoir gélatineux de la peau et des cartilages faisant office d'arêtes. Ainsi refroidi ce liant naturel donne à la préparation l'aspect gélifié d'un fromage de tête. Afin de conserver fraîcheur et craquant je râpe l'extrémité de bouquets de chou-fleur ; les petits grains blancs rappelant la semoule de blé s'intègrent parfaitement avec le poisson et les condiments. J'accompagne la hure de raie avec un mélange de quelques légumes confits séparément et mariés dans un subtil sirop de tomate pimenté.

Pour 6 personnes

Ingrédients :

800 g d'aile de raie bouclée de préférence
1 chou-fleur bien ferme
1 citron
2 tomates bien fermes
4 cuillères à soupe de câpres
2 échalotes grises
1 bouquet de persil plat
2 feuilles de gélatine (soit 4 g)
1 pointe de piment de Cayenne
Sel

La veille

• Laver l'aile de raie à plusieurs eaux puis la pocher* dans un court-bouillon corsé pendant 12 min (mouillement à hauteur minimale).
• Retirer la peau cuite de couleur foncée, puis lever les chairs de l'arête. Tailler la peau blanche (celle du dessous) en très fines lanières, la réserver pour servir de liant.
• Séparer les bouquets de chou-fleur à l'aide d'un couteau, récupérer les sommités des fleurs (petites graines blanches) qui entreront dans la préparation à cru, les laver et les égoutter.
• Peler à vif le citron et le tailler en petits dés.
• Monder*, épépiner et tailler les tomates en dés.
• Peler et ciseler les échalotes.
• Effilocher les chairs de la raie dans un saladier et mélanger avec les dés de citron, les dés de tomates, les câpres, les échalotes ciselées, le chou-fleur, le piment de Cayenne, le sel, sans oublier les fines lanières de peau blanche de raie. Rectifier l'assaisonne-

Légumes au sirop de tomate :

3 courgettes naines
3 petits pâtissons bien jaunes
120 g de champignons bouton (de Paris)
1 botte de petits oignons fanes
3 artichauts poivrades
300 g de tomates de jardin très mûres ou à défaut 5 cl de concentré de tomate
1 citron (jus)
1/2 bottillon d'aneth
1 cuil. à café d'anis vert (grains)
8 g de Maïzena
10 cl de vin blanc sec
5 g de sucre en poudre
5 g de sel
1 pincée de piment d'Espelette

ment en sel si besoin, sans perdre de vue que pour obtenir un bon dosage à froid, il se doit d'être plutôt corsé à chaud (difficulté des mets servis froids).

• Mettre les feuilles de gélatine à ramollir dans un bol d'eau froide. Les égoutter et les dissoudre dans un peu de court-bouillon.

• Tapisser une terrine de film alimentaire et y mouler la préparation en ajoutant quelques cuillerées de court-bouillon (12 cl) lié à la gélatine de manière à bien recouvrir le tout. Réserver au réfrigérateur pendant 24 h.

Le jour du repas

• Préparation des légumes : presser le citron. Laver les légumes, tourner les artichauts (peler à vif les contours en conservant la partie tendre de la queue, en supprimant les sommités des feuilles trop dures et en éliminant le foin de l'intérieur) et les couper en quatre, les citronner avec la moitié du jus de citron pour qu'ils ne noircissent pas. Laisser la naissance de la queue aux petits oignons, couper les queues des champignons, ne pas éplucher les courgettes et les couper en deux, couper les pâtissons en quatre.

• Cuire séparément les légumes à l'eau bouillante salée puis les rafraîchir pour arrêter les cuissons et fixer les couleurs.

• Mixer les tomates avec la peau et les pépins, cuire avec le vin blanc, le sucre en poudre, les 5 g de sel. Diluer la Maïzena dans de l'eau froide et l'ajouter ainsi que l'anis vert et le piment d'Espelette. Cuire 15 à 20 min au sourire (infime bouillon), ajouter la moitié restante de jus de citron, filtrer et refroidir sur glace.

• Au moment de servir, démouler la terrine et la trancher avec un couteau électrique, ce qui permettra une découpe plus nette ; mélanger les divers légumes avec le sirop de tomate bien onctueux, les disposer dans un beau compotier et parsemer de pluches* d'aneth trempées dans de l'eau fraîche afin qu'elles soient d'une texture appétissante.

Honorons cette tomate ennemie du vin rouge et offrons-lui la complexité de la Marsanne et de la Roussane qui excellent dans ces beaux vins blancs du sud-est de la France.

Petits pâtés de sardines crues,
pommes nouvelles et fromage blanc

Sous son aspect rigide et sa couleur métallique, la sardine fraîche est très fragile. Les vieux pêcheurs prétendent que pour la savourer frite ou grillée il convient de ne pas la laver, de ne pas la vider, de lui conserver la tête et d'éviter de la toucher. Ils ont raison, surtout quand les sardines sont de petite taille.

Les vrais amateurs de sardines à l'huile d'exception, maturées dans les boîtes savamment retournées au fil des années, peuvent témoigner du soin et du respect apportés à la présentation toujours parfaite.

Aujourd'hui, les progrès de la chaîne du froid autorisent d'autres traitements des sardines, souvent offertes en filets marinés.

L'idée d'associer sardine et fromage blanc m'est venue à l'occasion d'un voyage en Inde en observant les effets calmants du lait caillé sur la violence de certains currys.

Les ferments lactiques favorisent aussi la marinade des poissons crus. C'est pourquoi j'ai réuni autour du charme de la pomme de terre nouvelle, le piquant du curry, le moelleux de la chair de sardine et la douceur du fromage blanc.

Pour 4 personnes

Ingrédients :
20 sardines ultra-fraîches
300 g de pommes de terre nouvelles
100 g de céleri branche

• Éplucher et ciseler les échalotes, les rincer à l'eau fraîche et les égoutter.

• Écailler les sardines, les pincer derrière la tête avec deux doigts et tirer la tête vers le bas, les entrailles et l'arête suivront ; séparer les deux filets.

4 échalotes
1 bottillon d'aneth
50 g de câpres
1 pincée de curry en poudre
100 g de fromage blanc
Huile d'olive
Vinaigre de vin (Xérès de préférence)
Sel de Guérande

Prévoir 4 moules à pâté individuels (ronds ou ovales)

• Disposer les filets de sardines par couches au fond d'un plat creux en prenant soin de les saler au gros sel, de les assaisonner avec un peu de curry en poudre et de les parsemer avec la moitié des échalotes ciselées ; arroser le tout d'un bon filet d'huile d'olive et de quelques gouttes de vinaigre. Laisser mariner 2 h minimum.
• Mettre à cuire les pommes de terre nouvelles avec leur peau dans de l'eau salée pendant 20 min environ sans faire bouillir, refroidir ; les éplucher puis les tailler en petits dés de 0,5 cm de section.
• Laver, essuyer et ciseler l'aneth (garder quelques brins pour la décoration).
• Laver et tailler le céleri branche en brunoise*.
• Dans un saladier mettre le fromage blanc, le reste des échalotes, les câpres, l'aneth ciselée, la brunoise de céleri et du curry ; ajouter les pommes de terre en dés et mélanger délicatement, rectifier l'assaisonnement et réserver au réfrigérateur.
• Tapisser le fond des moules avec les filets de sardines (côté peau à l'extérieur) en les faisant se chevaucher légèrement puis garnir le centre avec l'appareil à pommes de terre.
• Démouler délicatement sur le plat de service et décorer avec des brins d'aneth.

Pour faciliter le démoulage, tapisser les moules à pâté d'une feuille de film alimentaire avant de les garnir.

Cette entrée printanière s'accommodera d'un simple et franc vin blanc sec, bien choisi, de l'Entre-Deux-Mers (petit territoire historique entre Dordogne et Garonne).

Gâteau d'aubergines aux anchois frais

Pendant l'été, nous avons pour habitude de tailler longitudinalement de fines tranches d'aubergine, de les fariner, de les frire dans un peu d'huile et de les assaisonner comme des queues de cèpes. N'en déplaise à une certaine « grande distribution », privilégiez les petites aubergines à la peau vernie et à la queue piquante qui vous donneront meilleure texture et meilleure saveur. Chez nous, en terre de générosité, il restait souvent après les repas de belles tranches froides persillées. J'ai eu l'idée de les réutiliser dans une nouvelle entrée froide en y ajoutant poivrons et anchois frais. Pour nous, l'anchois continue à être la grande référence en matière de condiment. Dans l'Antiquité, les anchois macérés servaient à faire le *garum* (le *nuoc-mâm* des Romains). Pendant longtemps dans nos campagnes, les anchois saumurés* ont remplacé le sel soumis au lourd impôt royal de la gabelle. Ainsi sont nées certaines recettes de tradition comme le gigot en gasconnade piqué d'anchois. Aujourd'hui, on trouve en Espagne du côté de Bilbao ou de Barcelone d'épais filets confits dans l'huile d'olive que l'on déguste avec de belles amandes ou du pain grillé. En France, les pêcheurs spécialisés de Saint-Jean-de-Luz et de Collioure ont pour habitude de les déguster tout frais, marinés à cru.

Aubergine cuite et anchois crus se complètent tant au niveau gustatif qu'esthétique sous la forme de ce gâteau. Pourvu que la pêche continue !

Pour 4 à 6 personnes

Ingrédients :

500 g d'anchois frais
1 kg d'aubergines
3 beaux poivrons rouges
2 citrons (jus)
3 gousses d'ail
1/2 bouquet de persil plat
Huile d'olive
Sel, poivre du moulin

La veille

• Préchauffer le four à 160 °C.

• Presser 1 citron.

• Par pression derrière la tête de l'anchois, séparer les filets de l'arête, la tête et le ventre. Rincer sous un filet d'eau fraîche, égoutter, saler, poivrer et arroser du jus de citron et d'1 filet d'huile d'olive. Laisser mariner dans un plat.

• Brûler la peau des poivrons dans le four pendant 15 min. Les peler, les vider de leurs graines, les rincer et les fendre pour les utiliser à plat.

• Peler et blanchir* l'ail puis l'émincer. Laver, essuyer, équeuter et hacher grossièrement le persil.

• Essuyer et enlever la queue des aubergines ; les tailler en tranches de 5 mm d'épaisseur sur la longueur. Les fariner et les poêler à l'huile d'olive ; les égoutter sur du papier absorbant puis saler, poivrer et parsemer d'ail et de persil grossièrement haché.

• Prendre une terrine, la badigeonner d'huile d'olive, tapisser le fond et les côtés avec des tranches d'aubergines poêlées puis répartir par couches successives les anchois, les poivrons et les aubergines. Fermer le dessus avec les tranches d'aubergines restantes ; poser un poids en surface afin de presser l'ensemble et laisser prendre une nuit au frais.

Le jour du repas

Démouler le gâteau d'aubergines, le trancher avec un couteau électrique et accompagner d'une vinaigrette faite avec le jus du citron restant et de l'huile d'olive.

Dans cette belle histoire cohabitent la richesse iodée de l'anchois, la douceur du poivron avec l'aubergine persillée. Le vin blanc se doit d'être complexe et généreux avec l'accent du Sud et mérite de s'appeler Chateauneuf-du-Pape.

Les écrevisses aux saveurs de gaspacho

Dans cette recette la plus grande difficulté est de se procurer l'écrevisse idéale, c'est-à-dire sauvage, à pattes rouges, âgée de six à sept ans. Victime du braconnage ou de la pollution, elle est de plus en plus rare dans nos rivières. Nos écrevisses viennent le plus souvent d'autres horizons et sont d'espèces gustativement plus banales (pattes blanches de Turquie, Waby d'Australie...). Il n'y a guère qu'en Suède qu'on ait réussi à gérer le patrimoine de « pattes rouges » et ce en limitant la pêche à quelques jours par an, juste avant une grande fête, fin août, célébrant cet excellent crustacé de rivière. En bons puristes, les Suédois cuisent les écrevisses au court-bouillon avec de la bière et de l'aneth et les savourent froides. Moi, je conserve leur principe de cuisson mais je les « exotise » grâce à un gaspacho raffiné, puisé aux sources de l'Andalousie.

Mais qui dit gaspacho dit coulis de tomate crue. Faut-il se procurer des tomates « sauvages » pour espérer trouver le goût originel comme pour les écrevisses ? Sinon une seule solution : le jardin. En Europe, depuis cinq siècles, la production des diverses variétés de ce fruit du soleil (pomme d'or en italien), a inspiré d'innombrables recettes. Actuellement, la mode de la tomate en branche issue elle aussi d'une culture sur laine de roche dans des serres aseptisées (génétiquement modifiée) ne nous apporte que normalisation de forme et de couleur ainsi qu'une texture ferme et résistante, mais avant tout farineuse et insipide. Parmi des tomates dignes de leur légendaire passé, choisissez les plus mûres pour le gaspacho comme pour toute sauce ou coulis. Si vous souhaitez les manger crues en salade, n'hésitez pas, cueillez-les au moment précis où leur robe rouge tendre contient encore des traces vertes.

Nostalgique de la tomate farcie ? Choisissez-la plutôt de taille moyenne, mûre mais encore ferme, oubliez la chair à saucisse et les farces charcutières, privilégiez une légère farce à base de reste de poule au pot, de jarret de veau cuit, de mie de pain, de jaune d'œuf et d'herbes potagères.

Pour 6 personnes

Ingrédients :

36 écrevisses pattes rouges de grande taille

Gaspacho :

100 g de céleri branche
1 concombre
1 poivron vert
500 g de tomates
200 g d'oignons
10 g d'ail nouveau + 1 gousse d'ail
50 g de concentré de tomate
5 cl de vinaigre de vin rouge
5 cl d'huile d'olive
50 cl de court-bouillon
30 g de sel
1/4 de pain de mie frais
Croûtons de pain

Court-bouillon :

1 carotte
1 branche de céleri
1 poireau
1 oignon
1 bouquet garni
6 grains de poivre noir écrasés
1 poignée de gros sel
2 litres d'eau
2 litres de bière blonde

La veille

• Confectionner le court-bouillon : éplucher les légumes et les mettre dans un grand faitout, avec le bouquet garni, le sel, le poivre, l'eau, la bière. Cuire à petits bouillons pendant 30 min. Passer le court-bouillon et le réserver.

• Préparer le gaspacho : laver et éplucher les légumes, épépiner le poivron vert, dégermer l'ail et retirer la croûte du pain de mie. Couper les légumes en gros dés, les placer dans un saladier, ajouter le vinaigre, le concentré de tomate, l'huile d'olive, le pain de mie paré, le sel et le court-bouillon. Réserver au frais.

Le jour du repas

• Cuire les écrevisses dans le court-bouillon frémissant durant 5 à 10 min puis les décortiquer.

• Mixer tous les éléments du gaspacho à l'aide d'un mixeur à potage et passer au chinois.

• Servir le gaspacho bien glacé dans des assiettes creuses, y déposer les queues d'écrevisse. Accompagner de petits croûtons dorés frottés légèrement à l'ail.

Facultatif : lier avec un peu de sauce rouille ou de la mayonnaise selon votre goût.

Même si elles sont devenues un peu andalouses, les écrevisses évoquent pour moi les bonheurs du cépage Chardonnay et ce bon vignoble du Mâconnais. Une tête de cuvée de Mâcon ou un Pouilly-Fuissé « vieilles vignes » ne démériteront pas.

Mosaïque de foie gras au piment

Le foie gras a cette vertu de pouvoir être associé à de très nombreuses aventures gustatives. Il ne pouvait échapper au feu du piment.
Si vous avez la chance de pouvoir utiliser des petits piments verts de nos jardins et quelques petits poivrons rouges pointus de Navarre (*piquillo*), vous pourrez facilement réaliser ces heureuses épousailles et offrir des tranches à l'aspect d'une belle mosaïque colorée. Faute de piment, n'hésitez pas à utiliser des poivrons rouges et verts en prenant soin de les peler et de les cuire au préalable, sans oublier une bonne prise de poudre de piment d'Espelette.

Pour 8 à 10 personnes

Ingrédients :
2 foies gras de canard mi-cuits de 400 g
20 à 30 cl de gelée de canard corsée
12 petits poivrons rouges de Navarre (*piquillo*)
6 piments verts de jardin

La veille
• Découper les foies gras mi-cuits longitudinalement en bâtonnets de 2 cm de côté.
• Fendre les *piquillo* afin de pouvoir les découper à plat pour bien cloisonner les bâtonnets de foie gras et réaliser les séparations entre les couches.
• Tapisser l'intérieur d'une terrine rectangulaire (correspondant au volume des 2 foies gras) d'un film alimentaire puis garnir les parois et le fond de lanières de *piquillo*.
• Disposer les bâtonnets de foie gras intercalés de lanières de poivron. Arroser de gelée de canard tiède puis ajouter une couche de *piquillo*. Renouveler l'opération et terminer par une couche de poivron. Refermer le film protecteur, charger la terrine avec une planchette et un poids et laisser prendre 1 nuit au froid.

Le jour du repas
• Plonger rapidement les petits piments verts dans la friture. Enlever la peau, les fendre légèrement pour les épépiner sans les abîmer en ayant soin de leur conserver la queue.

• Pour servir, démouler la terrine obtenue et, à l'aide d'un couteau fin, affûté et trempé dans l'eau chaude, débiter de belles tranches à l'aspect de mosaïque. Les poser avec une spatule sur l'assiette de vos invités et disposer à côté un petit piment vert pour décorer.

Côté vin nous ne pouvons pas ignorer la palette du Sud-Ouest avec en première ligne un valeureux Pacherenc-de-Vic-Bilh sec, aux arômes frais et musqués.

Terrine de foie gras de canard grillé, pain de maïs

À l'auberge familiale, les maquignons rentrant de la foire en période hivernale disaient à ma grand-mère : « Lucie, faites-nous griller ces foies gras sur les braises… »

À l'époque, le foie gras, surtout celui de canard, coûtait moins cher que l'entrecôte. Il suffisait d'un peu de patience, d'attendre que les braises espacées du foyer deviennent blanches pour faire griller d'épaisses tranches de foie gras, puis d'ajouter une pointe d'ail et de persil ainsi qu'une giclée de vinaigre dans le plat.

C'est pour conserver les odeurs particulières du foie gras sur les braises que j'ai associé les deux cuissons (gril et four au bain-marie) pour aboutir à une terrine moelleuse et authentique.

J'aime accompagner cette terrine avec du pain de maïs toasté que l'on peut facilement réaliser chez soi. Jadis, dans le Sud-Ouest, le pain blanc à base de froment était réservé au dimanche et aux grandes occasions. Le maïs sous diverses formes était la céréale quotidienne.

Pour 6 à 8 personnes

Ingrédients :
3 foies gras de canard crus de 450 g environ (de couleur claire mais non blanchâtre et de texture souple au toucher)
1 verre de vieux vin de Sauternes

À préparer 4 jours avant de déguster

- Rincer les foies entiers à l'eau fraîche et laisser prendre la température ambiante.
- Enlever les parties vertes du fiel.
- Faire réduire* à couvert et très lentement le verre de vieux vin de Sauternes, en deux ou trois fois, afin de bien conserver les saveurs et de manière à obtenir 5 cl maximum.
- Préparer les braises de sarments de vigne.

15 g de sucre en poudre
Un peu de noix muscade râpée
20 g de sel
6 g de poivre noir du moulin
Sarments de vigne

• Tailler longitudinalement chaque foie en trois tranches; dénerver et extraire délicatement les veines en évitant de déstructurer les chairs.
• Quand les braises sont blanches, griller rapidement les tranches de foie gras sur chaque face de façon à obtenir une coloration en surface sans cuisson en profondeur.
• Mélanger le sel, le sucre en poudre, un peu de noix muscade râpée et le poivre noir moulu grossièrement.
• Coucher les tranches de foie gras grillées dans la terrine en ayant soin d'assaisonner avec le mélange ci-dessus et la réduction de vin de Sauternes. Laisser macérer quelques heures au frais.
• Préchauffer le four à 70 °C.
• Cuire la terrine au bain-marie bien chaud, dans le four, pendant 40 min puis laisser refroidir.
• Dès que la graisse commence à se figer, poser sur la surface une planchette au gabarit chargée d'un poids et réserver au réfrigérateur (+3 °C) toute une nuit.
• Le lendemain, enlever la planchette, récupérer la graisse, la faire fondre et la verser à peine tiède sur la surface de la terrine. Entreposer au froid pendant 3 jours avant de consommer.

Le fruité de cette riche terrine aux notes fumées rappelant l'âtre évoque pour moi une vieille bouteille de Jurançon qui hésite toujours entre douceur et acidité... Oubliez les cuvées souvent trop tardives qui ont perdu le *gnac* (le mordant en gascon) qui nous fait rêver et nous donne envie de tendre le verre. Préférez ces grands vins doux et riches issus de ce diabolique Petit Manseng qui vieillissent à merveille et évoluent avec des arômes précieux.

Gâteau de topinambours et foie gras à la truffe

J'ai comme beaucoup de cuisiniers une grande faveur pour le mariage du foie gras et de l'artichaut. Malheureusement l'artichaut donne un goût d'anis trop prononcé aux grands vins blancs. Bien sûr, j'aurais pu une fois de plus faire appel au « vieux couple » foie gras de canard et navet mais je souffrais de perdre le goût caractéristique et délicat de l'artichaut. Je me suis tourné vers le curieux topinambour, souvent confondu avec son camarade de guerre le rutabaga (rave à vache) où je retrouve le goût de l'artichaut mais qui réagit beaucoup plus favorablement aux bons vins.

C'était au début de l'année, la période était optimale pour le foie gras (meilleur avec le froid), la truffe était bien mûre et le topinambour au mieux de sa forme (fibreux plus tôt et cotonneux plus tard). Je décidai de réaliser ce mariage à trois sous la forme d'un gâteau constitué de couches superposées. Afin de mieux le tester, chez moi, je le servis à des amis un dimanche soir et je constatai avec bonheur qu'il sublimait les arômes d'un magnifique vin jaune du Jura.

Dans un registre plus simple qui a fait ses preuves de longue date au Trou Gascon (mon premier restaurant), vous pouvez très facilement réaliser une terrine de pommes de terre au foie gras. À cet effet il vous suffira d'intercaler des couches de lames de belles charlottes cuites à la peau avec des lichettes de foie gras de canard cuit, de la fleur de sel, du poivre noir et de la noix muscade. Bien tasser et chauffer au bain-marie au moment du repas. Il ne vous restera qu'à démouler (penser à tapisser la terrine avec du film alimentaire, c'est plus facile !) et à faire de belles tranches au couteau électrique. Accompagner de la même vinaigrette que les topinambours.

Pour 4 personnes

Ingrédients :
200 g de foie gras de canard mi-cuit
1 litre de bouillon de volaille corsé
20 g de beurre
3 cuil. à soupe d'huile de noix
1/2 cuil. à soupe de vinaigre de Xérès
600 g de topinambours roses
60 g de truffe fraîche
1 bottillon de cerfeuil
Noix muscade râpée au dernier moment
Sel, poivre noir du moulin

Prévoir 1 moule à manqué en Téflon de 15 à 18 cm de diamètre

• Peler les topinambours en leur donnant une forme cylindrique puis les tailler en rondelles de 2 mm d'épaisseur.
• Porter le bouillon de volaille à ébullition, y cuire les rondelles de topinambours pendant 5 min et les égoutter sur un linge. Réserver 5 cl de bouillon.
• Tailler la truffe en fines lamelles et trancher le foie gras en « lichettes ». Réserver 20 g de foie gras.
• Saler et poivrer ces 3 éléments bien étalés sans oublier la râpée de muscade sur le foie gras.
• Préchauffer le four à 160°-180 °C.
• Beurrer le moule, le tapisser avec les rondelles de topinambours en les faisant se chevaucher pour obtenir la forme d'une rosace, alterner les couches des 3 ingrédients en terminant par les topinambours.
• Couvrir d'une feuille d'aluminium beurrée et presser la préparation à l'aide d'un moule plus petit afin d'obtenir une stratification homogène du gâteau.
• Cuire au bain-marie dans le four préchauffé pendant 20 min.
• Préparer une vinaigrette tiède : dans une casserole mélanger le vinaigre de Xérès avec le sel. Ajouter l'huile de noix, 5 cl de bouillon de volaille, les 20 g de foie gras écrasé sans oublier le poivre. Chauffer doucement.
• Au moment de servir, laver et ciseler grossièrement le cerfeuil ; démouler le gâteau sur un plat de service, le découper en quartiers à l'aide d'un couteau électrique, l'arroser de la vinaigrette tiède et le parsemer de cerfeuil grossièrement ciselé.

Cette confortable et chatoyante entrée peut tout à fait s'associer à un vin rouge pour peu que celui-ci fasse preuve de caractère et d'esprit. Cette trilogie d'arômes attend d'un vin du sèveux, du velouté combinés à des odeurs de terre chaude matinale. Il existe maintenant plus que jamais entre Fronsac et Canon-Fronsac des beaux vins riches en Merlot capables de partager cette noble joute.

Terrine de lapereau fermier au citron confit

Sensible au moelleux et au parfum du tajine de volaille au citron, plat traditionnel marocain servi fumant, j'ai cherché à confectionner une entrée froide réunissant les mêmes plaisirs et la même légèreté.

Dans un premier temps, j'ai préparé cette terrine essentiellement avec du poulet, du citron confit et quelques olives. Et puis la gourmandise aidant, j'ai multiplié les ingrédients que j'ai réunis autour du lapereau fermier. Cette terrine accompagnée d'une petite salade de roquette à l'huile d'olive citronnée sera l'entrée idéale du repas d'un beau soir d'été.

Pour 8 à 10 personnes

Ingrédients :
1 lapereau fermier
Le foie et les rognons du lapereau
250 g de poitrine de porc demi-sel cuite
50 g de fond blanc de volaille
2 œufs
Lait
100 g de mie de pain
50 g d'échalotes grises
50 g d'ail
1 poivron rouge
75 g de citron confit
70 g de pistaches vertes
60 g d'olives noires dénoyautées
10 cl de vin de Xérès
1 pincée de sucre en poudre

La veille

• Retirer le foie et les rognons du lapereau, les saler, les poivrer, les sucrer et les mettre dans un petit bol avec du vinaigre blanc pour les faire dégorger. Réserver au frais.

Le jour du repas

• Désosser le lapereau entièrement, découper les cuisses, les pattes et les râbles en petits dés de 1 cm de côté.
• Blanchir* les pistaches.
• Brûler la peau du poivron dans le four pendant 15 min. Le peler et le couper en dés.
• Tailler la poitrine demi-sel en petits dés.
• Couper les olives en rondelles, rincer à l'eau claire.
• Tailler le citron confit en brunoise*.
• Dans une jatte, verser les dés de lapin, ajouter le foie et les rognons saumurés* puis la poitrine demi-sel coupée en petits dés, les rondelles d'olives, la brunoise de citron confit, les pistaches blanchies et les dés de poivron rouge.

6 feuilles de gélatine
1 pincée de noix muscade râpée
1 g de piment d'Espelette
3 g de curry en poudre
3 g de curcuma
2 feuilles de laurier frais
1 cuil. à café de serpolet

• Mettre la mie de pain à tremper dans le lait.
• Émincer les panoufles du lapereau (muscle plat qui recouvre les côtes flottantes).
• Dans le bol du mixeur, introduire les panoufles émincées, la mie de pain et les œufs ; bien déstructurer l'ensemble puis ajouter au mélange précédent.
• Peler, blanchir* et hacher l'ail.
• Mixer finement les feuilles de laurier.
• Éplucher et ciseler les échalotes.
• Mettre les feuilles de gélatine à ramollir dans un bol d'eau froide.
• Préchauffer le four à 120°/130 °C.
• Dans une casserole faire chauffer doucement le vin de Xérès avec le fond blanc de volaille, le sucre en poudre, les aromates et les épices, l'ail blanchi et les échalotes ciselées, puis dissoudre les feuilles de gélatine égouttées. Verser sur les viandes et mélanger délicatement à la spatule. Saler légèrement compte tenu de la poitrine demi-sel, des olives et du citron confit.
• Chemiser* au beurre une belle terrine et y tasser cette « mêlée ». Cuire au bain-marie à four doux pendant 45 à 60 min. Laisser refroidir la terrine « chargée » toute une nuit au frais.

Si vous avez cuit ce lapereau au citron confit dans une belle terrine blanche ovale, n'hésitez pas à la proposer au milieu de la table avec un superbe couteau.

Compte tenu de la fraîcheur et du bouquet aromatique de cette terrine, les grands vins blancs seront les bienvenus mais un blanc moelleux de Loire du style élégant des coteaux de l'Aubance aura ma faveur.

Escargots petits-gris en barigoule d'artichauts

Cette préparation permet d'équilibrer la légère amertume de l'escargot avec le charme anisé des petits artichauts violets du sud de la France.

Pour 4 personnes

Ingrédients :

16 artichauts poivrades (violets)
2 gros oignons
1 citron
1 cuil. à soupe de grains de coriandre
1 bouquet garni
1 cuil. à soupe d'huile d'olive
40 cl de vin blanc
Sel, 10 grains de poivre concassés

64 escargots petits-gris débarrassés de leur coquille
100 g de jambon de Bayonne
1 carotte
4 échalotes
2 gousses d'ail
15 feuilles de basilic
Feuilles de basilic (décor)
2 tomates (décor)
20 cl de crème fleurette
Huile d'olive
Noix muscade (à râper au dernier moment)
Sel, poivre du moulin

• Tourner les poivrades, c'est-à-dire peler à vif les contours en conservant la partie tendre de la queue, en supprimant les sommités des feuilles trop dures et en éliminant le foin de l'intérieur. Afin d'éviter qu'ils noircissent, les frotter avec 1/2 citron et les réserver dans de l'eau citronnée.
• Éplucher et ciseler les oignons.
• Faire suer les oignons ciselés dans une casserole avec l'huile d'olive, ajouter les grains de coriandre et de poivre écrasés, le bouquet garni, le vin blanc et du sel. Y plonger les artichauts et couvrir d'un papier sulfurisé percé au centre, laisser cuire ainsi à feu doux pendant 20 à 25 min selon grosseur.
• Faire sauter les escargots à l'huile d'olive.
• Éplucher la carotte et les échalotes. Tailler une très fine brunoise* de carotte, d'échalotes et de jambon. Faire suer celle-ci et l'ajouter aux escargots. Réserver.
• Peler et blanchir* les gousses d'ail.
• Faire bouillir la crème fleurette puis la passer au mixeur avec les 15 feuilles de basilic et les gousses d'ail blanchies. Assaisonner en sel, poivre et noix muscade râpée. Faire refroidir cette préparation sur glace en fouettant pour l'émulsionner.
• Lier les escargots et la brunoise* avec cette crème parfumée.

La sauce

• Cuire les épinards à l'eau bouillante salée, puis les rafraîchir rapidement.
• Peler et blanchir* les gousses d'ail.

Sauce :
20 cl de fond blanc de volaille (réalisé par vos soins ou acheté)
10 feuilles de basilic
100 g d'épinards
2 gousses d'ail
10 cl de crème fleurette
30 g de beurre

• Faire bouillir la crème fleurette.
• Porter le fond blanc de volaille à ébullition.
• Déposer dans le bol du mixeur les épinards cuits, le fond blanc bouillant, les 10 feuilles de basilic, la crème fleurette bouillie, les gousses d'ail blanchies et le beurre. Mixer pendant 5 min. Assaisonner en sel et poivre.

• Préchauffer le four à 150 °C.
• Monder* et couper la tomate en dés.
• Pendant ce temps, égoutter les poivrades, les couper en deux et les évider. Déposer dans chacune d'elles deux escargots avec la brunoise* d'accompagnement.
• Dresser en cassolette et couvrir bien hermétiquement d'une feuille d'aluminium. Passer au four avant de servir pendant 8 à 10 min.
• À la sortie du four, verser un peu de sauce brûlante sur les artichauts et décorer de dés de tomate et de feuilles de basilic.

Eh oui, l'artichaut déforme le goût des vins, nous le savons tous, aussi essayons de trouver celui qui peut supporter ce challenge atténué par le goût des petits-gris, du jambon, de l'ail et du basilic. Le cépage Viognier me semble capable, surtout s'il est de Condrieu, de faire front avec générosité. N'hésitez pas à essayer aussi certains vins de ce même cépage produits avec passion dans les vignobles du Languedoc-Roussillon.

Les morilles à la cervelle de veau

Pochée, poêlée ou frite en beignets j'ai un faible pour la cervelle de veau, d'une rare finesse de goût et de texture. Elle exige beaucoup d'attention avant sa mise en œuvre. Elle doit être dégorgée sous un filet d'eau, débarrassée du moindre vaisseau (lavinée) et généralement pochée et rafraîchie.

Dans cette recette, la cervelle est poêlée en petits médaillons mais aussi concassée pour fourrer les morilles.

Les champignons se répartissent en quatre grandes familles d'odeurs :

– Fruitée et florale : par exemple la girolle à l'odeur fruitée à dominante abricot, ou bien le lactaire brun à l'odeur de feuille de figuier.

– Balsamique : la russule à l'odeur balsamique de miel, par exemple.

– Verdure : par exemple la pholiote à odeur complexe de verdure.

– Domestique : le bolet bicolore à l'odeur de camembert ou bien encore le bolet jonquille à l'odeur mentholée.

La morille appartient à cette dernière famille ; l'expert Jean Lenoir lui attribue, dès qu'on l'écrase entre les doigts, un caractère « spermatique ».

La délicatesse de la cervelle de veau est sublimée par la persistance aromatique du champignon. Il est devenu difficile de trouver des morilles locales de grande qualité. À tel point que l'ami Michel Rostang, expert en morilles blondes du Dauphiné, nous promet vainement chaque année une poularde d'exception aux morilles et au vin jaune.
Cette attente a l'avantage de permettre au vin jaune de vieillir et de protéger le vin de Château-Chalon que nous souhaitions lui offrir…

Pour 6 personnes

Ingrédients :
6 pièces de cervelle de veau
500 g de morilles
40 cl de crème fleurette
40 g de beurre
Huile d'arachide
Farine
Vinaigre
1 noix muscade
Sel, poivre du moulin

• Après avoir lavé les cervelles, les limoner*. Cette opération est délicate et consiste à enlever délicatement la fine pellicule qui enveloppe la cervelle. Une fois effectuée, les disposer dans un saladier et laisser couler un filet d'eau fraîche afin d'enlever le surplus de sang. Quand elles sont bien blanches, les pocher* dans un court-bouillon vinaigré et salé durant 25 min. Puis laisser refroidir dans le liquide.
• Supprimer la partie terreuse du pied de chaque morille. Les nettoyer rapidement sous un filet d'eau à l'aide d'une petite brosse. Les égoutter.
• Dans une casserole, porter la crème fleurette assaisonnée en sel, poivre et d'1 râpée de noix muscade à ébullition et y plonger les morilles égouttées. Les cuire 4 à 5 min à petit frémissement. Vérifier l'assaisonnement puis émulsionner avec 30 g de beurre.
• Égoutter soigneusement les cervelles. Trancher chaque lobe dans sa longueur, les saupoudrer d'un petit peu de noix muscade râpée, les fariner légèrement et les disposer dans une poêle anti-adhésive avec une noisette de beurre et un peu d'huile d'arachide. Faire rissoler doucement afin d'obtenir une belle croûte joliment dorée.
• Au terme du poêlage disposer les cervelles sur un plat de service, entourées des morilles égouttées et du jus crémé.

Vous pouvez récupérer les petits cervelets pour farcir les morilles. Il suffit une fois cuits de les écraser à la fourchette avec un peu de mie de pain trempée dans du lait et des fines herbes ciselées. Il ne vous reste plus qu'à farcir l'intérieur de chaque morille. De préférence employer des morilles de bon calibre.

Si vous avez fait l'effort de rassembler d'exceptionnelles cervelles de veaux et des morilles de grande qualité, il faut profiter de l'occasion pour déguster un grand cru de Chablis qui a atteint son éblouissante majorité. Sinon, ouvrez un Château-Chalon d'héritage, ou en désespoir de cause allez voir ce qui se passe dans ces mystérieuses bouteilles de Montrachet.

Noix de Saint-Jacques en fine croûte persillée,
salade d'herbes aux épices

Le symbole de la coquille Saint-Jacques est très répandu dans ma région et orne parfois l'entrée des vieilles demeures situées sur le chemin de Saint-Jacques de Compostelle.

Ces très belles coquilles ne se jetaient pas après le repas, elles étaient soigneusement lavées et réutilisées en cuisine ou pour de multiples usages : bougeoir de fortune, cassolette pour rôtir l'ortolan, ou cendrier.

Depuis les années 1970, la coquille Saint-Jacques est très recherchée. Crue ou cuite de diverses manières, sa chair ferme et légèrement sucrée s'accommode des nombreux caprices de la mode… Le plus difficile est de maîtriser la cuisson de ces belles noix qui n'ont pas toujours la même taille ni la même texture. Poêlées et légèrement dorées elles ne supportent pas la moindre attente ou l'excès de gras. Cuites à la nage, elles perdent souvent leur côté charnu. Aussi, dans la recette qui suit, ai-je essayé de les protéger en gérant leur cuisson. Mon intervention rappelle un peu l'œuf à la coque. J'assaisonne et je rassemble les noix de manière à faire un petit rouleau en les emprisonnant dans des feuilles de brick, beurrées et tapissées de mie de pain, d'ail et de persil. Il ne reste plus qu'à dorer l'extérieur et cuire rapidement dans un four très chaud. Les noix de Saint-Jacques seront juteuses, parfumées et brûlantes sur votre table.

La mie de pain, l'ail et le persil peuvent aussi être remplacés par une feuille de chou et des lames de truffe, ou bien par des fèves fraîches concassées avec un peu de sarriette, tout en conservant le principe d'emprisonner dans une feuille de brick.

Les coquilles Saint-Jacques coraillées sont très belles à voir, malheureusement ce pauvre corail décoratif n'offre guère d'intérêt gustatif. Il est plutôt à éliminer.

Impossible de ne pas évoquer le cousin pétoncle qui est délicieux et facile à accommoder. Au four dans la coquille avec un subtil beurre d'escargot, il n'a pas son pareil.

Pour 4 personnes

Ingrédients :

16 belles noix de Saint-Jacques
1 bouquet de persil plat
4 petites tomates
6 gousses d'ail rosé
4 tranches de pain brioché
Huile d'olive
8 feuilles de brick
150 g de beurre
Sucre en poudre
Sel, poivre du moulin

Salade d'herbes :

1 échalote
1 bouquet d'estragon
1 bouquet de cerfeuil
1 bouquet de basilic
1 bouquet de persil plat
1 pointe de curry en poudre
Huile d'olive
Vinaigre balsamique
1/2 bouteille de vin de Sauternes

• Préchauffer le four à 100 °C.
• Monder* les tomates en laissant le pédoncule, les saler, les sucrer, les arroser d'huile d'olive et les cuire au four pendant 2 h 30.
• Éplucher et ciseler l'ail, le blanchir* et l'égoutter, en réserver 1/3. Passer le pain brioché au tamis. Laver et ciseler le persil (en réserver un peu pour le décor). Mélanger le tout avec un peu d'huile d'olive et 1 pincée de sel.
• Clarifier* 100 g de beurre et l'utiliser pour badigeonner les 8 feuilles de brick. Les parsemer de préparation persillée et superposer les feuilles par 2. Réunir les Saint-Jacques par 4 en les accolant pour former un cylindre ; les saler et les poivrer puis les rouler dans les 2 feuilles superposées en ayant soin de bien replier les extrémités afin de les enfermer pour former des rouleaux. Badigeonner également de beurre l'extérieur des rouleaux.

Salade d'herbes

• Réduire* lentement à couvert (en 4 fois) le vin de Sauternes.
• Laver les herbes et détacher les feuilles ou sommités pour confectionner une salade mélangée. Peler et ciseler l'échalote.
• Mélanger à la réduction de vin un peu d'huile d'olive, l'échalote ciselée, le curry, du vinaigre balsamique, du sel et du poivre. Assaisonner la salade avec cette vinaigrette.

• Augmenter la température du four à 250 °C.
• Cuire les 4 rouleaux de Saint-Jacques au four pendant 6 min.
• Faire caraméliser le 1/3 de l'ail réservé avec un peu de beurre, du sel et du sucre.
• Découper délicatement chaque rouleau de Saint-Jacques en quatre et les servir sur assiette, posés verticalement, accompagnés de la tomate confite arrosée de son jus et de la salade d'herbes. Au dernier moment, parsemer la surface nacrée des coquilles Saint-Jacques d'un peu d'ail caramélisé et de feuilles de persil ciselées réservées.

Pour honorer le goût de noisette des coquilles Saint-Jacques sans oublier les herbes potagères et la touche d'ail, un vin de Vouvray sec sera le bienvenu car ce grand terroir délivre une remarquable pureté aromatique et une expression très typée.

Rougets de petite pêche au plat,
épeautre et côtes de laitue romaine façon risotto

J'aime manger le poisson dans son intégralité, je me méfie des filets levés trop longtemps à l'avance, à la texture souvent compacte, mais le « désarêtage » du rouget dans l'assiette effraie beaucoup de consommateurs. Pour éviter ce désagrément j'ai mis au point une technique qui respecte le poisson. Avant cuisson, dégagez l'arête centrale par le ventre ouvert ; à l'aide de ciseaux sectionnez-la au ras de la tête et au ras de la queue, extrayez-la ; avec une petite pince à épiler enlevez les arêtes de soutien. Après avoir introduit la pommade de foie (voir la recette) il ne reste plus qu'à recoudre le ventre, à l'aide d'un fil préalablement huilé (afin de l'enlever sans dommage).

Cette préparation permet de présenter des rougets de roche dits rougets-portion de 220 à 250 g qui sont de taille idéale pour être cuits au plat. Mon ami Jacques Lotterie, défenseur du rugby de village, a rebaptisé cette préparation « rougets chirurgien ».

Traditionnellement, les poissons étaient maladroitement accompagnés de pommes vapeur ou de riz insipide. De la tradition je n'ai conservé que le mot risotto et j'accompagne ce riche poisson aux saveurs carnées (les tout petits rougets que l'on ne vide pas sont surnommés « bécasses de mer »), de sapide laitue romaine et d'une préparation d'épeautre. Cette céréale savoureuse me rappelle l'odeur du froment des greniers de mon enfance à l'époque des battages où se mêlaient orge, seigle et blé.

Pour 6 personnes

Ingrédients :
6 beaux rougets-barbets de petit bateau (de 250 g)
150 g de moelle de bœuf
1 litre de fond blanc de volaille
300 g d'épeautre
2 laitues romaines
200 g de petits pois écossés
50 g d'oignons
20 cl d'huile d'olive
Beurre
100 g de mascarpone
10 g de chapelure
Curry en poudre
Fleur de sel
Sel de Guérande
Poivre Mignonnette

Vinaigrette des rougets :
1 cuil. à soupe de jus de veau
1 cuil. à soupe de vinaigre balsamique
4 cuil. à soupe d'huile d'olive
50 g d'olives noires dénoyautées
Sel, poivre du moulin

• Faire dégorger* la moelle à l'eau froide. Réserver.

Risotto d'épeautre

• Peler, ciseler les oignons, les rincer et les égoutter.
• Dans une casserole, les mettre à cuire avec 12 cl d'huile d'olive ; ajouter l'épeautre puis la moitié du fond blanc de volaille. Laisser cuire sur une plaque électrique très lentement (ou sur feu nu avec diffuseur) pendant 2 h, à couvert, en ajoutant du fond blanc si nécessaire et surtout en remuant régulièrement avec une spatule en bois.
• Éplucher et laver les romaines, récupérer les grosses côtes et les tailler en rondelles de 1 cm. Les blanchir* dans de l'eau bouillante salée, ainsi que les petits pois en les rafraîchissant dans de l'eau et de la glace. Égoutter et réserver au froid.

• Écailler, vider, enlever les ouïes des rougets en réservant les foies puis les essuyer dans du papier absorbant. Enlever l'arête centrale avec le couteau d'office par le ventre puis, à l'aide d'une pince à épiler, enlever les petites arêtes restantes.
• Blanchir* les foies des rougets. Réserver.
• Tailler 6 rondelles de moelle de bœuf et les réserver. Blanchir* le reste de la moelle et l'écraser finement à la fourchette, puis ajouter la chapelure et le curry à votre goût. Badigeonner l'intérieur des rougets avec cette farce puis coudre le ventre à l'aide d'une aiguille et d'un fil résistant bien huilé.
• Préchauffer le four à 250 °C.
• Dans un plat allant au four, mettre le restant d'huile d'olive et du beurre ; y placer les rougets ; saler légèrement. Cuire au four environ 10 min. Bien arroser pendant la cuisson.
• Préparer la vinaigrette : tailler les olives noires en brunoise* et la confire*. Mélanger le vinaigre balsamique avec du sel et du poivre puis ajouter le jus de veau et l'huile d'olive ainsi que les olives confites.
• Pocher* au dernier moment les rondelles de moelle réservées que l'on disposera sur chaque rouget avec une pointe de fleur de sel.
• Chauffer le risotto en ajoutant les côtes de romaine et les petits pois. Incorporer le mascarpone. Rectifier l'assaisonnement.

• Servir les rougets et leur rondelle de moelle sur un plat de service légèrement nappé de vinaigrette et accompagner du risotto dans une cocotte.

Vous pensiez vin blanc ? Pourquoi pas ! Ce poisson de roche au goût sauvage et intense permet aussi aux maniaques du vin rouge une alliance harmonieuse à condition d'éviter les tanins rugueux. Optez pour un de ces jeunes et élégants vins de Pinot noir dont les grands vignerons ont le secret et qu'ils appellent tout simplement Bourgogne du domaine.

Rougets-barbets en millefeuille de chou à la moelle

C'est à Hong Kong dans les cuisines d'un palace que j'ai vu pour la première fois découper des petits cercles de salade à l'aide d'un emporte-pièce de pâtisserie. Les chinois qui passent pour de grands besogneux sont toujours à l'affût de la petite astuce simplifiant l'ouvrage… Dans ce cas précis il s'agissait d'une salade industrielle rappelant la pomme de chou, appelée « iceberg salade », n'ayant pour elle que sa texture craquante. L'idée m'est venue d'appliquer cette technique d'emporte-pièce à notre chou plat vert tendre qui se marie si bien avec le rouget de roche à condition d'enrichir l'ensemble avec de la moelle de bœuf. La pureté de la cuisson à la vapeur n'attend plus qu'un fumet crémeux lié avec les précieux foies de rougets.

Pour 6 personnes

Ingrédients :
12 rougets-barbets de roche (de 120 g à 150 g)
150 g de moelle de bœuf
2 choux verts à feuilles lisses (Pontoise)
1 tête d'ail
1 bottillon de persil plat
5 cl d'huile d'olive
60 g de beurre
1 cuil. à bouche* de sucre en poudre
Gros sel de mer
Poivre noir mignonnette

• Blanchir* la moelle de bœuf.
• Écailler les rougets, les vider en réservant les foies et lever les filets. Retirer les arêtes à la pince à épiler. Enlever les ouïes.
• Dégorger* les têtes et arêtes, les concasser, puis faire un petit fumet avec tous les ingrédients juste mouillés à hauteur. Cuire 20 min à feu doux. Filtrer et réserver.
• Préchauffer le four à 120 °C.
• Éplucher, peler, enlever le germe des gousses d'ail et les détailler en brunoise*. Les ébouillanter, les rafraîchir et les égoutter. Les dessécher légèrement au four sur une plaque, puis les caraméliser dans une poêle avec 1 noix de beurre, le sucre et 1 pincée de sel.
• Blanchir* et rafraîchir les feuilles des choux. Les égoutter et découper 30 cercles de 8 cm de diamètre (en évitant les côtes) avec un emporte-pièce de pâtisserie.

Fumet :
1 blanc de poireau
1 petite carotte
1 échalote
1 branche de céleri
1 branche de fenouil
Les queues de persil du bottillon
1 feuille de laurier
10 cl de vin blanc sec

Montage millefeuille

• Escaloper les filets de rouget en 2 ou 3 morceaux. Émincer la moelle en fines rondelles (en garder un peu pour le jus de rouget).

• Disposer sur chaque cercle de chou la valeur d'un filet de poisson et d'une tranche de moelle. Assaisonner. Prévoir 4 couches et 5 cercles de chou par millefeuille.

• Cuire les 6 portions à la vapeur pendant 8 à 10 min.

Jus de rouget

• Laver, essuyer, équeuter et ciseler le persil.

• Faire suer les foies des rougets avec l'huile d'olive et un peu de moelle. Mouiller* avec le fumet, rectifier l'assaisonnement, ajouter 50 g de beurre et mixer au dernier moment.

• Agrémenter de persil ciselé.

• Disposer le millefeuille au milieu de l'assiette, le jus autour avec une pincée de gros sel de mer, de poivre mignonnette et d'ail craquant sur le dessus.

Dans ce plat, le goût de moelle de qualité est très subtil, la chair de rouget-barbet est à la fois un modèle de fermeté et de moelleux. Le chou tendre et croquant n'attend plus que le confort du fumet crémeux puissamment lié avec les foies iodés garants de la bonne origine de ces poissons. Un vin blanc issu d'un cru exceptionnel s'impose. Sachez choisir une de ces cuvées contingentées en Hermitage qui après quelques années de vieillissement confient leur plénitude aromatique.

Filets de lisettes au corail d'oursin

À l'ouverture du Trou Gascon en 1973, l'émigré provincial que j'étais pensait que les Parisiens étaient inconditionnels du maquereau au vin blanc. C'était une fois de plus une fausse idée. Ces pauvres consommateurs avaient été abusés par des filets de gros maquereaux trop gras dont la peau bleue épaisse, hélas toujours présente, donnait un horrible goût de ferraille.

Personnellement, je ne connaissais que les lisettes (petits maquereaux à la chair onctueuse et beaucoup moins grasse) que l'on pêche l'été dans le golfe de Gascogne. Pour séduire les premiers clients, j'ai décidé de les servir en filets désarêtés après en avoir ôté la peau bleue et en les enrichissant de corail d'oursin cuisiné à chaud. A l'époque l'oursin ne se proposait que sur les plateaux de fruits de mer. Le succès de cette innovation à la gloire de la lisette m'encouragea à mettre au point plusieurs recettes à base de corail d'oursin.

Pour 4 personnes

Ingrédients :

6 petits maquereaux (lisettes) de 150 g frais pêchés
16 oursins violets
50 g de crevettes grises
4 belles pommes de terre charlotte
1 échalote grise
1 citron
6 cl de crème fleurette
5 cl d'huile d'olive

• Cuire les pommes de terre à la peau. Les peler et les tailler en rondelles.

• Dans un bol, mélanger l'huile d'olive, le curry, 1 pointe de piment d'Espelette et du sel.

• Lever les lisettes en filets et à l'aide d'un couteau à filet de sole, enlever la peau. Badigeonner les filets au pinceau avec le mélange préparé et les disposer 3 par 3 accolés sur du papier sulfurisé. Le découper de manière à obtenir 4 portions individuelles.

• À l'aide de ciseaux, ouvrir les oursins, récupérer les plus belles langues bien entières sur une assiette.

• Éplucher et ciseler l'échalote.

Piment d'Espelette
1 pointe de curry en poudre
Sel

• Dans une casserole, chauffer la crème fleurette avec l'échalote ciselée, ajouter les crevettes grises entières, 1 pointe de piment d'Espelette et le reste de la chair des oursins.
• Mixer et filtrer le coulis d'oursin obtenu. Réserver au chaud en y ajoutant les belles langues d'oursins afin de les chauffer sans les cuire et quelques gouttes de jus de citron.
• Dans une poêle anti-adhésive bien chaude, saisir les filets de lisettes en laissant le papier sulfurisé. L'enlever pour retourner rapidement chaque portion (cuisson précise et très courte : « aller-retour »).
• Servir les filets sur lit de pommes de terre chaudes et les voiler avec le coulis et les langues d'oursins.

La chair du maquereau fraîchement pêché est exceptionnelle à condition d'être débarrassée de sa peau bleue.

Qu'ils soient de Sèvre-et-Maine, des Coteaux-de-la-Loire ou simplement Muscadet, ces vins blancs secs issus du cépage Melon de Bourgogne, appelé ici Muscadet, sont de mieux en mieux vinifiés et ont le mérite de tenir tête à une cuisine de caractère.

Filets de grosse plie au fenouil grillé

La plie est un poisson de mer plat en forme de losange, de couleur brun vert avec de très belles tâches orangées. Il est préférable de la consommer au printemps quand elle est très charnue et iodée. Le poids idéal pour prélever de beaux filets avoisine 2,5 kg. Nous sommes donc très loin du petit carrelet, autre nom de la plie, souvent limité à quelques centaines de grammes, manquant de texture et de goût.

À Londres, sous le nom de *plaice fish*, les filets de grosses plies sont au sommet du culte du *fish and chips*, surtout quand ces messieurs de la *City* la dégustent emballée dans les feuilles jaunes du « Financial Time ». Amateur de la riche peau croustillante de ce poisson, je fais caraméliser les filets sous la salamandre avec du jus de veau bien concentré. Confortée par ce jus carné, la plie attendait un légume complice de caractère. J'ai choisi le fenouil printanier qui, grillé sur les braises, développe un goût élégant légèrement anisé.

Pour 6 personnes

Ingrédients :
1 belle plie de 2 kg
6 huîtres spéciales n° 1 ou n° 2
1 kg de petits bulbes de fenouil
3 échalotes grises
1 citron (jus)
20 g de gingembre frais
1/2 bottillon de persil plat
20 cl huile d'olive
20 cl de jus blond de veau (sirupeux)

• Lever et parer* les filets de plie puis les couper en 12 morceaux.
• Dans une petite casserole, cuire le sucre en poudre et le vinaigre jusqu'à obtention d'une texture épaisse, colorée mais encore liquide (gastrique).
• Concasser finement tête et arêtes, les faire dégorger* à l'eau fraîche, les rincer et les égoutter.
• Les mettre en cuisson avec le jus blond de veau et le vin de Muscat pendant 20 min sans bouillir. Filtrer le jus réduit à l'étamine, saler et poivrer (poivre noir moulu grossièrement), ajouter la gastrique et réserver.
• Préparer un bon feu.
• Cuire les bulbes de fenouil à l'eau bouillante salée 20 à 25 min,

5 cl de sauce soja
1 verre de Muscat de Rivesaltes
5 cl de vinaigre balsamique (du vrai)
5 g de sucre en poudre
Sel, poivre du moulin

les rafraîchir puis les couper longitudinalement en tranches épaisses. Saler, poivrer, badigeonner d'huile d'olive et griller sur les braises.
• Éplucher les échalotes et le gingembre. Les ciseler ainsi que les sommités de persil. Presser le citron.
• Ouvrir les huîtres, réserver leur eau. Pocher* la chair des huîtres très rapidement afin de les raffermir pour les concasser.
• Prélever la moitié du jus de veau et de plie, y ajouter l'eau des huîtres, les huîtres pochées concassées, les échalotes, le persil et le gingembre ciselés, la sauce soja, le jus de citron, 10 cl d'huile d'olive sans oublier du poivre noir. Réserver à température tiède, votre sauce est prête.
• Assaisonner les morceaux de poisson et les poêler rapidement dans un mélange d'huile d'olive et de beurre sans les cuire complètement, juste le temps de saisir les chairs et de donner une coloration.
• Les disposer sur une plaque peau en l'air, badigeonner celle-ci avec le restant de jus réduit de veau et de plie. Faire glacer sous la salamandre ou sous le gril de votre four en ayant soin de lustrer à plusieurs reprises la peau avec le jus.
• Dresser les morceaux de poisson sur un lit de tranches de fenouil grillées brûlantes et proposer la sauce tiède en saucière.

Compte tenu de la présence anisé du fenouil et du jus de veau, j'apprécie avec ce plat les vins blancs des Côtes-du-Rhône septentrionales dans l'esprit Saint-Joseph, Saint-Péray, Crozes-Hermitage ou bien certains vins blancs produits sur des terroirs calcaires du Roussillon.

Rouelle de thon rouge à l'embeurrée de chou tendre

Le thon rouge frais fait partie de nos plats préférés d'été et nous avons l'habitude de considérer ce poisson comme un produit carné. Nous lui attribuons les mêmes garnitures qu'à nos volailles. Sa cuisson nécessite beaucoup de vigilance, la chair doit être saisie de manière à obtenir les mêmes critères de jutosité qu'une côte de veau épaisse. J'ai ajouté le chou tendre qui cuit rapidement et devient le support moelleux idéal à la densité du thon. Si vous avez l'opportunité de vous procurer du thon tout frais pêché, n'hésitez pas à le consommer salé, mariné avec piment et huile d'olive, et même mi-cuit en croûte d'épices (voir p. 232).

Le thon blanc, beaucoup plus rare, est destiné aux conserves familiales. Les morceaux de filet sont placés dans une terrine avec laurier, piment, rondelles de citron, sel de mer et huile d'olive, puis stérilisés. Avec diverses salades il constitue une délicieuse entrée si l'on a la sagesse de laisser vieillir deux ans minimum les bocaux. L'idéal est de préparer cette conserve avec la chair du ventre beaucoup plus grasse et moelleuse que le reste.

Pour 4 personnes

Ingrédients :
1 tranche de thon rouge de 800 g (18 à 20 cm de diamètre)
2 choux verts de printemps
150 g de beurre cru
Huile d'arachide

• Éplucher les choux simplement en ôtant les feuilles abîmées et en enlevant le pied ; les couper en quatre puis les laver dans de l'eau vinaigrée ; porter à ébullition une casserole d'eau salée, y plonger le chou pendant 5 min environ ; le rafraîchir et l'égoutter.
• Préchauffer le four à 220 °C.
• Dans un plat allant au four, en fonte émaillée, mettre 50 g de beurre et de l'huile d'arachide, à feu vif, y disposer la rouelle de thon préalablement assaisonnée ; bien la dorer sur les deux faces

Vinaigre
Sel, poivre noir du moulin

Beurre d'herbes :
100 g de beurre
Quelques gouttes de jus de citron
Quelques feuilles d'estragon
Quelques pluches* de cerfeuil
Quelques feuilles de persil

très rapidement puis mettre au four pendant 10 à 12 min, en prenant soin de retourner la rouelle et de l'arroser.
• Dans une casserole mettre le restant de beurre avec le chou, laisser mijoter à feu doux pendant 5 min, rectifier l'assaisonnement.

Préparation du beurre d'herbes
• Ciseler grossièrement les herbes, les ajouter au beurre et malaxer le tout en ajoutant quelques gouttes de jus de citron.

• Dresser le chou sur le plat de service, disposer dessus la rouelle de thon ; en finition, déposer le beurre d'herbes en rondelles sur le thon.

La chair rouge du thon rappelle une jeune et belle viande et nous conduit vers un vin rouge frais et parfumé avec du caractère comme celui des séduisantes cuvées d'Irouléguy.

Quenelles d'anguille
au coulis de piment rouge

Passionné par le riche et puissant goût de la grosse anguille, par son traitement fumé, et passionné aussi par la vraie quenelle à base de panade, de graisse de rognon de veau ou de moelle de bœuf, je n'ai pu résister à cette préparation au goût légèrement fumé qui appelle le poivron cuit au parfum également fumé.

Cette recette est pour moi la version sudiste de la quenelle originaire de l'est germanique *(knödel)* « lyonnisée » au travers du brochet et du coulis d'écrevisse.

Pour 6 à 8 personnes

Ingrédients :

500 g de chair d'anguille fraîche
300 g de chair d'anguille fumée
400 g de chair de brochet (penser à récupérer têtes et arêtes des différents poissons chez votre poissonnier)
5 œufs entiers
100 g de beurre en pommade*
1 poivron vert
12 sommités de basilic
1 bouquet garni
1 pointe de noix muscade râpée
Sel, poivre noir du moulin

La panade

• Blanchir* la moelle.
• Faire bouillir l'eau avec le sel. Verser la farine tamisée, mélanger de façon à obtenir une pâte lisse, la travailler sur le feu comme une pâte à choux. La dessécher sans laisser attacher à la casserole. Ajouter hors du feu l'œuf entier et la moelle blanchie écrasée, laisser refroidir puis passer au mixeur de façon à rendre la panade bien lisse.

• Avec les arêtes, têtes et parures récupérées chez votre poissonnier et le bouquet garni, préparer un petit fumet très peu mouillé. Laisser cuire à couvert pendant 20 min. Filtrer.
• Hacher grossièrement au couteau la chair des poissons, puis la mixer en plusieurs fois afin de ne pas chauffer pendant la déstructuration. Réserver au réfrigérateur ou sur glace.
• Dans une grande jatte sur glace, mettre la chair des poissons mixée, saler, poivrer et muscader. La travailler à la spatule avec la

Coulis de piments rouges :
100 g de piments *piquillo*
2 gousses d'ail
10 cl d'huile d'olive extra
1 pointe de piment d'Espelette

Panade :
20 cl d'eau
1 œuf entier
125 g de farine
100 g de moelle de bœuf
1 pincée de sel

panade, puis ajouter les œufs entiers un par un en malaxant longuement pour finir par le beurre en pommade. L'appareil doit être très mousseux. Réserver au réfrigérateur 30 min.

Le coulis de piments rouges

• Peler et blanchir* l'ail.
• Dans un mixeur verser les piments *piquillo*, l'ail blanchi et 20 cl de fumet de poisson. Bien laisser tourner puis monter à l'huile d'olive. Rectifier l'assaisonnement, ajouter 1 pointe de couteau de piment d'Espelette. Filtrer et réserver au froid.

• Brûler la peau du poivron dans le four à 160 °C pendant 15 min. Le peler, l'épépiner et le tailler en brunoise*.
• Pour mouler les quenelles, tremper 2 cuillères à potage dans de l'eau chaude et prélever la farce entre ces 2 cuillères. Faites tourner la farce de façon à lui donner une belle forme, déposer les quenelles au fur et à mesure sur une plaque légèrement farinée.
• Les pocher* dans de l'eau salée à 80 °C pendant 15 min, les égoutter.
• Au moment de servir disposer les quenelles sur le plat de service. Ajouter la brunoise de poivron vert dans le coulis de piment et faire chauffer légèrement ; en napper les quenelles. Décorer avec les sommités de basilic.

Si l'anguille est très prisée sur les rives de La Loire, le sudiste poivron est en harmonie avec le cépage Cabernet franc appelé Breton en Touraine et Saumurois. Profitez de l'enthousiasme des vignerons du terroir argileux Saumur-Champigny qui rivalise de qualité au travers de somptueuses cuvées.

Escabèche de poulet fermier aux épices

« Escabèche » désigne dans les langages du sud de l'Europe des petits poissons étêtés. Cette expression, qui à l'origine ne concernait que les poissons, prête son nom à une marinade cuite, souvent très aromatisée qui se joue à merveille de certaines volailles et même de gibier tel que le perdreau en Espagne. N'appréciant pas le sinistre poulet froid mayonnaise bien que partisan du déjeuner froid d'été, j'ai réuni les ingrédients les plus chaleureux autour d'une belle volaille fermière.

Pour 4 personnes

Ingrédients :
1 poulet fermier
100 g de jambon de Bayonne
1 oignon
1 carotte
2 gousses d'ail
8 poivrades (petits artichauts)
1 tomate
1 poivron rouge
2 citrons
100 g d'olives niçoises
1 cuil. à soupe de câpres
20 g de coriandre en grains
Quelques brins de serpolet
Huile d'olive
10 cl de vin blanc
1 cuil. à entremets* d'eau de fleur d'oranger
Farine
Sel, poivre du moulin

À préparer la veille du repas

• Découper le poulet avec les os en 16 morceaux (chaque membre en 4). Tailler le jambon en petits dés.
• Peler et émincer l'oignon. Éplucher et tailler la carotte en fines rondelles. Peler les gousses d'ail.
• Dans une cocotte, faire sauter pendant 5 min dans de l'huile d'olive les morceaux de poulet délicatement farinés ; ajouter l'oignon émincé, les rondelles de carotte, les dés de jambon. Mouiller* avec le vin blanc et ajouter la coriandre, le thym et les gousses d'ail écrasées, saler et poivrer généreusement ; cuire 15 min en écumant régulièrement.
• Nettoyer les poivrades et les couper en quatre en conservant la queue. Les ajouter dans la cocotte. Cuire encore 15 min.
• Brûler la peau du poivron dans le four à 160 °C pendant 15 min. Peler et couper la chair du poivron en lanières.
• Monder*, épépiner et couper la tomate en dés.
• Peler les citrons et couper la pulpe en dés.
• Finir la cuisson en ajoutant les dés de citron et de tomate, les olives niçoises, la fleur d'oranger, les câpres et les lanières de poivron ; rectifier l'assaisonnement.

- Verser dans une terrine et conserver au réfrigérateur 24 h.
- Servir dans la terrine accompagné d'une salade.

Profitez de ce plat froid, simple et parfumé, pour goûter et contrôler l'évolution d'un jeune grand vin rouge que vous destinez au vieillissement. Le choix est vaste, de Volnay à Saint-Julien en passant par Morgon…

Caneton rôti aux pêches blanches et amandes

Comme ses cousins de Rouen ou de Vendée, le caneton des étangs landais, celui de mon enfance, avoisine le kilo. Il est le produit de canes communes et de canards sauvages.

Afin de conserver le caractère goûteux et juteux de sa chair, il est important qu'il ne soit pas saigné.

Son association avec les pêches blanches et les amandes fraîches est née dans mon esprit, pour mettre en valeur le Champagne « Rich Réserve » 1989 de Veuve Clicquot, au dosage voluptueux.
J'ai eu beaucoup de plaisir à vivre les préparatifs de ce mariage.
Je reste persuadé que les collectionneurs qui auront la sagesse d'attendre découvriront de nouveaux horizons à ce grand vin.

Pour 4 personnes

Ingrédients :
2 canetons « croisé sauvage » étouffés prêts à cuire (récupérer les abattis)
8 pêches blanches fermes et bien parfumées
1 kg d'amandes vertes
8 cébettes (oignons verts)
1 petit citron
10 cl de fond de volaille
5 cl de vieux Muscat de Rivesaltes

• Détailler le bulbe et la partie tendre des cébettes en 3 tronçons et émincer finement dans le sens de la longueur, rincer sous un filet d'eau.
• Casser les amandes vertes avec un marteau et récupérer la chair blanche.
• Préchauffer le four à 180 °C-200 °C.
• Concasser les cous et les ailerons des canetons, assaisonner les canetons prêts à cuire avec du sel et du piment d'Espelette (intérieur et extérieur).
• Dans une cocotte en fonte verser un peu de graisse d'oie et 1 noix de beurre afin d'y rôtir les canetons avec les abattis, au four, en les arrosant très souvent, pendant au moins 20 min.

4 morceaux de sucre
Beurre cru
Graisse d'oie
Cardamome verte moulue
Piment d'Espelette

• Monder* les pêches à l'eau bouillante, séparer chacune d'elle en 2 oreillons, les disposer dans un plat à four beurré et les assaisonner avec du sel, du piment d'Espelette et un peu de cardamome moulue.
• 10 min avant la fin de la cuisson des canetons, cuire au four les pêches préparées en les arrosant du beurre de cuisson.
• Lorsque les canetons bien dorés sont cuits, les réserver dans une ambiance chaude, dégraisser* la cocotte en conservant les particules d'abats croustillants. Déglacer* les sucs avec le fond de volaille et le vieux Muscat, réduire* de 1/3.
• Frotter les morceaux de sucre sur la peau du citron, les déposer dans la cocotte avec le jus de citron, rectifier l'assaisonnement avec un peu de sel, du piment d'Espelette et une touche de cardamome moulue puis filtrer et lier avec 1 noix de beurre cru.
• Découper les ailes et les cuisses des canetons, récupérer le jus et le rajouter à la sauce, ainsi que les amandes crues et les cébettes émincées ; ajouter aussi le jus de cuisson des pêches.
• Servir les morceaux de canetons flanqués des oreillons de pêche bien dorés avec la sauce à part de façon à ne pas ramollir la peau croustillante des canetons.

Le savant dosage pratiqué sur des vins de Champagne récemment dégorgés avec une grande maîtrise de l'assimilation du sucre, permet d'obtenir des bouteilles de rêve. Aussi riche au nez qu'en bouche, ces Champagne entraînent la réflexion. Il ne faut pas hésiter, ils peuvent devenir les grands complices d'un plat complexe et épicé.

Tajine de grives aux olives du Minervois

Pour savourer la grive il faut vous asseoir à la table amicale d'un chasseur (la vente et le colportage sont interdits dans notre pays).

La grive de vigne, ivre et grasse de raisins, est un pur délice. Rôti en cocotte avec un peu de gras de vieux jambon ou confit dans la broche spéciale (en forme de fouet métallique) pendant plus de quatre heures comme de rares grand-mères savent encore le faire en Provence, ce gibier supporte diverses préparations et cuissons.

Persuadé que notre cuisine landaise a été très influencée par les invasions maures, j'ai participé depuis une dizaine d'années à des rencontres et des échanges avec des cuisinières et des cuisiniers marocains. Je ne vous dirai pas les couleurs, les odeurs et les gestes de la fascinante médina de Fès, mais je veux vous convaincre que la cuisson dans un tajine est unique et mérite d'être plus souvent pratiquée car elle respecte la texture des aliments : le tajine en terre cuite avec son couvercle conique permet de condenser les vapeurs de cuisson, d'enrichir et de garder le moelleux des mets.

Comme la plupart des petits gibiers à plumes, les grives doivent être préalablement rissolées avec un filet d'huile d'olive afin que la peau colorée garde toute son authenticité.

Contrairement à une idée reçue, le sud de la France nous donne des olives vertes craquantes au goût exceptionnel et différent suivant variétés et terroirs. Pour ce plat, j'utilise des lucques du Minervois (petites olives vertes) qui s'harmonisent avec le côté minéral du cumin, la chair fondante de la grive et l'arôme « cire d'abeille » du citron confit. Il ne vous reste plus qu'à ouvrir une de ces rares bouteilles de Riesling d'un vieux millésime aux arômes complémentaires de cédrat, de miel et d'hydrocarbures.

Indispensable à l'équilibre de cette recette, le citron confit trop souvent galvaudé dans des saumures délavées peut être réalisé très facilement chez soi. Il suffit de fendre en quatre aux deux tiers de la hauteur des citrons non traités et d'introduire une cuillerée à soupe de gros sel de mer dans chaque fruit. Placer les citrons verticalement dans un grand bocal, immerger exclusivement dans du jus de citron et attendre, bien fermé, un minimum de vingt jours avant utilisation.

Pour 6 personnes

Ingrédients :
18 grives musiciennes (bien tuées)
6 tranches de ventrèche de porc bien séchée
20 cl de jus de viande corsé
2 citrons confits
18 gousses d'ail violet (de petite taille)
150 g d'olives vertes du Minervois
12 cl de vin de Banyuls ou P.X.
Sucre en poudre
Cumin en poudre
Piment d'Espelette
Fleur de sel de Guérande

• Blanchir* rapidement les olives, tailler en petits cubes la peau des citrons confits.
• Flamber puis vider les grives, les essuyer avec du papier absorbant. Les assaisonner généreusement avec la fleur de sel, le piment d'Espelette et le cumin (intérieur et extérieur).
• Écraser les gousses d'ail, les peler et les ébouillanter puis en placer une dans le ventre de chaque grive.
• Tailler la ventrèche en grosses lanières et la faire fondre dans une sauteuse. Ajouter les grives, 1 bonne pincée de sucre en poudre et les faire dorer rapidement.
• Enlever les oiseaux et les disposer dans le tajine. Dégraisser* la sauteuse et déglacer* les sucs avec le vin de Banyuls ou encore mieux un verre de Pedro Jimenez (vin muté noir et épais au goût de noix verte à base du cépage du même nom qui sert à faire les « creams » dans les vins de Xérès et voisins). Ajouter le jus de viande et verser le tout sur les grives.
• Répartir dans le tajine les olives blanchies et les cubes de citrons confits, poser le couvercle sans oublier l'eau dans la partie supé-

Prévoir un tajine traditionnel de 30 cm de diamètre

rieure et laisser mijoter à feu très doux dans la zone de 70 °C pendant 2 h minimum. Vous pouvez utiliser votre plaque électrique réglée au minimum en calant le tajine en terre cuite à l'aide de plusieurs feuilles d'aluminium ou, si vous en avez la possibilité, sur des braises douces.

• Quand la cuisson est maîtrisée, le riche jus est lié et les grives sont confites et moelleuses. Il ne vous reste plus qu'à servir directement dans le plat de cuisson.

Ne cherchez pas la complication. La délicate amertume propre à ce gibier associée aux épices, agrumes et à l'élégant « rancio » du vin de la recette nous conduit dans cette belle histoire entre Pessac et Léognan. Choisissez l'un de ces Graves rouges aux curieux tanins de soie développant un bouquet aux notes fumées, qui vieillissent avec charme, offrant une robe brun-orangé et un cachet unique.

Côte de bœuf de Chalosse grillée,
jus d'huîtres et laitue romaine

Pour moi l'huître spéciale bien charnue est de rigueur. Dans cette préparation elle intervient non pas en tant que fruit de mer mais tout simplement en qualité de condiment. Il suffit de la pocher* dans son eau de mer et de la concasser. Mélangée au jus de bœuf elle enrichit le goût noisetté du bœuf de Chalosse grillé.

Pour escorter cette viande épaisse et généreuse qui se suffit à elle-même, je suggère de vraies larges pommes de terre frites dans la graisse d'oie. Choisissez des charlottes issues de bonne terre. Taillez-les généreusement en long, juste avant la cuisson. Cuisez-les lentement dans la graisse pendant une bonne demi-heure à environ 100 °C. Ainsi, la pulpe sera fondante à cœur et il ne vous restera qu'à augmenter la température au moment de servir le bœuf. Vous obtiendrez de belles grosses frites très croustillantes et bien sèches à l'extérieur avec un subtil goût sécurisant de graisse d'oie.

J'ai un penchant très marqué pour le bœuf de race rustique (normande, maine-anjou, parthenaise, montbéliard, salers, aveyronnaise, gascogne, bazadaise et blonde d'Aquitaine) ; ces races en général peu prisées pour leur manque de rendement de viande donc de rentabilité, sont irremplaçables au goût...

Par bonheur, chez moi en Chalosse, une tradition d'élevage séculaire a été préservée par des paysans et des bouchers passionnés. Les bêtes grandissent en liberté dans nos belles prairies près de trois années et sont engraissées à l'étable durant six mois à un an avec essentiellement du maïs et du fourrage frais.

Ainsi à quatre ans, la viande est faite et mérite trois à quatre semaines de mûrisserie. Nous sommes très loin du bœuf de grande distribution, rassis une petite semaine sous vide, souvent de texture molle et évoquant le buvard saturé qui laisse fuir le jus de cuisson. Nous sommes aussi dans une histoire totalement différente de celle du bœuf américain hormoné (oh ! pardon, qui a « fréquenté » des accélérateurs de croissance !) et qui offre surtout l'intérêt d'un aspect « surpersillé » et d'une texture si tendre que le couteau devient superflu...

Pour 2 personnes

Ingrédients :

1 côte de bœuf (800 g) bien parée, issue d'une bête de race Chalosse de 4 ans dont la viande a été rassise 3 semaines en mûrisserie
50 g de moelle de bœuf (dégagée de l'os)
4 huîtres creuses bien vertes
1 laitue romaine tendre
1 citron
1 échalote grise
20 brins de ciboulette
2 gros champignons de Paris crus (en saison 1 belle tête de cèpe crue)
1 noix de beurre cru
4 cl d'huile d'olive fruitée
2 cl de vinaigre balsamique (ou vieux vinaigre de vin)

• Laver, tailler en petits dés les champignons, les citronner légèrement. Éplucher, ciseler et rincer à l'eau l'échalote. Réserver.
• Réduire* lentement à couvert le verre de vin.
• Laisser dégorger* la moelle sous un filet d'eau fraîche puis la tailler en petits cubes. La blanchir* à l'eau salée et la rafraîchir.
• Découper en quatre longitudinalement la laitue romaine. Laver les quartiers en prenant soin de ne pas détacher les feuilles.
• Laver et ciseler les brins de ciboulette.
• Ouvrir les huîtres, les raidir rapidement en les chauffant dans leur eau puis les émincer délicatement. Réserver la cuisson.
• Préparer la vinaigrette de la salade en mélangeant le vinaigre balsamique, la moitié de l'eau des huîtres, l'huile d'olive, la moitié du poivre, la moitié des dés de champignons et la moitié de l'échalote ciselée.
• Chauffer le four à température tiède.
• Saler la côte de bœuf, la faire griller de préférence sur de belles braises et quadriller, c'est-à-dire déplacer d'un quart de tour la pièce de viande de façon à marquer la trace de la cuisson en formes de petits losanges, pendant 7 à 8 min sur chaque face.
• Dans le four tiède, laisser reposer la viande 5 à 6 min sur une assiette renversée posée sur un plat afin de récupérer le jus.

1 verre de Madiran (ou vin riche et tannique)
1 cuil. à café de poivre noir mignonnette

La sauce d'accompagnement

• Mélanger le vin réduit, le jus d'huîtres restant, le reste d'échalote et de champignons, la chair des huîtres émincée, les cubes de moelle et le poivre noir restant.
• Chauffer très rapidement le tout. En dehors du feu, ajouter la moitié du jus de cuisson de la viande et la noix de beurre pour lier. Rectifier l'assaisonnement et servir en saucière à part.

• Ajouter l'autre moitié du jus de viande dans la vinaigrette et en arroser généreusement les quartiers de salade, parsemer de ciboulette ciselée.
• Trancher la côte de bœuf en biais en 6 morceaux maximum. Disposer sur un plat en conservant l'os et en gardant la forme de la côte. Donner de généreux tours de moulin à poivre sur la viande.
• Servir de suite accompagné de la laitue assaisonnée.

Un jeune vin rouge des Graves ou du Médoc sera flatté de cette rencontre.

Croustades de pigeonneaux « sarrasine », sauce petits pois

Impossible de rester insensible au charme d'une arachnéenne *pastilla* de pigeons ! Traditionnellement, nous maîtrisons la subtile pâte étirée à la main qui est le secret de notre tourtière cousine germaine (c'est le cas de le dire) du *strudel* ; et nous sommes amateurs de pigeonneaux fermiers étouffés à la succulente chair soyeuse. Comme les premiers pigeonneaux coïncident avec la maturité des petits pois de printemps et en ont fait leurs compagnons de casserole, je les utilise en guise de sauce crémeuse d'accompagnement. N'étant pas un passionné des tourtes souvent roboratives, j'ai emprisonné la chair des pigeonneaux avec ses voluptueux condiments dans notre belle et fine pâte à tourtière.

Pour 6 personnes

Ingrédients :
3 pigeonneaux de 500 g (à chair rouge, étouffés)
6 escalopes de foie gras de canard (30 g chacune)
50 cl de fond blanc de volaille
1 chou vert de Pontoise (feuilles lisses)
200 g de petits pois écossés
1 bouquet de menthe fraîche (30 feuilles)
1 bouquet de coriandre (30 feuilles)
1 oignon
1/2 citron (jus)

La veille

• Préparer la pâte à pastis comme une détrempe : mélanger la farine et l'eau puis laisser reposer au frais 10 min. Incorporer l'œuf, le sel et l'huile d'olive. Laisser reposer 1 nuit dans un cul de poule recouvert d'un torchon.
• Mettre les raisins à gonfler dans de l'eau.

Le jour du repas

• Lever les suprêmes et les cuisses des pigeons, réserver.
• Cuire les cuisses dans le fond blanc avec les carcasses et les abattis concassés. Assaisonner. Écumer. Après 1 h minimum de cuisson, retirer les cuisses et détacher les chairs des os. Réserver le bouillon de cuisson.
• Blanchir* les 12 plus belles feuilles de chou quelques secondes dans l'eau bouillante salée. Rafraîchir, égoutter et enlever les côtes.
• Peler, ciseler l'oignon et le rincer à l'eau fraîche.

1 citron confit
30 g de pignons de pin
20 g de raisins blancs secs (Smyrne)
5 g de sucre en poudre
Piment d'Espelette
Cumin en poudre
Sel

Pâte à pastis :
1 œuf
1 pincée de sel
500 g de farine
1 cuil. à bouche* d'huile d'olive
15 cl d'eau
100 g de beurre

• Dans une sauteuse poêler vivement (sans cuire) les escalopes de foie de canard assaisonnées, les réserver. Puis saisir dans la graisse d'exsudation les 6 suprêmes assaisonnés pour dorer la peau (sans les cuire), les réserver également.
• Faire suer l'oignon ciselé dans la même sauteuse, ajouter les raisins et le sucre en poudre, saupoudrer d'un peu de sel, d'une bonne prise de cumin, d'une pointe de piment d'Espelette et du jus du 1/2 citron.
• Ciseler le citron confit. Laver, essuyer et ciseler les sommités de menthe et de coriandre.
• Étaler les feuilles de chou par 2 en les faisant se chevaucher.
• Mélanger les oignons épicés, raisins, pignons, citron confit ciselé, chairs des cuisses effilochées et feuilles de menthe et de coriandre ciselées. Répartir la préparation sur les feuilles de chou. Placer le suprême et l'escalope de foie gras dessus et enfermer le tout dans les feuilles. Réserver les 6 ballottines obtenues.
• Préchauffer le four à 220 °C.
• Préparer le beurre clarifié *.
• Étirer la pâte à pastis à la main sur un linge fariné, le plus finement possible. Détailler 12 cercles de 25 cm de diamètre. Les badigeonner de beurre clarifié tiède à l'aide d'un pinceau.
• Envelopper chaque ballottine dans 2 cercles de pâte superposés, sans oublier de conserver le suprême et le foie gras dans la partie supérieure. Dorer au jaune d'œuf et cuire 12 à 15 min dans le four.
• Pendant la cuisson des croustades, blanchir* et rafraîchir les petits pois. En réserver 1/3 pour la décoration et avec le reste faire un coulis de petits pois avec du bouillon de pigeon et 1 noix de beurre. Rectifier l'assaisonnement.
• Servir les croustades sur un plat de service avec le coulis en saucière agrémenté des petits pois réservés à cet effet.

Avec cette composition, certes un brin exotique mais dans laquelle le goût du pigeonneau reste très présent, je pense à un vin rouge bien charnu, possédant une agréable rondeur, développant un bouquet délicat et issu du célèbre Clos-Vougeot. N'oubliez pas que ce clos enchanteur cache en ses murs un trésor bourguignon d'une cinquantaine d'hectares appartenant à de multiples producteurs… Il vous faudra bien choisir.

Cul de lapereau « retour des Indes »

Lors d'un séjour au Népal dans les années 1970, après quelques jours de cuisine frugale, je décidai d'acheter un poulet vivant sur le champ de foire (le seul marché de Katmandou).

Le soir, après avoir constaté que nous avions à faire à un « poulet coureur / volaille ferme », nous utilisâmes tous les artifices de cuisson européenne sans parvenir à le rendre consommable. Gophal, notre assistant népalais, riait de notre déconvenue et le lendemain, il nous offrit un poulet de même origine, parfumé d'épices et fondant sous la dent. Pourtant ce pauvre volatile avait comme le précédent parcouru, aller et retour, des centaines de kilomètres de montagne entre le village et le marché quotidien dans l'attente d'un acheteur ou d'un autre propriétaire troqueur…

Le secret de Gophal consistait à faire macérer les chairs épicées dans du lait caillé.

Par la suite, mettant à profit plusieurs séjours aux Indes, je me suis imprégné de la fascinante cuisine indienne aux aspects multiples remontant à des temps lointains et qui d'après moi a influencé les grandes cuisines turque et marocaine.

Quand j'ouvris le restaurant Au Trou Gascon en 1973, à Paris, certains clients me reprochèrent la fermeté de mes volailles fermières. Les Parisiens en pleine période de poulet aux hormones étaient déconcertés…

J'entrepris de faire subir au lapereau de Chalosse la macération dans le lait caillé afin de lui donner le moelleux souhaité tout en protégeant l'authenticité de sa saveur. Pour compléter ma démarche, j'utilise dans cette recette un curry bien sélectionné.

Pour 4 personnes

Ingrédients :
2 arrières de lapereaux fermiers
250 g de riz basmati
500 g de céleri-rave
1 bouquet de coriandre
1 poivron rouge
1 prise de safran
1 citron
Beurre
Huile d'olive

Marinade :
5 gousses d'ail
20 g de gingembre frais
1 citron
10 graines de cardamome
1 cuil. à café de paprika
1 cuil. à café d'excellent curry
1 pointe de Cayenne
1 cuil. à soupe de moutarde
5 cl d'huile d'olive
1 litre de lait caillé

La veille
• Désosser entièrement les râbles et les cuisses de lapereaux.

La marinade
• Cuire rapidement les gousses d'ail avec leur peau dans de l'eau salée.
• Piler les graines de cardamome. Éplucher le gingembre et le ciseler.
• Écraser la chair des gousses d'ail cuites en purée, ajouter le paprika, le curry, la cardamome pilée, le Cayenne, le gingembre ciselé, la moutarde et l'huile. Faire une pommade.
• Saler et citronner le lapereau, badigeonner avec la pommade obtenue. Verser le lait caillé sur le lapereau (dans un plat creux) et laisser mariner 24 h.

Le jour du repas
• Préchauffer le four à 160 °C.
• Brûler la peau du poivron dans le four pendant 15 min, le peler et le découper en dés.
• Éplucher et râper le céleri à la moulinette, le citronner, le saler et l'étuver rapidement avec 1 noix de beurre c'est-à-dire le cuire à feu doux à couvert.
• Cuire le riz avec le safran, le beurrer et le mélanger aux dés de poivron.
• Augmenter la température du four à 220 °C.
• Laver, essuyer et équeuter le cerfeuil.
• Retirer le lapereau de la marinade, l'éponger et le sécher, puis le rôtir 15 min au four avec un peu d'huile d'olive et de beurre. Arroser fréquemment pour dorer, déglacer* le plat de cuisson afin d'obtenir un jus court.
• Servir le lapereau sur le lit de céleri avec son jus, décorer de pluches* de coriandre et entourer de riz au poivron.

Un vin élégant issu de Syrah civilisé s'impose. Honorons la mémoire du chevalier de Sterimberg qui aurait rapporté de croisade ce cépage de la province de Shiraz en Perse et goûtons en héritage d'un des plus vieux vignobles français ce rare vin d'Hermitage aux senteurs de giroflée.

Râble de lièvre « Nouveau Monde »

Cette préparation puise ses origines dans des habitudes du Sud-Adour. En effet, jusqu'à la Première Guerre mondiale nos coteaux ignoraient le raisin rouge. Ainsi, civets, salmis et matelotes étaient systématiquement enrichis d'aromatisant chocolat noir de Bayonne, qui servait de colorant et de liant.

J'ai voulu perpétuer ce mariage traditionnel et insolite du gibier et du chocolat. Je n'ai pas hésité à remplacer le vin blanc par du voluptueux vin rouge, qui se joue merveilleusement des arômes du cacao.
Cette recette de lièvre au chocolat est devenue un classique :
elle figure même au Larousse Gastronomique.

Pour 4 personnes

Ingrédients :
1 beau lièvre de 2,5 à 3 kg
50 g de chocolat amer (75 %de cacao)
1 citron
1 cuil. à bouche* de sucre en poudre
Moutarde forte de Dijon
1 pointe de cannelle en poudre
1 râpée de noix muscade
5 baies de genièvre
1/2 clou de girofle
Vinaigre
Huile de pépins de raisin ou d'olive
3 cl d'Armagnac vieux
Sel, poivre noir du moulin

2 jours avant

• Dans une petite casserole, cuire lentement le vin blanc doux en plusieurs fois.

• Débiter le lièvre de la façon suivante : le dépouiller, réserver le foie et le sang avec un peu de vinaigre ainsi que le râble. Découper les membres et le coffre comme pour un civet traditionnel.

• Saler et poivrer le râble, ajouter la râpée de noix muscade, les grains de genièvre écrasés, le 1/2 clou de girofle écrasé et la cannelle. Badigeonner de moutarde et débarrasser dans l'huile (de préférence l'huile de pépins de raisin qui est plus fluide) au froid pendant 48 h.

• Préparer la marinade avec le vin blanc doux réduit et la garniture aromatique (poireau, carotte, échalotes et bouquet garni), la cuire à feu doux pendant 20 min puis la refroidir.

• Assaisonner les morceaux de lièvre comme le râble et les plonger 48 h dans la marinade cuite.

Marinade :
1 blanc de poireau
1 carotte
3 échalotes
1 bouquet garni
1 bouteille de vin blanc doux (Sauternes ou Jurançon)

Le jour du repas

• Poêler les morceaux de membres dans une sauteuse, mouiller avec la marinade filtrée et cuire lentement en civet pendant 2 h. Rectifier l'assaisonnement.

• En fin de cuisson, lier avec le sang et le foie concassé sans oublier le chocolat. Réserver ce civet pour un autre repas et prélever 25 cl de sauce à laquelle vous ajouterez l'Armagnac vieux.

• Rôtir le râble au four à la goutte de sang (voir p. 160) ; le découper sur l'os devant vos invités et le napper de sauce chocolatée.

Vous pouvez accompagner ce râble de petits choux farcis d'une compotée de fruits et de légumes d'hiver et décorer de quelques airelles.

Un verre de vin de vieux Banyuls ou vieux Maury sera le bienvenu. Toutefois une Côte-Rôtie capiteuse au bouquet de violette et riche en couleur se mariera très bien avec ce gibier aux arômes de torréfaction, surtout si elle a pour nom « Les Jumelles », « La Mordorée », « La Landone », « La Turque » ou « La Mouline ».

Jarret de veau de lait braisé,
tajine d'aubergines, olives et citron confit

Et si le jarret était le meilleur morceau du veau ? Les Italiens fanatiques de l'osso-buco seront sans doute d'accord. Pour moi le jarret de veau est irremplaçable dans un grand pot au feu mais je le préfère braisé lentement en cocotte. Il mérite une garniture de choix et l'aubergine représente l'élément idéal, capable de défendre son propre goût et d'intégrer celui de l'olive et du citron confit. À cet effet, j'utilise le tajine maghrébin en terre cuite vernissée avec son ingénieux couvercle conique qui permet de respecter une cuisson lente avec un léger mouillement aromatisé. Les vapeurs de cuisson qui montent dans le cône sont refroidies par la pointe extérieure du couvercle qui contient de l'eau et ainsi elles se condensent afin de nourrir et d'humidifier constamment la préparation.

Pour 4 personnes

Ingrédients :
2 jarrets de veau de lait entiers
1 pied de veau
50 cl de vin blanc
50 cl de jus de veau
2 carottes
2 oignons
6 gousses d'ail
1 bouquet garni
1 noix de beurre
Huile d'olive

• Préchauffer le four à 160 °C.
• Saler et poivrer les jarrets de veau; les faire dorer dans une cocotte avec 1 cuil. à soupe d'huile d'olive et le beurre. Mettre à rôtir au four, sans couvrir, pendant 45 min.
• Blanchir* le pied de veau. Le découper en morceaux.
• Éplucher et tailler les oignons et les carottes en petite mirepoix*. Peler les gousses d'ail.
• Ajouter dans la cocotte la mirepoix de carottes et d'oignons, l'ail écrasé, le bouquet garni et le pied de veau découpé. Couvrir la cocotte et laisser suer la garniture 10 min.
• Déglacer* avec le vin blanc et le jus de veau puis laisser cuire, à couvert, au four, pendant encore 1 h.

Tajine d'aubergines :
4 aubergines
2 citrons confits
1 cuil. à café de cumin
1 citron (jus)
100 g d'olives noires confites dénoyautées
10 cl d'huile d'olive
Sel, poivre du moulin

Prévoir 1 plat à tajine

• Hacher 1 citron confit et presser le citron frais.
• Couper chaque aubergine en quatre dans la longueur, saler et poivrer ; les faire dorer dans une poêle à l'huile d'olive ; les débarrasser dans le tajine, ajouter les olives, le citron confit haché, le cumin, 1/2 verre d'eau, la moitié du jus de citron et un peu d'huile d'olive. Couvrir et cuire à feu doux, sur la plaque électrique, pendant 30 min.
• Pendant ce temps, tailler la peau du deuxième citron confit en triangles puis passer le jus, rectifier l'assaisonnement, ajouter les triangles de peau de citron et le jus de citron restant.
• Escaloper le jarret et servir sur un plat de service, accompagné des aubergines, des olives et du citron confit ; arroser de jus de veau.

Profitez du moelleux velouté, du goût d'amande et du caractère épicé de ces vins rouges généreux que nous offre ce terroir convoité de Saint-Julien-Beychevelle. Si vous êtes un peu plus « cigale » et qu'aubergines, olives et citrons vous font penser au Sud, choisissez un de ces vins de Bandol où le Mourvèdre excelle avec la complicité du Cinsault et du Grenache. Ce sont des vins de plaisir, riches en structure, mariant suavité et puissance au travers de bouquets rappelant le pruneau, la truffe et le cuir élégant.

Fourme crémeuse au vin de noix

J'ai longtemps résisté à l'envie d'utiliser cette belle forme cylindrique de la fourme d'Ambert, fromage à la pâte persillée et à la belle saveur prononcée. Rêvant du mariage savant entre le vin de Porto vintage et le fameux Stilton, j'ai fini par m'offrir le plaisir de rapprocher fourme et vin de noix dans un curieux gâteau rond stratifié. Curieusement l'harmonie est instantanée et le plaisir des cerneaux de noix intégrés avec quelques raisins secs macérés permet d'éviter le dessert.

Si vous possédez un noyer ou des voisins généreux, le 24 juin cueillez 24 noix vertes avec leur brou et écrasez-les avec un marteau. Versez-les dans un pot de grès avec 1 kg de sucre, 1 litre d'eau-de-vie de vin, 1 litre de vin blanc, 1 gousse de vanille et le zeste d'un citron. Laissez macérer un mois à couvert en remuant avec une cuillère en bois tous les 3 jours. Le 24 juillet, filtrez et mettez en bouteille.

Pour 8 personnes

Ingrédients :
1/2 fourme d'Ambert
200 g de crème épaisse
50 g de raisins blonds secs
20 cl de vin de noix

Avec un fromage aussi charmeur, je pense à un petit verre de cet andalou Pedro Jimenez à la robe noire et aux arômes de noix vertes.

La veille

- Faire macérer les raisins dans le vin de noix pendant une nuit.

Le jour du repas

- Égoutter partiellement les raisins et les incorporer à la crème.
- Peler la croûte de la fourme puis couper la fourme en tranches d'au moins 1 cm d'épaisseur (à l'aide d'un couteau trempé dans de l'eau bouillante) et dresser sur un plat comme un gâteau, alternativement, 4 couches de fourme et 3 couches de crème. Bien tasser et réserver au frais pendant 3 ou 4 h.
- Démouler sur une planche puis découper délicatement, à l'aide d'un couteau électrique, 8 portions. Dresser sur assiette de manière à apprécier cette belle stratification.

Brie de Meaux à la truffe

Travailler les fromages traditionnels est pour certains un crime de lèse-majesté, jusqu'à ce qu'ils aient goûté cet amalgame savant où j'intègre le pervers mascarpone (aussi riche que du beurre et onctueux et blanc comme la crème épaisse du bocage) à la riche truffe fraîche râpée et à l'huile parfumée dans laquelle je conserve mes truffes. Il ne vous reste plus qu'à acheter un quart de brie de Meaux le plus respectable et naturel possible, le fendre en deux et le fourrer généreusement de cette préparation puis l'oublier au frais, emprisonné dans un emballage hermétique pendant deux ou trois jours avant la dégustation. L'équilibre de ce fromage enrichi réside dans le bon équilibre entre le brie (2/3) et l'appareil à base de truffe (1/3).

Pour 8 personnes

Ingrédients :

800 g de brie de Meaux fermier
150 g de mascarpone
Crème fleurette
Jus de veau
150 g de truffe fraîche ou cuite selon la saison
1/2 citron (jus)
Sel, poivre noir du moulin

• Couper le brie en deux dans le sens de l'épaisseur.
• Hacher finement 75 g de truffe, mélanger au mascarpone, saler, poivrer légèrement, étaler la préparation sur les 2 morceaux de brie.
• Râper la truffe restante sur un des morceaux de brie. Reconstituer le fromage en superposant les 2 morceaux. Envelopper dans du film alimentaire et réserver au frais pendant 3 ou 4 h minimum.
• Au moment de servir, tailler de belles tranches à l'aide d'un couteau électrique et accompagner d'une salade de mesclun assaisonnée d'un voile de crème fleurette et de quelques gouttes de jus de veau citronné.

Un authentique vin noir de Cahors (vive le Cot, connu aussi sous le nom de Malbec) encore rugueux au vieillissement, digne de la cour des tsars, apportera ses arômes mystiques qui s'harmonisent si bien avec la truffe noire.

Émincé de cèpes crus
aux copeaux de vieux fromage de brebis

Avant de vous donner la recette des cèpes crus en salade et sans oublier les charmes du champignon de Paris finement émincé et assaisonné cru, je tiens à vous préciser que champignons et salade verte font toujours bon ménage. J'en tiens pour exemple la roquette, cette salade du sud à la saveur assez forte et au léger goût moutardé qui s'associe à merveille aux parfums de sous-bois des champignons printaniers, au citron et à l'huile d'olive. J'aime la marier au mousseron au goût d'amande et à la girolle évoquant l'abricot sec. Aussi j'ajoute amande fraîche et abricots en petits dés dans la préparation des champignons confits. À défaut de champignons sauvages, n'hésitez pas à faire appel en priorité aux champignons de Paris extra-frais, qui méritent beaucoup plus que leur réputation. Pour agrémenter la présentation de cette salade, j'emprisonne des champignons entiers ou en tranches entre deux plaques de four. Après une longue et lente cuisson, vous obtiendrez le décor idéal naturel et savoureux de cette belle entrée.

Ceci dit, revenons au plaisir du champignon pour le champignon. Comment ne pas évoquer la mystérieuse et rare oronge que l'on cueille en fin de saison mais que l'on craint de confondre avec la soi-disant « fausse », pourtant bien différente, amanite phaloïde (je reconnais avec surprise et émotion en avoir croisé quelques milliers dans une petite forêt hongroise près du mont Tokaji, souvenir post-Tchernobyl...). Dans nos régions nous rêvions tous de cette poêlée d'oronges croustillantes et légèrement sucrées qui ponctuait la mi-automne. Bavardant avec l'ami

Paolo Petrini des mérites de ce champignon, il fut très surpris par ma tradition barbare de le cuire et me vanta les bonnes manières italiennes consistant à le déguster émincé cru, paré de quelques gouttes d'huile d'olive et d'un filet de vinaigre balsamique. Le geste joint à la parole, je compris immédiatement pourquoi depuis l'Antiquité elle faisait rêver les gourmets et s'appelait aussi impérialement « l'amanite des Césars ».

Fort de cette savoureuse expérience, le cher cèpe ne pouvait plus me résister, il ne restait plus qu'à exploiter sa crudité.

Pour 4 personnes

Ingrédients :
4 beaux cèpes « bouchon de Champagne » (250 g)
150 g de vieux fromage des Pyrénées
1 céleri branche
1/2 citron (jus)
1 cuil. à café de graines de sésame
10 cl d'huile de sésame
1 cuil. à bouche* de jus clair de veau
Fleur de sel
Poivre noir mignonnette

• Nettoyer les cèpes sans les laver ; les émincer finement dans leur hauteur.
• Prélever le cœur du céleri branche, c'est-à-dire les tiges tendres encore jaunes en ayant soin de réserver les sommités légèrement vertes. Tailler les tiges tendres en brunoise*.
• Faire griller les graines de sésame dans une poêle anti-adhésive. Prélever à l'aide d'un couteau économe des copeaux sur le fromage bien affiné. Presser le 1/2 citron.
• Dresser sur assiette les ingrédients en buisson harmonieux : intercaler les lamelles de cèpes, les copeaux de fromage, les feuilles tendres de céleri, parsemer de céleri en brunoise*, de graines de sésame, de poivre mignonnette et de fleur de sel.
• Au dernier moment, mélanger la moitié du jus de citron, le jus de veau et l'huile de sésame sans émulsionner l'ensemble afin de répartir cet assaisonnement sous forme de gouttelettes sur chaque assiette dressée.

Cette belle association fromage-champignons favorisera de nombreux vins quelle que soit leur couleur. C'est aussi l'occasion de déboucher un dense et concentré vin de Madiran bien construit.

Fromage de chèvre battu en fine croûte

Lors des beaux dîners d'été un peu tardifs, l'instant fromage devient une épreuve et le dessert pâtissier est moins convoité. Aussi ai-je souhaité réunir ces deux plaisirs dans une recette légère, ménageant caractère et douceur.

Le fromage frais de chèvre possède une moelleuse pertinence, le miel de châtaignier et le Cognac, une suave puissance, l'huile d'olive fruitée et citronnée un réconfort et la croûte fine et craquante le plaisir des textures.

Cette recette peut se préparer à l'avance et convient à l'assiette individuelle décorée et réservée au frais n'attendant plus que la tuile croustillante de chèvre lors du service.

Pour 6 personnes

Appareil pour croûte de fromage :
120 g de tomme de chèvre bien affinée
2 blancs d'œufs
20 g de farine
3 cuil. à soupe de graines de sésame

Appareil à fromage :
200 g de fromage de chèvre frais
150 g de crème fouettée
60 g de miel de châtaignier
5 cl de vieux Cognac

- Préchauffer le four à 140 °C.
- Râper la tomme de chèvre, mélanger avec la farine, les blancs d'œufs et les graines de sésame.
- Étaler très finement cet appareil sur une feuille anti-adhésive posée sur une plaque de four et débuter la cuisson.
- Après 6 à 7 min, au moment précis où l'appareil se solidifie, marquer 12 pièces identiques avec un emporte-pièce ce qui déterminera les dessus et dessous des 6 pavés de fromage.
- Poursuivre la cuisson 4 à 5 min afin d'obtenir une couleur blonde dorée. Séparer délicatement à chaud les 12 abaisses qui deviennent fragiles et cassantes dès qu'elles refroidissent.
- Bien lisser le fromage de chèvre frais avec le miel et le Cognac puis incorporer délicatement la crème fouettée.

Émulsion d'accompagnement :
8 cl d'huile d'olive fruitée
4 cl de miel
1 citron (jus)

1 grappe de raisin ferme et fruité en saison

• Introduire une abaisse de croûte de fromage dans l'emporte-pièce et garnir à la hauteur choisie avec l'appareil à fromage puis couvrir avec une autre abaisse ; faire de même pour les 6 autres.
• Presser le citron.
• Émulsionner l'huile d'olive, le 1/4 du jus de citron et le miel.
• Disposer individuellement les pavés obtenus sur des petites assiettes avec un grappillon de raisin en saison et des gouttelettes d'émulsion d'huile d'olive, miel et citron.

Rien de mieux pour réagir avec le goût de fromage de chèvre frais qu'un vin blanc de la vallée de la Loire, surtout quand le Chenin sincèrement vinifié dévoile ses parfums somptueux de vendanges tardives au travers d'un malin Coteaux de l'Aubance ou d'un sérieux Vouvray moelleux sur le fruit.

Soupe de pêches blanches à la menthe et au poivre vert

J'ai toujours été fasciné par le poivre vert, la beauté de ses grains et son potentiel de saveur. Malheureusement, il a été longtemps victime des sauces à la crème au sein desquelles il prend immanquablement un curieux goût de savon. C'est pourquoi j'ai cherché une alliance douce et fruitée avec la pêche blanche et la fraîcheur des feuilles de menthe.

Pour 2 personnes

Ingrédients :

4 belles pêches blanches mûres mais fermes
1 orange (jus)
2 brins de menthe fraîche
2 cuil. à soupe de miel
1 pincée de cannelle en poudre
1 cuil. à café de poivre vert

- Presser l'orange.
- Peler les pêches blanches, les dénoyauter, couper la chair de 2 d'entre elles en quartiers.
- Dans le bol d'un robot, mettre la chair des 2 autres pêches, le miel, la cannelle et le jus d'orange ; ajouter 8 à 10 feuilles de menthe et mixer rapidement.
- Vider le contenu du bol dans une belle coupe, y mêler les quartiers de pêches, ajouter le poivre vert.
- Mettre au réfrigérateur pendant 2 h.
- Décorer de quelques feuilles de menthe et servir aussitôt.

Un jeune vin de Muscat de Rivesaltes bien frais sera le bienvenu.

Pêches de vigne champenoises

C'est à Venise, sur la place San Marco, que j'ai découvert le cocktail Bellini, dont le nom est emprunté à une célèbre dynastie de peintres. Ce cocktail est à base de pêche écrasée à l'odeur de rose et de vin pétillant appelé « prosecco ». Le mariage de la pêche et du vin de Champagne m'est alors apparu comme évident et nécessaire. Ainsi, paradoxalement, d'une boisson fantaisie est né un dessert dans lequel se juxtaposent la chair cuite d'un fruit exceptionnel, le froid parfumé d'un sorbet du même fruit et le pétillant de la sauce au Champagne. Pour prolonger ce rêve de vénitien, décorez ce dessert de quelques pétales de rose fraîchement cueillie.

Pour 6 personnes

Ingrédients :
16 belles pêches de vigne
1/2 citron
2 gousses de vanille
600 g de sucre en poudre
10 cl de crème de pêche
3 blancs d'œufs
1/2 bouteille de Champagne
1 rose pour la décoration

• Ébouillanter les pêches pendant 30 sec, les peler, les ouvrir en deux, les dénoyauter et les citronner légèrement.
• Dans une casserole verser 500 g de sucre en poudre, ajouter 1 litre d'eau ainsi que les gousses de vanille fendues et porter à ébullition. Pocher* très doucement toutes les pêches dans ce sirop (8 à 10 min), laisser refroidir.
• Prélever 10 demi-pêches, les déstructurer dans un mixeur avec 30 cl de jus de cuisson et 100 g de sucre en poudre, 5 cl de crème de pêche et 1 filet de jus de citron. Verser l'appareil dans la sorbetière et faire prendre au froid.
• Égoutter 12 demi-pêches, les tailler en beaux quartiers, les disposer dans 6 assiettes creuses ou bols de service. Réserver au réfrigérateur.
• Dans un mixeur verser les pêches restantes avec 20 cl de jus de cuisson, 5 cl de crème de pêche, le Champagne et les blancs d'œufs ; mixer longuement. Cette préparation doit être mousseuse et glacée.

• La verser au dernier moment dans les assiettes de service puis déposer une belle quenelle de sorbet à la pêche et enfin décorer de pétales de rose.

Une riche cuvée de Champagne rosé complétera cet agréable moment.

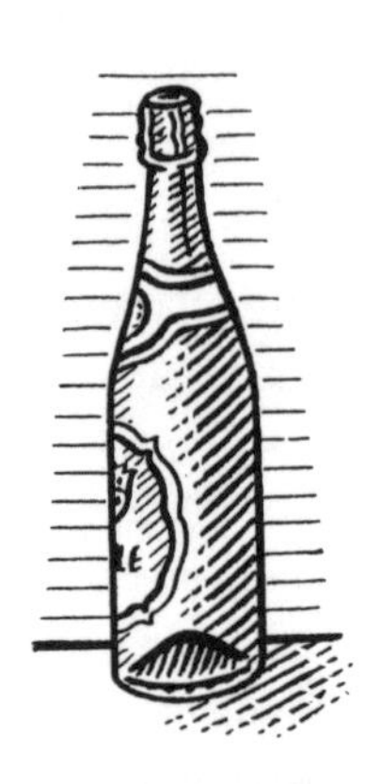

Les figues fraîches fourrées de noix,

crème glacée onctueuse « fourme d'Ambert et noix », le croquant aux noix

Dans mon petit univers culinaire de l'année 1999 au Carré des Feuillants, l'arrivée d'un jeune pâtissier gourmand et enthousiaste, débordant d'idées à canaliser, aura été un grand bonheur. Stéphane Marchand est toujours en effervescence et sans cesse habité par des associations de goût nouvelles. Son idée de crème glacée à la fourme d'Ambert a donné naissance à cette recette beaucoup plus harmonieuse qu'on pourrait le supposer.

Par évidence, figues, noix et fromage sont inséparables.
Dans ce dessert, qui marie le chaud et le froid, figues et noix sont réunies dans la même cuisson, le jus précieux obtenu les enrobe et les croquants, en forme de larges « langues de chat » pointues, jouent avec la crème glacée au riche goût de fourme d'Ambert.

Pour 6 personnes

Ingrédients :
12 belles figues
40 g de beurre
80 g de sucre en poudre
2 citrons
40 g de cerneaux de noix mondés
4 cl de Rhum brun

Crème glacée à la fourme

• Porter le lait à ébullition. Blanchir* les jaunes d'œufs avec le sucre semoule, mélanger avec le lait et cuire avec attention (principe de la crème anglaise) en remuant avec une spatule en bois. Arrêter la cuisson quand votre doigt laisse sa trace sur la spatule. Refroidir sur glace.

• Enlever la croûte de la fourme, l'écraser avec le mascarpone et la pâte de noix puis intégrer la masse obtenue dans l'anglaise froide. Turbiner* jusqu'à bon foisonnement dans votre sorbetière et réserver au grand froid.

Crème aux noix :
80 g de cerneaux de noix mondés
2 cuil. à bouche* d'huile de noix
15 cl de lait
4 jaunes d'œufs
50 g de sucre en poudre
30 g de farine
20 g de Maïzena

Croquant aux noix :
50 g de sucre en poudre
50 g de poudre de noix
50 g de sucre glace
10 g de pâte de noix
2 œufs (pour la meringue)
25 g de sucre en poudre (pour la meringue)
30 g de brisures de noix (pour le décor)
20 g de sucre glace (pour le décor)

Noix caramélisées :
80 g de cerneaux de noix
60 g de sucre en poudre

Crème glacée à la fourme :
30 cl de lait
4 jaunes d'œufs
120 g de fourme d'Ambert
150 g de mascarpone
50 g de sucre en poudre
10 g de pâte de noix

Croquant aux noix

• Préchauffer le four à 180°C.
• Mélanger sucre en poudre, poudre de noix, sucre glace et pâte de noix.
• Séparer les blancs des jaunes d'œufs et monter 50 g de blancs en neige ferme et incorporer les 25 g de sucre semoule.
• Mélanger activement les deux masses sans se soucier de la texture vaporeuse des blancs (nous ne recherchons pas un biscuit aérien).
• Suivant votre goût pour la décoration, imaginez la forme d'un pochoir de votre choix (demi-cercle, corne, triangle…) afin d'étaler sur plaque anti-adhésive l'équivalent de 12 croquants aux noix. Saupoudrer de brisures de noix et de sucre glace. Cuire au four pendant 6 min. Laisser refroidir dans un endroit sec.

Crème aux noix

• Procéder comme pour une crème pâtissière (voir p. 142) avec les jaunes d'œufs, la farine, la Maïzena, le sucre et le lait. Refroidir sur glace et mixer avec les cerneaux de noix et l'huile de noix afin d'obtenir une pâte bien lisse.

Figues rôties

• Dans un plat allant au four, disposer les figues, les saupoudrer de sucre, de noix de beurre et cuire pendant 30 min à 180 °C en ayant soin d'arroser régulièrement.
• Hacher les zestes de citron. Concasser les 40 g de cerneaux de noix mondés.
• Débarrasser les figues cuites et faire réduire le jus de cuisson à forte consistance sirupeuse. Ajouter les zestes de citron hachés, les cerneaux de noix concassés et le Rhum, laisser cuire 2 min et réserver ce beau jus.

Noix caramélisées

• Dans une sauteuse, chauffer le sucre avec un peu d'eau. Cuire jusqu'à obtention d'un beau caramel blond, jeter les cerneaux de noix, les rouler afin qu'ils soient bien enrobés. Débarrasser sur feuille de papier sulfurisé et laisser refroidir. Concasser le tout jusqu'à obtention d'une poudre grossière.

Montage

Mettre la crème aux noix dans une poche avec douille et fourrer par le dessous les figues qui reprendront leur volume charnu d'avant cuisson. Disposer vos 12 figues sur un plat, arroser du jus réservé et chauffer 12 min environ, au four à 160 °C. Servir sur assiette individuelle 2 figues brûlantes arrosées de leur jus, accompagner d'une généreuse quenelle de crème glacée à la fourme que vous aurez roulée dans la poudre des noix caramélisées et décorer avec les croquants.

Pas d'hésitation, un grand vin de Paille du Jura délivrera, grâce au cépage Savagnin alliant surmaturation et acidité, ce rare goût de noix confites complice de ce dessert.

Coupe légère de litchis à la gelée de rose,
pétales parfumés et vermicelles croustillants, granité au vin de Muscat

L'eau de fleur d'oranger, l'eau de rose, les fruits parfumés, certaines fleurs et les épices orientales ont toujours hanté mes rêves pâtissiers. Jeune professionnel, j'avais mis au point un dessert hivernal à base des fruits secs couramment appelés « mendiants » : amandes, figues, noisettes et raisins, auxquels j'adjoignais nos chers pruneaux et quelques abricots secs, le tout cuit lentement dans un jus sirupeux parfumé à la cannelle, aux zestes de citron et au vin de Sauternes. À l'occasion d'un séjour récent à Istanbul, j'ai été très surpris de constater que dans le patrimoine très riche de la cuisine turque figurait un dessert appelé *achuré* rappelant ma « soupe de mendiants ». Ce plat traditionnel, issu du rituel chiite, est toujours servi et partagé généreusement lors d'événements familiaux. Certains affirment qu'il a été conçu par les survivants de l'arche de Noé qui, pour fêter leur délivrance, utilisèrent les quelques céréales et fruits secs qu'ils purent trouver dans la cale du bateau.

À mon retour j'ai revisité ma recette, y intégrant pistaches, grenade, pignons, eau de rose… Ma compotée a pris soudainement une allure beaucoup plus orientale.

La recette de la gourmandise qui suit s'articule autour de ce parfum magique de rose. Une visite dans une épicerie orientale s'impose pour se procurer de l'eau de rose et des pétales de rose séchés. Si toutefois vous trouvez une excellente gelée de rose en conserve, votre préparation en sera facilitée. Il vous faudra aussi cueillir ou vous procurer des roses fraîches naturelles non traitées. Côté fruits, pas d'hésitation, seuls les litchis à maturité de qualité développent un goût de rose fraîche (évitez les petits litchis insipides et bon marché qui envahissent cycliquement les étals).

Pour 6 personnes

Ingrédients :
50 pièces de litchis frais
Vermicelles libanais (kadaïf)
200 g de sucre en poudre
10 cl d'eau
6 rosettes branchues rose pâle (variété de rose idéale)

Granité :
1/2 bouteille de vin de Muscat
50 g sucre en poudre

Gelée de rose :
5 cl d'eau de rose
2 cuil. à bouche* de pétales de rose séchés
20 g sucre en poudre
1 cuil. à bouche* de jus de betterave
1 g d'agar-agar en poudre

Mettre au frais 6 coupes ou verres à cocktail

Granité

Faire tiédir le vin afin d'y dissoudre le sucre tout en fouettant. Débarrasser le sirop obtenu dans un plat long (plat à gratin). Réserver au congélateur ou dans le compartiment à glaçons du réfrigérateur. Au bout d'1 h gratter à l'aide d'une fourchette la surface de la glace pour obtenir des petits cristaux. Remettre au froid et renouveler l'opération 1 h plus tard. Débarrasser les paillettes obtenues dans une boîte fermée hermétiquement et réserver au congélateur jusqu'à utilisation.

Gelée de rose

• Éplucher les litchis, les dénoyauter en prenant soin de les laisser entiers et de recueillir le jus. Prélever 20 litchis, les presser fortement à l'aide d'un mortier afin d'exprimer tout le jus des fruits. Passer dans un linge fin pour séparer la pulpe du jus. Débarrasser la pulpe.

• Ajouter à ce jus l'eau de rose, le sucre en poudre et les pétales séchés. Chauffer l'ensemble dans une casserole à 80 °C et incorporer la poudre d'agar-agar en fouettant pendant 2 min (à défaut de poudre d'agar-agar vous pouvez utiliser une feuille de gélatine préalablement ramollie à l'eau froide). Retirer du feu en continuant de fouetter jusqu'à refroidissement puis ajouter le jus de betterave. Débarrasser dans un saladier et faire prendre au froid.

• Préchauffer le four à 180 °C.

• Préparer un sirop avec 1 litre d'eau et 200 g de sucre en poudre. Prélever 6 écheveaux d'une dizaine de vermicelles, les tremper successivement dans le sirop préparé puis les égoutter.

• Les disposer sur une plaque anti-adhésive en leur donnant une forme étirée. Cuire pendant 8 min jusqu'à obtention d'une couleur blonde. À la sortie du four laisser refroidir à l'air libre.

Dressage

• Prévoir de beaux verres en forme de coupe avec si possible le pied creux de manière à offrir le spectacle de la gelée de rose. Verser un peu de gelée de rose avec quelques pétales dans le pied des verres puis disposer une belle cuillère de granité.

• Mélanger les litchis à la gelée de rose et répartir dans chaque verre. Prélever les cœurs des roses, les semer sur la surface du dessert et piquer les vermicelles croustillants. N'hésitez pas à parsemer les pétales de roses restants sur les pieds de verre.

C'est le moment idéal de servir un grand vin d'Alsace de vendanges tardives et encore mieux d'une sélection de grains nobles, riche en sucre résiduel, à la stricte condition qu'il soit issu de l'exubérant cépage Gewurztraminer, au rare parfum de rose, aromatique à souhait, souvent épicé, capable d'une grande acidité et qui peut se transcender en nectar sous l'effet de la pourriture noble.

Medley de mangues fumées et d'éclats de marron,

grué de cacao, « Mont-Blanc » vanillé

Cet entremets de caractère issu du mariage de la chair exotique de la mangue fumée avec notre douce châtaigne mérite un liant gélatineux discret voire évanescent. À cet effet j'utilise de l'agar-agar qui a sur les feuilles de gélatine alimentaire l'avantage de perdre au contact de la bouche le côté gélifiant souvent désagréable ou caché par l'adjonction de l'inévitable crème fouettée. L'agar-agar s'achète chez les professionnels en épicerie fine ou dans les épiceries asiatiques. Ce liant naturel extrait d'algues de l'océan Indien est beaucoup plus subtil que la gélatine alimentaire. L'ayant utilisé lors d'interventions en Asie, je l'avais retrouvé dans les années 1970 en Suède où ses qualités étaient déjà reconnues chez les professionnels. En été nous marions dans le même esprit la mangue fumée avec une gelée de thé vert et, dans un souci de fraîcheur et de parfum d'épices, nous l'accompagnons d'un sorbet de Rhum brun aux cinq baies, et d'une mousse légère au poivre vert. Utilisé avec soin et parcimonie, le poivre reste pour moi le roi des épices. Qu'il soit vert, noir, blanc ou rouge mais surtout pas rose (improprement baptisé poivre puisque cette baie rose n'appartient pas à la même famille), son origine est de Malabar dans l'Inde du sud. Le poivre vert provient de petites grappes qui n'ont pas achevé leur maturité, ce qui lui donne un piquant subtil et une belle fraîcheur. Lorsque les fruits sont cueillis jaunes et séchés au soleil, leur peau se fripe et devient foncée : c'est le poivre noir. Si on laisse mûrir ces baies plus longtemps, elles deviennent rouges ; on les conserve en saumure : c'est le poivre rouge. Ces mêmes baies rouges mises à tremper quelques jours seront débarrassées de leur peau et deviendront poivre blanc. Malheureusement, bien souvent, cette trituration engendre l'utilisation peu académique de produits violents qui confèrent par la suite des odeurs désagréables de saponification à ce pauvre poivre blanc.

Pour 6 personnes

Mangues fumées :
3 mangues (petites, mûres et fermes)
500 g sucre
50 cl eau
150 g de sciure de hêtre

Mont-Blanc :
100 g de marrons confits
10 cl de crème liquide
1 gousse de vanille
2 g de sucre en poudre
5 cl de Rhum brun

Medley :
Mangues fumées
150 g de sirop de cuisson des mangues
100 g de marrons confits
1 g d'agar-agar en poudre
10 g de cassonade

Tuiles au grué de cacao :
20 g de beurre en pommade*
30 g de sucre glace
1/4 de blanc d'œuf
10 g de grué de cacao (éclats de fèves de cacao)
6 g de cacao en poudre
2 marrons glacés pour le décor

Mangues fumées

Préparer un sirop avec le sucre et l'eau. Éplucher les mangues, les couper en deux dans le sens de la longueur en les détachant du noyau. Les jeter dans le sirop bouillant (hors du feu). Après 15 min de pochage, refroidir sur glace l'ensemble. Tout ceci dans le but d'éviter l'oxydation du fruit. Égoutter les 6 demi-mangues sur du papier absorbant. Pour le fumage, vous pouvez utiliser la solution moderne et rapide avec un sac à fumer en papier spécial four, sinon utiliser une boîte à fumer avec couvercle à glissière et petite grille au-dessus de la sciure. Dans ce cas disposer les fruits sur la grille, allumer la sciure de hêtre (150 à 200 g), fermer la boîte et laisser fumer 3 h.

Mont-Blanc

• Fendre et gratter une gousse de vanille bien grasse dans 5 cl de Rhum brun Negrita ; chauffer légèrement pour exprimer le goût de la vanille, ajouter les marrons confits et mixer le tout en purée en gérant la texture avec le sirop des marrons.
• Fouetter la crème en chantilly en y incorporant le sucre. Cette chantilly apportera décor et confort.

Le medley

Tailler les mangues fumées et les marrons confits en grosse brunoise. Chauffer 150 g de sirop de cuisson des mangues avec 10 cl d'eau à 80 °C et incorporer l'agar-agar en fouettant. Mélanger la mangue, les marrons et le sirop collé puis répartir en 6 ramequins de 8 cm de diamètre environ et laisser prendre au froid (à défaut d'agar-agar qui casse et fond au contact de la bouche, vous pouvez utiliser la feuille de gélatine, toujours plus caoutchouteuse).

• Préchauffer le four à 180 °C.
• Mélanger les ingrédients avec le beurre en pommade, étaler l'appareil en 12 tuiles sur plaque recouverte de papier anti-adhésif. Cuire 7 min dans le four. Dès la sortie du four, donner la forme souhaitée (sur un rouleau, sur l'angle d'une table, ou roulées sur une baguette…).

Dressage
Démouler le medley sur assiette froide. Avec une petite poche à douille former sur le côté un nid en chantilly, disposer dessus la crème « Mont-Blanc » avec une poche à douille très fine (taille gros spaghetti). Saupoudrer de cacao en poudre et décorer avec de beaux éclats de marron glacé. N'hésitez pas à piquer les tuiles craquantes dans ce dessert onctueux et confortable.

Profitez des nuances de ce dessert hivernal pour savourer une tasse de thé légèrement fumé.

Gâteau de crêpes à l'ananas confit, sauce pinacolada

La crêpe est la « bonne à tout faire » de la cuisine et de la pâtisserie. On la trouve salée ou sucrée, gratinée au saumon fumé, en aumônière gorgée de caviar, baignée dans le consommé Célestine, flambée au célèbre Grand Marnier ; elle est aussi le symbole du renouveau quand elle saute à la Chandeleur.

Pour réaliser ce gâteau je superpose de fines tranches caramélisées d'ananas victoria de la Réunion (le plus petit et le plus savoureux) avec de belles crêpes afin d'obtenir un beau gâteau cylindrique. Pour lui donner un confort moelleux, je tartine légèrement chaque crêpe d'une crème à base de lait de coco et de vanille. Comme tous les enfants, la vanille me faisait rêver de voyages lointains et d'horizons exotiques. J'ai très vite appris à distinguer les gousses de vanille charnues et huileuses gorgées de petites graines noires qui répandent cette odeur envoûtante. Douce et suave de Tahiti ou plus vive et pugnace de la Réunion, il faut savoir gérer leur évolution à la cuisson.

À Paris, le célèbre marchand d'épices Izraël m'a fait découvrir dans les années 1970 des vanillons courts et dodus, soi-disant erreurs de la nature, qui étaient de pures merveilles de goût. Ainsi à l'époque, la glace à la vanille du Trou Gascon pouvait surprendre le quidam, ou l'inquiéter.

La mode étonnante de notre traditionnelle crème brûlée envahit avec des réussites diverses la quasi totalité des cartes de restaurant de la planète. Recherchant toujours plus de plaisir vous pouvez remplacer la crème anglaise de base au profit d'une crème brûlée riche en vanille et en œufs fermiers. Pour le craquant n'hésitez pas à rouler les quenelles de glace obtenues dans des crêpes Gavotte émiettées.

Revenons à ce gâteau de crêpes. Il ne reste plus qu'à préparer une puissante sauce froide inspirée du célèbre cocktail pinacolada (Rhum blanc, lait de coco et jus d'ananas).

Pour 6 à 8 personnes

Pour 8 belles crêpes de 18 cm de diamètre :
125 g de farine
1 œuf
25 cl de lait
25 g de beurre noisette*
25 g de sucre en poudre
1 g de sel

50 cl de crème pâtissière à base de lait de coco et de vanille (voir p. 142)
500 g de crème fleurette
Beurre
5 cl de vieux Rhum
1 grenade
3 fruits de la passion
2 ananas victoria
200 g de cassonade
1 cuil. à moka de cannelle en poudre

Sauce pinacolada :
12 cl de lait de coco sucré
12 cl de jus d'ananas
3 cl de Rhum blanc

• Préparer la pâte à crêpes et la laisser reposer un moment.
• Préchauffer le four à 150 °C.
• Éplucher les ananas. Tailler 150 g de chair d'ananas bien ferme en fine brunoise et la réserver pour la décoration. Couper le reste de la chair d'ananas en fines tranches de 5 mm, les disposer dans un plat allant au four avec du beurre, la cassonade, de la cannelle et un peu d'eau sans oublier le papier sulfurisé beurré par dessus. Enfourner pendant 30 à 40 min ; laisser refroidir.
• Cuire 8 à 10 crêpes.
• Fouetter la crème fleurette.
• Mélanger délicatement la crème pâtissière au lait de coco et vanille avec la crème fouettée et le vieux Rhum.
• Disposer la première crêpe sur le plat de service et la tartiner délicatement avec l'appareil, répartir les tranches d'ananas confit et à nouveau de l'appareil, puis couvrir à l'aide d'une deuxième crêpe et renouveler l'opération 7 fois, la dernière crêpe servant de dessus au gâteau. Réserver 1 h ou 2 au froid.
• Au moment de servir, découper de beaux quartiers à l'aide d'un couteau électrique afin de les servir couchés sur l'assiette. Décorer avec la brunoise d'ananas cru, des graines de grenade et des fruits de la passion.
• Préparer la sauce pinacolada : chauffer et mixer le lait de coco, le jus d'ananas et le Rhum blanc ; servir en saucière à part.

Une belle quenelle de sorbet à la noix de coco est la bienvenue pour compléter le confort de ce dessert exotique.

Vous pouvez ponctuer ce luxuriant dessert d'un verre de Rhum blanc glacé.

Tartelette sablée à la rhubarbe,
mousse légère au gingembre confit

La rhubarbe est entourée de magie en raison de ses origines médicinales. Avant cuisson j'emprisonne les tiges charnues bien confites dans une riche pâte émiettée qui n'a pas souffert d'un trop long malaxage. Servi encore chaud, ce dessert appelle un peu de confort musclé, d'où la présence d'une mousse à base de gingembre confit et de romarin. Cette plante aromatique, à mon goût, s'exprime mieux avec le sucré qu'avec le salé.

Pour 6 personnes

Ingrédients :
1,5 kg de rhubarbe
100 g de sucre en poudre

Pâte sablée :
100 g de sucre en poudre
100 g de beurre pommade*
100 g de farine
100 g de poudre d'amandes

Mousse légère :
4 œufs
20 cl de crème liquide
200 g de chocolat blanc
2 cuil. à soupe de sucre en poudre
1 cuil. à soupe de gingembre confit
1 bottillon de romarin

Préparation de la pâte

• Mélanger dans un récipient le beurre et le sucre en poudre. Ajouter la farine et la poudre d'amandes. Frotter ce mélange entre vos mains afin d'obtenir une pâte très sableuse. Laisser reposer dans un récipient plat au frais.

Préparation de la mousse

• Faire fondre au bain-marie le chocolat blanc.
• Faire infuser le romarin dans la crème liquide : porter la crème à ébullition, y jeter le romarin et laisser infuser jusqu'à refroidissement. Filtrer, puis fouetter la crème sur glace.
• Hacher le gingembre confit.
• Séparer les blancs d'œufs des jaunes. Fouetter ces derniers avec 1 cuil. à soupe de sucre jusqu'à consistance mousseuse en chauffant légèrement au bain-marie. Ajouter le chocolat fondu. Monter les blancs en neige avec 1 cuil. à soupe de sucre, les incorporer délicatement ainsi que le gingembre confit haché. Verser dans un bac et laisser prendre au réfrigérateur.

Préparation de la rhubarbe

• Éplucher à l'aide d'un économe les tiges de rhubarbe et les couper ensuite en tronçons d'1 cm environ.
• Dans une casserole les cuire avec le sucre et un peu d'eau jusqu'à l'obtention d'une compote assez épaisse.

• Préchauffer le four à 180 °C.
• Déposer dans le fond de 6 petits cercles à tarte (ou éventuellement un moule à tarte avec un fond amovible) une couche de pâte sablée en donnant la forme d'un petit puits afin d'y déposer une bonne cuillerée de compote de rhubarbe.
• Recouvrir ensuite jusqu'à hauteur des moules avec le reste de la pâte sablée en pressant très légèrement.
• Enfourner environ 20 min.
• Démouler sur assiette les tartelettes tièdes et les servir de suite accompagnées d'une quenelle de mousse légère au gingembre.

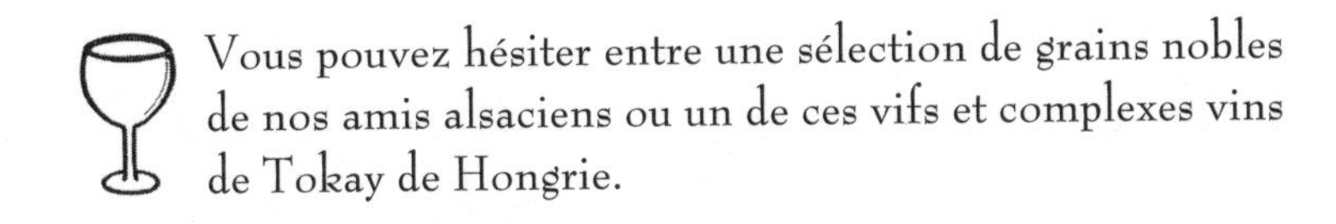
Vous pouvez hésiter entre une sélection de grains nobles de nos amis alsaciens ou un de ces vifs et complexes vins de Tokay de Hongrie.

Le Montansier

Illustre citoyenne de Bayonne, née sous Louis XIV, Marguerite Brunet « monta » à Paris chez une tante, marchande de mode et frivolités rue Saint-Roch, en 1745.

A quinze ans, cette jeune béarnaise parlant gascon, surnommée « Hermosa » à Bayonne, passa sans difficulté de la frivolité à la galanterie et fit une brillante carrière théâtrale sous le nom de La Montansier. Elle dirigea le Châtelet et le théâtre de Versailles porte toujours son nom. Bien entendu, elle adorait le chocolat noir de Bayonne – qui fut peut-être le secret de sa longévité (elle mourut à 90 ans). Lors de la création de l'Académie du chocolat de Bayonne, j'ai eu l'honneur d'être nommé ambassadeur du chocolat aux côtés de l'exceptionnel grand maître es-chocolat, Robert Linxe. Il ne me restait plus qu'à honorer cette « grande dame » de chez nous. Pour cela j'ai tout simplement appelé ce gâteau original où le craquant s'allie au moelleux et le sucré à l'amer : le Montansier.

Pour 4 à 6 personnes

Biscuit :
125 g de poudre d'amandes
60 g d'amandes effilées
20 g de cacao en poudre
100 g de sucre glace
40 g de sucre en poudre
20 g de farine
5 blancs d'œufs
Beurre

La veille

• Mélanger la poudre d'amandes, le sucre glace, la farine et le cacao. Battre les blancs en neige avec le sucre en poudre et ajouter délicatement le mélange précédent à la spatule sans battre.
• Préchauffer le four entre 160 °C et 180 °C.
• Beurrer deux moules de la taille voulue, les garnir avec l'appareil sur 1 cm d'épaisseur à l'aide d'une corne. Saupoudrer d'amandes effilées et cuire au four pendant 40 min environ.
• Pendant ce temps, préparer la crème pistachée : monder* et blanchir* les pistaches dans du lait, les concasser* puis les ajouter

Crème pistachée :
100 g de crème pâtissière (voir p. 142)
100 g de beurre en pommade*
100 g de pistaches vertes
Lait

Sauce chocolat :
100 g de chocolat noir (70 % de cacao type guanaja)
15 cl d'eau
1 pincée de cannelle en poudre
Quelques gouttes d'extrait de vanille
5 cl de liqueur d'amande

à la crème pâtissière tiède ; incorporer le beurre en pommade* en finale.

Montage du gâteau

• Étaler la crème pistachée sur l'un des biscuits et recouvrir à l'aide du deuxième biscuit. L'entourer de film alimentaire pour éviter l'humidité et réserver au froid 12 h minimum.

Le jour du repas

• Préparer une sauce chocolat en faisant fondre dans une casserole les ingrédients prévus à cet effet.
• Servir accompagné de la sauce chocolat chaude parfumée à la cannelle, c'est le moment d'utiliser votre vieille chocolatière sinon une saucière fera l'affaire.

La sauce chaude au chocolat n'implique pas une autre boisson.

Fondant chocolat à la bergamote

Dans ce dessert chaud j'optimise la qualité du chocolat par un peu de café *espresso* et de la bergamote sous forme d'huile essentielle tirée de l'écorce de cet agrume. Mon procédé de cuisson en deux temps permet d'obtenir des gâteaux individuels qui, mangés à la sortie du four, gardent le secret du chocolat fondant à cœur.

Pour 6 personnes

Ingrédients :
125 g de chocolat noir (70 à 75 % de cacao)
125 g de pâte de cacao (100 % de cacao)
1 café *espresso*
200 g de beurre en pommade*
8 œufs
300 g de sucre en poudre
40 g de cacao en poudre
1/2 cuil. à café d'essence naturelle de bergamote

Prévoir 6 cercles en inox de 10 cm de diamètre et de 2 cm de haut

• Dans une jatte placée dans un bain-marie faire fondre le chocolat noir avec la pâte de cacao puis ajouter le beurre en pommade, l'essence de bergamote, les jaunes d'œufs et le café.
• Battre les blancs en neige en ajoutant le sucre en poudre jusqu'à obtention d'une texture bien lisse. Incorporer délicatement à l'appareil au chocolat à l'aide d'une spatule puis ajouter la poudre de cacao en finale.
• Préchauffer le four à 180 °C.
• Sur une plaque de four recouverte de papier sulfurisé chemisé* disposer les cercles, y étaler une partie de la préparation chocolat sur 1 cm d'épaisseur et cuire au four pendant 5 min.
• Laisser refroidir puis recouvrir avec l'appareil restant et mettre à nouveau au four pendant 5 min juste avant de servir. Les gâteaux doivent être coulants à l'intérieur (d'où cette cuisson en deux temps).

À déguster tout simplement avec un excellent café.

Sorbet cacao amer

Dans le Sud-Adour, le chocolat fait partie des saveurs de notre enfance, liées à des instants de plaisir à la fois simples et chargés de sensations fortes.

Le fruit du cacaoyer, la cabosse, contenant les fèves magiques est devenu l'arbre des Dieux dans la presqu'île du Yucatan (entre les actuels Mexique et Guatemala) quand les Mayas, qui l'utilisaient comme monnaie, ont eu la riche idée de le laisser fermenter pendant 4 à 6 jours pour que naisse l'arôme puissant du cacao libéré par la torréfaction. Ainsi fermenté comme le vin et le tabac, le mystérieux *tchacahou*a broyé en poudre, associé à de l'eau bouillante, du piment, du musc, du miel et de la farine devint une sorte d'ambroisie convoitée par les sanguinaires guerriers mayas au service de leur remarquable civilisation.

Le conquistador Cortez, avide de trésors, découvrit la royale plantation de Maniapeltec avec ses montagnes de cacao, liée au cérémonial de la culture et de la récolte sans oublier ses rites et ses danses associés aux jeux d'amour orgiaques et aux sacrifices humains. Quand en 1527 il revint sur le vieux continent, son bureau était continuellement envahi par les odeurs qui se dégageaient d'une « chocolatière » fumante.

En 1585, on s'arracha la première cargaison de cacao venue de Veracruz malgré son prix élevé. La mode de cette boisson chaude, parfumée maintenant de cannelle, voire de vanille, était née. À cette époque le port de Bayonne était le pionnier de cette denrée rare. Dans le Pays Basque et les pays du Sud-Adour, le cacao sous forme de boisson avait toutes les vertus souhaitées : médicales, aphrodisiaques et idéales pendant le carême des chrétiens puisque d'origine végétale. Ce même cacao aux saveurs de terre chaude un peu iodée fut très vite prisé par nos cuisinières qui trouvèrent en lui un liant, un colorant et un arôme complice du vin rouge et favorable à certaines viandes, certains gibiers, certains poissons, voire des crustacés. Dans la même période l'inquisition battait son plein en Espagne et les émigrants juifs séfarades s'installèrent dans nos terres et nous enrichirent de leur maîtrise en confiseries orientales. Séduits par cette rencontre avec le chocolat et friands de sucreries, ils créèrent les premières pastilles, dragées, bonbons fourrés de pâte de cacao dans l'histoire mondiale des gourmandises. Équipés de leur matériel ils allaient chez les particuliers fabriquer à façon leurs propres spécialités et dernières créations. Bien entendu l'Église accepta la pause bonbons chocolats durant les longues cérémonies du carême et je reste persuadé que le symbolique œuf de Pâques en chocolat trouve ici ses origines. L'histoire a voulu que ces familles de pâtissiers et confiseurs s'intègrent dans notre belle région et donnent naissance à la saga actuelle des grands chocolatiers de notre région honorant l'Académie du chocolat de Bayonne.

Lorsque nous étions enfants, la rentrée des classes était liée aux pluies de septembre, aux achats scolaires et surtout aux effluves de chocolat chaud qui s'échappaient des salons de thé sous les « arceaux » de la ville de Bayonne et qui ponctuaient la fin de nos grandes vacances. Ici la crème n'était pas de mise, le chocolat noir se préparait même à la maison avec de l'eau et le gâteau du dimanche était noir, riche, gras-cuit, ne laissant aucune chance au maquillage d'une pâte de cacao de piètre qualité ou origine, sans parler des nouveaux additifs de graisses végétales acceptées par nos élus européens.

Il va de soi que cette noble denrée est liée aux différentes espèces de cacaoyer, aux différents climats, au sérieux de sa culture mais surtout comme pour les vins et le tabac, à la notion de terroirs de référence.

Dans le mouvement culinaire innovateur des années 1970, j'ai mis au point cette recette très simple de sorbet qui associe la légèreté à une grande puissance de goût. Compte tenu de l'absence de produit laitier, cette recette ne souffre pas la médiocrité et nécessite un chocolat amer de premier ordre. L'été, j'aime l'agrémenter d'une pointe de menthe.

Pour 6 personnes

Ingrédients :
1,5 litre d'eau
700 g de sucre en poudre
200 g de cacao amer en poudre

• Préparer un sirop en faisant bouillir l'eau et le sucre ; le laisser refroidir et ajouter le cacao en poudre.
• Verser la préparation dans une sorbetière et faire prendre au froid.
• Au moment de servir faire de belles quenelles de sorbet à l'aide d'une cuillère à soupe et disposer dans des coupes givrées.

De l'eau, de l'eau, de l'eau…

En guise de conclusion

Un livre, aussi sincère soit-il, ne sera jamais qu'un livre c'est-à-dire une suite plus ou moins compacte, plus ou moins digeste, de mots imprimés. Je me méfie des mots. Comme tout homme aux prises avec la matière – les produits –, en contact avec le feu – la cuisson –, la glace – la chaîne du froid –, astreint à l'assemblage subtil des textures, des saveurs et des odeurs, j'ai tendance à privilégier le silence.

Pour autant, en homme du Sud-Ouest, je sais toute l'importance de la communication, de l'échange, de ce grand brassage de mots qu'est la conversation. Et son influence ne m'a pas échappé dans la réussite d'un repas. La conversation, j'en suis persuadé, est une des conditions du plaisir qu'on prend à table car elle créé ou fonde l'amitié, favorise l'intimité, donne naissance à un courant mystérieux, générateur de bien-être donc de bien-vivre ; tous ces éléments sans lesquels la meilleure cuisine, les plats les mieux équilibrés, les vins les mieux choisis ne seront jamais que des réussites, non des moments de bonheur.

Chez les Grecs anciens, la conversation à table était réglée et solennelle. Dans *Le Banquet* de Platon, les convives mangent avant de commencer à parler. Puis le médecin Eryximaque propose un thème de conversation : on improvisera sur l'amour. Au petit matin rapporte Platon, Socrate parlait encore…

Dans notre société médiatique, les sujets d'actualité ne manquent pas et engendrent souvent le cacophonie de milieu de repas. Quel bonheur d'entendre parfois une voix féminine s'élever : « Taisez-vous un peu, on ne sait plus ce que l'on mange et ce que l'on boit ! » C'est ce que réclamaient déjà à table, Pierre de Montmaur (professeur de grec du roi Louis XIII) et Cambacérès, ministre de Napoléon 1er.

Jadis on chantait spontanément à l'issue d'un bon repas. C'est le moment où la conversation s'accélère, se libère. Chez moi c'était l'occasion d'évoquer les grands moments d'émotion vécus dans les arènes ou devant un ballon ovale. Autour d'une tasse de café servi si possible à table et non pas au salon, pour éviter le déplacement, la rupture, les langues, comme on dit, se délient : chaleur communicative, dit-on aussi. Les mots ont pris le relais des mets – comme dans ce livre. La salle à manger a été inventée en France il y a deux siècles (on n'en trouve pas la trace dans les châteaux historiques) pour rompre l'ennui et fuir la froideur de nombreux salons. Pourquoi y retourner ? Réservez au salon le privilège de l'apéritif...

Convive ou lecteur, chacun reste libre de prendre congé ou de partager son plaisir, un verre d'eau-de-vie à la main par exemple. Et d'en conserver, pourquoi pas, un bon souvenir.

Index

Index par produits principaux

D

E

V

Index des recettes

G

H

J

L

M

N

O

P

Q

R

S

T

V

Remerciements

L'auteur remercie tout particulièrement
Gilles Lambert
pour ses précieux conseils d'écriture

Conception graphique : Dominique Gallet
Illustrations : Alain Millerand

Composé par IGS-CP
Achevé d'imprimer Pollina : janvier 2001

N° d'édition : 19509
Dépôt légal : janvier 2001
N° d'impression : L82382